DE
GOLF

Lanksterre

T R E N

Ervanon
G h e n t

Scheerdam
Glamrer

Meer
Winterpier

Melengar
Gutlin

Velden van Drondil

Midvoorde
Slagwijk

Abdij der Winden

Rou

Heidersoord

De Verloren Landen

A V R Y

Warrick
Aquesta

Colnora

A l

Ratibor
Hintdal

Rhenydd
Kilnar

Rivier Bernum

Vernes

WESTERLANDEN

M a r a n o n
Manzar

D E L G O S

ZEE VAN
SHARON

Tur Del Fur

Tiërre

B
D

DACCA

Voor mijn vrouw, Robin, mijn partner in het leven en in het avontuur van het maken van deze reeks, wier harde werk en toewijding het allemaal mogelijk maakten

Voor mijn dochter Sarah, die het verhaal niet wilde lezen voordat het was gepubliceerd

Voor Steve Gillick voor zijn feedback, en Pete DeBrule, die dit alles in gang heeft gezet

En voor de leden van Dragonchow, mijn oorspronkelijke fanclub

derlanden

ERIVAANSE RIJK
Elfenlanden

Oostelijke kustlijn getekend
volgens oude keizerlijke bron

N
W — O
Z

npartha

BA RAN
Archipel

KOBOLD-
ZEE

uvelrug

n o n

Rolandue
Wesbaden   C A L I S
Mandalin   Gur Em
Dagastan   Dur Guron

ZEE VAN
GHAZEL   Elan

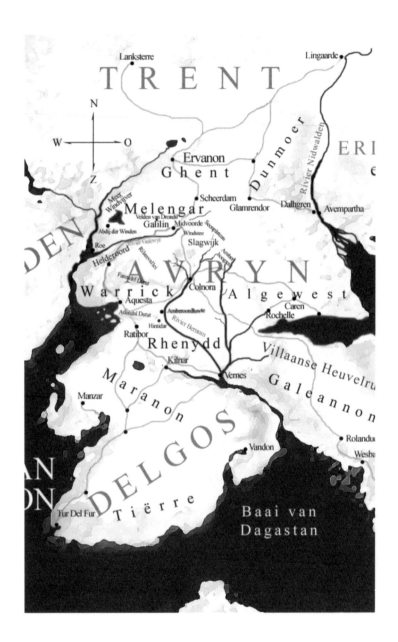

DE ELFENTOREN

Van Michael J. Sullivan is verschenen:

BEKENDE LANDSTREKEN VAN DE WERELD VAN ELAN

Estrendor: Noordelijke Woestenij
Erivaanse Rijk: Elfenlanden
Apeladorn: Menselijke Naties
Ba Ran Archipel: Eilanden van de Kobolden
Westerlanden: Westelijke Woestenij
Dacca: Eiland van de Zuidermensen

NATIES VAN APELADORN

Avryn: centrale, welvarende koninkrijken
Trent: noordelijke, bergachtige koninkrijken
Calis: zuidoostelijke, tropische krijgsheren
Delgos: zuidelijke republiek

KONINKRIJKEN VAN AVRYN

Ghent: geestelijk pachtgoed van de Kerk van Nyphron
Melengar: klein doch oud en gerespecteerd koninkrijk
Warrick: machtigste van de koninkrijken van Avryn
Dunmoer: jongste en minst ontwikkelde koninkrijk
Algewest: bebost koninkrijk
Rhenydd: arm koninkrijk
Maranon: voedselproducent, ooit onderdeel van Delgos en
*   verloren toen Delgos een republiek werd*
Galeannon: wetteloos koninkrijk van bar heuvelland, de
*   locatie van enkele grote veldslagen*

DE GODEN

Erebus: vader der goden
Ferrol: oudste zoon, god der elfen
Drome: tweede zoon, god der dwergen
Maribor: derde zoon, god der mensen
Muriël: enige dochter, godin der natuur
Uberlin: zoon van Muriël en Erebus, god der duisternis

POLITIEKE PARTIJEN

Keizersgezinden: zij die de hele mensheid onder één enkele
  leider willen samenvoegen, die een directe nakomeling (de
  erfgenaam) is van de halfgod Novron
Nationalisten: zij die geregeerd willen worden door een
  leider, gekozen door het volk
Koningsgezinden: zij die geregeerd worden door individuele,
  onafhankelijke vorsten, en dat zo willen houden

1

COLNORA

Toen de man uit de schaduw stapte, wist Wybrand Deminthal direct dat dit de ergste, zo niet de laatste dag van zijn leven was. De man, die gekleed was in ruwe wol en ruig leer, kwam hem vaag bekend voor. Ruim twee jaar eerder had Wybrand dat gezicht heel even bij kaarslicht gezien, en hij had gehoopt dat gezicht nooit meer tegen te komen. De man droeg drie zwaarden, alle drie even gehavend en dof, met gerafelde gevesten vol zweetplekken. Hij was ruim een voet langer dan Wybrand, zijn schouders waren breder en zijn handen krachtiger en hij had zijn gewicht gelijkmatig verdeeld over de ballen van zijn voeten. Hij keek Wybrand aan zoals een kat een muis fixeert.

'Baron Delano de Wit van Dagastan.' Het was geen vraag maar een beschuldiging.

Wybrands hart sloeg een slag over. Zelfs nadat hij het gezicht had herkend, hoopte het optimistische deel van hem – dat op de een of andere manier de afgelopen ellendige jaren had weten te overleven – dat het de man alleen om zijn geld te doen was. Maar nu hij die woorden hoorde, vervloog die hoop.

'Sorry, u vergist zich,' antwoordde hij de man die zijn weg blokkeerde, terwijl hij zijn best deed vriendelijk, luchtig en onschuldig te klinken. Hij probeerde zelfs zijn Caliaanse accent te verbergen om deze schertsvertoning kracht bij te zetten.

'Nee, ik vergis me niet,' zei de man beslist, terwijl hij breed-uit door het steegje naar voren kwam en de hoopgevende ruimte tussen hen in liet verdwijnen. Zijn handen bleven goed zichtbaar, wat verontrustender was dan wanneer ze op de knoppen van zijn zwaarden hadden gelegen. Al had Wybrand een goed kromzwaard bij zich, de man toonde geen greintje angst voor hem.

'Nou, het is namelijk zo dat Wybrand Deminthal mijn naam is. Daarom durf ik te stellen dat u me met iemand anders verwart.'

Wybrand was opgelucht dat hij dit alles zonder hakkelen had kunnen zeggen. Hij deed zijn uiterste best zijn lichaam te ontspannen door zijn schouders te laten hangen en zijn ge-wicht op één been te laten rusten. Hij dwong zichzelf vrien-delijk te glimlachen en staarde wat om zich heen, zoals iemand die zich van geen kwaad bewust was.

Ze stonden tegenover elkaar in het smalle, volgestouwde steegje, slechts een paar meter van het huis waar Wybrand een zolderkamer had gehuurd. Het was pikdonker. Een paar meter achter hem hing een lantaarn, vastgemaakt aan de muur van een winkel voor veevoer. Hij kon de flakkerende gloed zien in de regenplassen die zich tussen de kinderkopjes hadden ge-vormd. Achter zich hoorde hij de muziek uit de taveerne De Grijze Muis, al klonk het gedempt en niet dreunend. Stemmen echoden in de verte – gelach, geschreeuw en geruzie; het ge-kletter van een vallende bloempot volgde op het krolse gejam-mer van een onzichtbare kat. Ergens verderop rolde een koets voorbij met zijn houten wielen ratelend op de natte stenen. Het was laat. De enige mensen op straat waren drinkebroers, hoeren en zij die hun zaakjes het liefst in het donker uitvoer-den.

De man kwam nog een stap dichterbij. De blik in zijn ogen voorspelde niet veel goeds. Ze keken hem scherp aan en straal-den een grote vastberadenheid uit, maar het was het vleugje meewarigheid dat Wybrand inwendig deed huiveren.

'Jij bent die vent die mij en mijn vriend inhuurde om een

zwaard uit Kasteel Essendon te stelen.'

'Het spijt me. Ik heb geen flauw idee waar u het over hebt. Ik weet niet eens waar dat Essendon ligt. U moet me met iemand anders verwarren. Dat komt waarschijnlijk door de hoed.' Wybrand nam zijn breedgerande hoed met pluim af en toonde hem aan de man. 'Ziet u, het is een doodgewone hoed die overal te koop is, maar tegelijkertijd niet zo gewoon omdat nog maar weinig mensen hem tegenwoordig dragen. Het zou kunnen dat u iemand met een dergelijke hoed hebt gezien en maar aannam dat ik het was. Een begrijpelijke vergissing. Ik neem het u absoluut niet kwalijk, hoor.'

Wybrand zette zijn hoed weer op, trok de voorkant iets naar beneden en gaf hem een duwtje zodat hij wat scheef kwam te staan. Behalve die hoed droeg hij een kostbaar zwart met rood wambuis van zijde en een wijde korte cape, maar het ontbreken van enig fluwelen belegsel, in combinatie met zijn versleten laarzen, verraadden zijn stand. Het gouden ringetje in zijn linkeroor onthulde nog meer: het was de enige concessie, een herinnering aan het leven dat hij achter zich had gelaten.

'Toen we de kapel in kwamen, lag de koning op de vloer. Dood.'

'Ik begrijp dat dit geen vrolijk verhaal wordt,' zei Wybrand, terwijl hij korte rukjes aan de vingers van zijn fraaie rode handschoenen gaf – wat hij altijd deed wanneer hij nerveus was.

'Er stonden wachters in de buurt. Die sleepten ons naar de kerkers. We werden bijna terechtgesteld.'

'Het spijt me te horen dat u slecht bent behandeld, maar zoals ik zei, ik ben niet De Wit. Nooit van de goede man gehoord. Maar ik zal uw naam zeker noemen, mochten onze paden elkaar eens kruisen. Met wie heb ik de eer?'

'Riyria.'

Achter Wybrand ging het lichtje van de voederopslagplaats flakkerend uit en een stem fluisterde in zijn oor: 'Dat is Elfs voor "twee".'

Zijn hart begon twee keer zo snel te kloppen en voor hij zich kon omdraaien, voelde hij de scherpe rand van een mes tegen zijn keel. Hij verstijfde en durfde nauwelijks adem te halen.

'Het was een truc zodat ze ons zouden ombrengen.' De stem achter hem nam het over. 'Jij hebt dit allemaal zo geregeld. Je lokte ons naar die kapel zodat wij de schuld zouden krijgen. Ik ben hier om je voor je goedheid te belonen. Als je nog een laatste woord te zeggen hebt, zeg het dan nu, en doe het zachtjes.'

Wybrand was een goed kaartspeler. Hij wist wat bluffen was en die man achter hem blufte niet. Hij stond daar niet om hem angst aan te jagen, druk uit te oefenen of hem te manipuleren. Hij had geen behoefte aan informatie, hij wist alles wat hij wilde weten. Zijn stem, zijn toon, zijn woorden, zijn ademhaling in Wybrands oor vertelden hem dat hij daar stond om hem te vermoorden.

'Wat gebeurt daar, Wybrand?' riep een hoog stemmetje.

Verderop in de steeg ging een deur open en in het licht dat naar buiten stroomde stond een meisje, wier schaduw over de kinderkopjes viel en tegen de muur naar boven klom. Ze was mager, had schouderlang haar en ze droeg een nachthemd tot op haar enkels, dat de blote voetjes vrijliet.

'Niets, Ellie – ga snel naar binnen!' riep Wybrand, zonder ook maar iets van zijn accent te verbergen.

'Wie zijn die mannen dan met wie je praat?' Ellie kwam een stapje dichterbij. Haar voet maakte wat rimpeltjes in een plas. 'Ze zien er kwaad uit.'

'Aan getuigen hebben we niks,' siste de stem achter Wybrand.

'Laat haar met rust,' smeekte Wybrand. 'Ze heeft er niets mee te maken. Ik zweer het. Ik was in mijn eentje.'

'Waar heb ik niks mee te maken?' vroeg Ellie. 'Wat is hier aan de hand?' Ze kwam nog dichterbij.

'Blijf staan, Ellie! Niet dichterbij komen. Alsjeblieft Ellie, luister naar me.' Het meisje stond stil. 'Ik heb iets slechts gedaan, Ellie. Maar je moet begrijpen dat ik het voor ons deed, voor jou, voor Elden, en voor mijzelf. Weet je nog dat ik dat klusje had, een paar winters geleden? Toen ik een paar dagen naar het noorden moest? Toen... toen heb ik iets slechts gedaan. Ik deed net of ik iemand anders was en er zijn mensen bijna door gestorven. Zo kwam ik aan geld om de winter door te komen. Wees niet boos op me, Ellie. Ik hou van je, schatje. Ga alsjeblieft weer naar binnen.'

'Nee!' protesteerde ze. 'Ik zie het mes. Ze gaan je pijn doen.'

'Als je niet naar binnen gaat, maken ze ons allebei dood!' schreeuwde Wybrand grof – te grof. Hij had het zo niet willen zeggen, maar hij moest zorgen dat ze het begreep.

Ellie barstte in snikken uit. Huiverend stond ze in de lichtbundel van het huis in het steegje.

'Ga naar binnen, schatje,' zei Wybrand tegen haar, terwijl hij zijn best deed het zo kalm mogelijk uit te spreken. 'Het komt wel goed. Huil maar niet, Elden zal wel voor je zorgen. Vertel hem maar wat er is gebeurd. Het komt wel goed.'

Ze bleef snikken.

'Alsjeblieft, lieverd, ga nou naar binnen,' smeekte Wybrand. 'Dat is het enige wat je kunt doen, wat je moet doen. Alsjeblieft.'

'Ik... hou... v-van je, p-papa!'

'Weet ik lieverd, weet ik toch. Ik hou ook van jou en het spijt me zo erg.'

Ellie liep langzaam terug naar de deur, het streepje licht werd steeds smaller tot de deur dichtsloeg en het steegje weer in duisternis gehuld werd. Slechts het zwakke blauwe schijnsel van de door nevel bedekte maan filterde in de nauwe gang waar de drie mannen stonden.

'Hoe oud is ze?' vroeg de stem achter hem.

'Laat haar d'r buiten. Doe het nu maar snel... gun je me dat tenminste?' Wybrand bereidde zich voor op wat ging komen. De aanblik van het kind had hem gebroken. Hij trilde hevig, met zijn vuisten in de handschoenen gebald; een brok in zijn keel maakte hem het slikken moeilijk en het ademhalen bijna onmogelijk. Hij voelde de metalen rand tegen zijn keel en wachtte tot het mes door de huid zou gaan, wachtte op de trekkende beweging.

'Wist je dat het een val was toen je bij ons kwam om ons in te huren?' vroeg de man met de drie zwaarden.

'Wat? Nee!'

'Zou je het ook hebben gedaan als je dat wist?'

'Ik weet het niet... Ik denk het wel. We hadden het geld nodig.'

'Dus je bent geen baron?'

'Nee.'

'Wat ben je dan?'

'Ik was scheepskapitein.'

'Was? Wat is er dan gebeurd?'

'Gaan jullie me nou nog vermoorden of hoe zit dat? Waarom al die vragen?'

'Elke vraag die je beantwoordt is weer een ademhaling erbij,' zei de stem achter hem. Het was de stem van de dood, zonder emotie, hol. Bij het horen ervan draaide Wybrands maag zich om alsof hij over de rand van een hoge klif keek. Doordat hij het gezicht niet zag, maar wist dat hij het mes vasthield dat hem zou doden, voelde het aan als een executie. Hij dacht aan Ellie, hoopte maar dat het goed met haar kwam, en toen drong het tot hem door dat ze hem zou zien. Hij zag het opmerkelijk helder voor zich. Ze zou naar buiten rennen als het voorbij was en zou hem daar op straat zien liggen. Ze zou door zijn bloed waden.

'Nou? Wat is er gebeurd?' vroeg de beul nogmaals, en zijn stem wiste onmiddellijk alle gedachten uit.

'Ik heb mijn schip verkocht.'

'Waarom?'

'Doet er niet toe.'

'Gokschulden?'

'Nee.'

'Waarom dan?'

'Wat maakt het nou uit? Je maakt me toch af. Doe het alsjeblieft!'

Hij had zich voorbereid. Hij was er klaar voor. Hij klemde zijn tanden op elkaar en sloot zijn ogen. Maar de moordenaar talmde.

'Het maakt nogal wat uit,' fluisterde de beul in zijn oor, 'want Ellie is je dochter niet.'

Het mes werd van Wybrands keel genomen.

Langzaam, aarzelend, draaide Wybrand zich naar de man met de dolk. Hij kende hem niet. Hij was kleiner dan zijn partner, gekleed in een zwarte mantel met een kap die zijn gezicht beschaduwde, op de punt van zijn scherpe neus, een hint van een wang en het eind van de kin na.

'Hoe weet je dat?'

'Ze zag ons in het donker. Ze zag mijn mes tegen je keel terwijl we twintig meter verderop in de schaduw stonden.'

Wybrand zei niets. Hij durfde niet te bewegen of te spreken. Hij wist niet wat hij moest denken. Op de een of andere manier was er iets veranderd. De zekerheid van de dood deed een stapje terug, maar de schaduw bleef. Hij had geen idee wat er aan de hand was en hij was als de dood om iets verkeerd te doen.

'Je hebt je schip verkocht om haar vrij te kopen, niet?' raadde de man met de kap. 'Maar van wie, en waarom?'

Wybrand staarde naar het gezicht onder de kap: een naargeestig landschap, een woestijngebied zonder mededogen. Daar huisde de dood, een ademtocht van hem vandaan; alleen zijn antwoord scheidde de eeuwigheid van de verlossing.

De grote man, die met de drie zwaarden, legde zijn hand op Wybrands schouder. 'Er hangt nogal wat af van wat je nu zegt. Maar dat wist je al, hè? Je probeert erachter te komen wat je moet zeggen, en natuurlijk probeer je ook te bedenken wat wij willen horen. Laat dat maar. Hou het maar op de waarheid. Want als je het verkeerd doet, hoef je tenminste niet te sterven vanwege een leugen.'

Wybrand knikte. Opnieuw sloot hij zijn ogen, haalde diep adem en zei: 'Ik heb haar gekocht van een man die Ambroos heet.'

'Ambroos de Moor?'

'Ja.'

Wybrand wachtte, maar er gebeurde niets. Hij deed zijn ogen open. De dolk was verdwenen en de man met de drie zwaarden lachte naar hem. 'Ik heb geen idee wat dat kleintje je heeft gekost, maar het was elke cent waard.'

'Jullie vermoorden me niet?'

'Niet vandaag. Je bent ons nog steeds honderd goudstukken schuldig, als schadevergoeding voor dat klusje,' zei de man met de kap koeltjes.

'Dat... dat heb ik niet.'

'Zorg dan dat je het krijgt.'

Er schoot licht door de steeg toen de deur naar Wybrands zolderkamer met een klap openvloog en Elden naar buiten stormde. Hij hield zijn gigantische tweebladige bijl hoog boven zijn hoofd, terwijl hij met een vastberaden gezicht op hen af beende.

De man met de drie zwaarden trok er onmiddellijk twee uit de schede.

'Elden, nee!' riep Wybrand. 'Ze maken me niet dood! Stop nou!'

Elden bleef staan, met zijn bijl nog steeds omhoog; zijn ogen schoten van de een naar de ander.

'Ze laten me gaan,' verzekerde Wybrand hem en hij wendde zich tot de twee mannen. 'Dat is toch zo?'

De man met de kap knikte. 'Betaal die schuld nou maar.'

Terwijl de mannen wegliepen, kwam Elden naast Wybrand staan en Ellie vloog op hem af om hem te omhelzen. Gedrieën gingen ze op weg naar Wybrands kamer. Toen ze over de drempel stapten, wierp Elden nog een laatste blik de steeg in, voor hij de deur achter zich dichtdeed.

'Zag je hoe groot die vent was?' vroeg Hadriaan aan Rolf, met de zoveelste blik over zijn schouder, alsof hij bang was dat de reus stilletjes achter hen aan kwam. 'Ik heb nog nooit iemand gezien die zo groot was. Hij moet zeker zeven voet lang zijn geweest, en dan die nek, die schouders, die bijl! Als ik twee keer zo sterk was, zou ik hem nog niet kunnen optillen. Misschien is het geen mens maar een reus, of een trol. Sommigen zweren dat die bestaan. Ik heb een paar lui gesproken die er zelfs een gezien hebben.'

Rolf keek zijn vriend hoofdschuddend aan.

'Oké, het zijn dan meestal drankorgels die dat zeggen, maar dat wil nog niet zeggen dat het niet waar is. Vraag Michiel maar. Hij zal het bevestigen.'

De twee liepen noordwaarts naar de Langedaanbrug. Het was er erg rustig. In het respectabele heuvelachtige stadsdeel van Colnora brachten de meesten de nacht in bed door in plaats van op kroegentocht te gaan. Dit was de wijk van de machtige koopmannen, welvarende zakenlieden die huizen bezaten die groter waren dan veel van de vorstelijke landhuizen van de hoge adel.

Colnora was oorspronkelijk een onaanzienlijke stopplaats geweest op de kruising van de handelsroute van Wesbaden en Aquesta. Een boer met de naam Hollenbeck en zijn vrouw voorzagen de karavanen van water en boden de handelaars een rustplaats aan in de schuur, in ruil voor nieuws en goederen. Hollenbeck had een neus voor kwaliteit en pikte er altijd de beste stukken uit.

Al spoedig maakte hij een herberg van zijn boerderij en bouwde er een winkel met een opslagplaats bij om zijn goederen te verkopen aan passerende reizigers. De handelaars die hun beste waar kwijt waren, kochten land aan naast dat van hem en openden hun eigen winkels, tavernen en pleisterplaatsen. De boerderij werd zo een dorp, toen een stad, maar nog steeds gaven de meeste kooplui de voorkeur aan Hollenbeck. Het verhaal gaat dat het te danken was aan hun zwak voor zijn echtgenote, een bijzondere vrouw die behalve dat ze ongelooflijk mooi was, ook nog eens prachtig zong en zich op de mandoline begeleidde. Men vertelde dat ze ook overheerlijke vruchtentaartjes bakte van perziken, bosbessen en appel. Eeuwen later, toen niemand meer wist waar die oorspronkelijke Hollenbeck-boerderij had gestaan, en bijna niemand meer wist wie dat was, herinnerden ze zich wel zijn vrouw: Colnora.

Door de jaren heen werd het een welvarende stad, en groeide zodoende uit tot het grootste stedelijke centrum van Avryn. Winkelend publiek kon hier de laatste mode, de mooiste sieraden en de ruimste keuze aan exotische specerijen vinden in honderden winkels en op de uitgestrekte markten. Bovendien was de stad befaamd om zijn uitstekende ambachtslieden en beroemde zich op de beste en gezelligste herbergen en taveernes van het hele land. Artiesten kwamen hier al sinds jaar en dag samen, wat Cosmos DeLeur ertoe bewoog om als rijkste inwoner van de stad en mecenas van de kunsten het DeLeur Theater te laten bouwen.

Rolf en Hadriaan doorkruisten de wijk en stopten vlak voor het grote witgeschilderde aankondigingsbord. Daarop waren in silhouet twee mannen afgebeeld die een kasteeltoren beklommen, met daaronder de tekst:

HET KONINGSCOMPLOT
HOE EEN JONGE PRINS EN TWEE DIEVEN EEN KONINKRIJK REDDEN
DAGELIJKS AVONDVOORSTELLING

Rolf trok een wenkbrauw op terwijl Hadriaan de punt van zijn tong over zijn voortanden liet glijden. Ze keken elkaar aan, maar zeiden geen van beiden een woord voor ze verder liepen.

Ze verlieten de heuvel en vervolgden hun weg door de Brugstraat, die langzaam afdaalde naar de rivier. Ze passeerden rijen pakhuizen, kolossale gebouwen met merknamen op hun blazoen als koninklijke wapens. Sommige bestonden simpelweg uit initialen, gewoonlijk de nieuwe bedrijven van dertien in een dozijn. Andere droegen een herkenbaar logo, zoals de kop van een everzwijn van de firma Bocant, een imperium dat ooit begonnen was met de verkoop van varkensvlees, of de symbolische diamant van de handelsonderneming van DeLeur.

'Je snapt toch wel dat hij ons nooit die honderd zal kunnen betalen?' vroeg Hadriaan.

'Ik wilde hem alleen maar laten beseffen dat hij er makkelijk van afkwam.'

'Je wilde niet dat hij merkte dat Rolf Molenbeek het te kwaad kreeg toen dat meisje begon te huilen.'

'Het was niet zomaar een meisje, en trouwens, hij heeft haar gered van Ambroos de Moor. Dat is al genoeg reden om hem niet om te brengen.'

'Dat heb ik me nu altijd al afgevraagd. Hoe kan het dat Ambroos nog steeds leeft?'

'Ik werd zeker ergens door afgeleid of zo,' zei Rolf op zijn daar-gaan-we-het-niet-over-hebben-toontje en Hadriaan liet het onderwerp rusten.

Van de drie grote stadsbruggen over de Bernumrivier was de Langedaanbrug het drukst gedecoreerd. De hardstenen brug was om de paar voet voorzien van hoge lantaarns in de vorm van zwanen die, wanneer ze waren aangestoken, de hele brug een feestelijk aanzien gaven. Nu echter waren de lichten uit, de steen was nat en hier en daar was de vloer vettig waardoor je kon uitglijden.

'Nou ja, we hebben de afgelopen maand tenminste niet voor niks naar De Wit gezocht,' zei Hadriaan sarcastisch, terwijl ze de brug over gingen. 'Ik had gedacht...'

Rolf stopte abrupt en hief zijn hand. Beide mannen keken om zich heen en trokken zonder een woord te zeggen hun wapens, terwijl ze rug aan rug gingen staan. Er scheen niets aan de hand. Het gebulder van het woelige water dat kolkend onder hen door stroomde was het enige geluid.

'Heel indrukwekkend, Stoffer,' zei iemand tegen Rolf, terwijl hij vanachter een van de lantaarnpalen tevoorschijn kwam. Hij had een bleke huid en was zo graatmager dat hij leek te zwemmen in zijn wijde broek en hemd. Hij zag eruit als een lijk dat men vergeten was te begraven.

Achter hem zag Hadriaan drie andere mannen tevoorschijn kruipen. Ze zagen er allemaal net zo uit, tenger en gespierd, met donkere kleren aan. Ze draaiden als wolven om hen heen.

'Hoe merkte je dat we hier waren?' vroeg de graatmagere.

'Ik denk dat het je slechte adem was, maar het kan ook je lijflucht geweest zijn,' antwoordde Hadriaan grijnzend terwijl hij hun positie, bewegingen en de richting van hun ogen in de gaten hield.

'Let op je woorden, makker,' zei de langste van de vier dreigend.

'Waar hebben we deze ontmoeting aan te danken, Prick?' vroeg Rolf.

'Grappig, ik wilde je net hetzelfde vragen,' antwoordde het wandelende geraamte. 'Dit is immers onze stad, niet die van jullie, niet meer in elk geval.'

'Zwarte Diamant?' vroeg Hadriaan.

Rolf knikte.

'Dan moet jij Hadriaan Zwartwater zijn,' merkte Prick op. 'Altijd gedacht dat je groter was.'

'En jij bent een Zwarte Diamant. Altijd gedacht dat jullie met veel meer waren.'

Prick glimlachte, keek hem lang genoeg aan om dreigend te lijken, en richtte zijn aandacht weer op Rolf. 'En wat kom je hier doen, Stoffer?'

'We zijn op doorreis.'

'Echt? Geen klussen?'

'Niets dat interessant is voor jou.'

'Ja kijk, weet je, die fout maak je nou altijd.' Prick stapte van de zwanenlantaarn vandaan en begon toen al pratend om hen heen te lopen. De wind die over het water aankwam, liet zijn hemd flapperen als een vlag aan een mast. 'De Zwarte Diamant is geïnteresseerd in alles wat er in Colnora gebeurt, en vooral als jij erbij betrokken bent, Stoffer.'

Hadriaan boog zich naar voren en vroeg: 'Waarom blijft hij je toch *Stoffer* noemen?'

'Dat was mijn gildenaam,' antwoordde Rolf.

'Was hij ook een Zwarte Diamant?' vroeg de jongste van de vier. Hij had bolle wangen die rood en vlekkerig waren

door de wind en smalle lippen, omkranst door een vlassnor-
retje en een sikje.

'O ja, natuurlijk Krasser, je hebt nog nooit van onze Stoffer
gehoord, hè? Krasser is nieuw bij het gilde, hij zit pas, hoe
lang... zes maanden bij ons. Nou, kijk, Stoffer was niet alleen
Diamant, hij was een officier, loodlegger en een van de be-
ruchtste lieden uit de geschiedenis van het gilde.'

'Loodlegger?' vroeg Hadriaan.

'Moordenaar,' vertaalde Rolf.

'Hij is legendarisch, deze hier,' vervolgde Prick, terwijl hij
rondjes liep op de stenen brug, voorzichtig om niet in de plassen te stappen. 'Wonderkind van zijn tijd, want zo snel stijgend in rang dat de mensen er bang van werden.'

'Vreemd,' zei Rolf. 'Ik herinner me er maar één.'

'Nou ja, wanneer de eerste officier van het gilde er nerveus
van wordt, dan zijn alle anderen het ook. Want toentertijd
stal een man die Hoytema heette de show bij het Juweel. Wij
vonden hem vrijwel allemaal een sukkel – een goeie dief en
organisator, maar toch een sukkel. Stoffer genoot echter aardig wat steun van het voetvolk en Hoytema was bang dat Stoffer zijn plaats zou innemen. Hij zette Stoffer op de gevaarlijkste klussen – klussen die verdacht moeilijk waren. Toch kwam
Stoffer er altijd weer zonder kleerscheuren vanaf, wat zijn status als held alleen maar vergrootte. Op een dag deed het gerucht de ronde dat we een verrader binnen het gilde hadden.
In plaats van zich zorgen te maken, zag Hoytema hier juist
een kans in.'

Prick stopte vlak voor Rolf met zijn rondwandeling. 'Want
kijk, in die tijd waren er drie loodleggers bij het gilde en het
waren goeie vrienden van elkaar. Jade, de enige moordenares
van het gilde, was een schoonheid die...'

'Waar gaat dit verhaal naartoe, Prick?' beet Rolf hem toe.

'Ik geef Krasser alleen een beetje achtergrond, Stoffertje. Je
wilt me toch niet beletten mijn jongens wat kennis bij te brengen?' Prick glimlachte en begon weer in een kring om de anderen heen te lopen, met zijn duimen in de wijde heupband

van zijn broek. 'Waar was ik ook weer? O ja, Jade. Het gebeurde precies daar.' Hij wees naar het andere eind van de brug. 'Dat lege pakhuis daar, met het teken van een klavertje op de zijkant. Daar zette Hoytema ze tegen elkaar op. In die tijd droegen loodleggers net als nu maskers om te voorkomen dat ze herkend werden.' Prick zweeg even en keek Rolf met geveinsde sympathie aan. 'Je had geen idee wie het was tot het voorbij was, toch, Stoffer? Of wist je het wel en doodde je haar toch?'

Rolf zei niets maar keek Prick met een onheilspellende blik aan.

'De laatste van de drie loodleggers was Steker, die uiteraard over de rooie ging toen hij hoorde dat Stoffer Jade vermoord had, want Steker en Jade waren geliefden. Het feit dat zijn vriend verantwoordelijk was maakte het persoonlijk, en Hoytema liet Steker de vrije hand om de rekening te vereffenen.

Maar Steker wilde Stoffer niet doden. Hij wilde dat hij zou lijden en stond op een ingewikkelder, pijnlijker soort straf. De man is een strategisch meesterbrein – onze beste kraakplanner – en regelde het zo dat Stoffer in hechtenis werd genomen door de stadswacht. Steker verleende enkele gunsten en met een handvol geld kreeg hij gedaan dat de rechter uitsprak dat Stoffer naar de Manzantgevangenis zou gaan. De kerkers waar nooit iemand weer uitkomt. Ontsnapping werd helemaal voor onmogelijk gehouden – alleen: het lukte Stoffer dus wel. Gek, we weten nog steeds niet hoe je dat voor elkaar kreeg.' Hij zweeg om Rolf de kans te geven dat uit te leggen.

Maar Rolf bleef zwijgen.

Prick haalde zijn schouders op. 'Toen Stoffer ontsnapte keerde hij terug naar Colnora. Eerst werd de magistraat die de uitspraak had gedaan bij zijn rechtszaak dood in zijn bed gevonden. Toen de valse getuigen – alle drie op dezelfde nacht – en uiteindelijk de advocaat. Kort daarop begonnen een voor een leden van de Zwarte Diamant te verdwijnen. Ze doken op in de vreemdste plaatsen: de rivier, het stadsplein, zelfs op de torenspits.

Nadat we meer dan tien leden waren kwijtgeraakt, sloot het Juweel een deal. Hij gaf Hoytema aan Stoffer, die hem dwong publiekelijk alles op te biechten. Toen doodde Stoffer Hoytema en drapeerde het lijk in de fontein op het Heuvelplein – heel kunstzinnig. De strijd was voorbij, maar de wonden waren te diep om zomaar te vergeten. Stoffer vertrok, maar hij dook later weer op, toen hij werkte vanuit het district van de Scharlaken Hand in het noorden. Maar je bent er geen lid van, of wel?'

'Ik heb het niet meer zo op gilden,' antwoordde Rolf koeltjes.

'En wie is dat?' vroeg Krasser en hij wees naar Hadriaan. 'Is het Stoffers bediende? Hij draagt genoeg wapens voor jullie allebei.'

Prick glimlachte naar Krasser. 'Dat is Hadriaan Zwartwater en ik zou maar niet naar hem wijzen; de meesten zijn dan meteen hun hele arm kwijt.'

Krasser keek sceptisch naar Hadriaan. 'Hoe bedoel je? Is-ie een soort meesterzwaardvechter? Zoiets?'

Prick grinnikte. 'Zwaard, speer, pijl, steen – wat er maar voorhanden is.' Hij wendde zich tot Hadriaan. 'De Diamant weet niet veel over je, maar er gaan talloze geruchten. Een ervan is dat je een gladiator bent geweest. Een ander verhaal is dat je generaal van een Caliaans leger bent geweest – met veel succes, als dat allemaal waar is. Er doet ook een verhaal de ronde dat je slaaf was aan het hof van een exotische oosterse koningin.'

De andere Diamanten, ook Krasser, grijnsden.

'Hoe leuk het ook is oude herinneringen op te halen, heb je nog een andere reden waarom je ons staande houdt, Prick?'

'Je bedoelt buiten dat beetje ontspanning? Buiten de plaagstootjes? Buiten jullie in herinnering brengen dat deze stad in handen is van de Zwarte Diamant? Buiten jullie te vertellen dat het gildeloze dieven zoals jullie niet is toegestaan hier te werken, en dat vooral jullie twee hier niet welkom zijn?'

'Ja, dat bedoel ik.'

'Eigenlijk is er nog iets. Er zoekt een meisje naar jullie.'

Rolf en Hadriaan keken elkaar nieuwsgierig aan.

'Ze loopt rond en vraagt iedereen naar twee dieven met de namen Rolf en Hadriaan. En hoe amusant jullie het ook vinden dat jullie namen nu publiekelijk de ronde doen, voor de dieven in Colnora is het nogal beledigend dat er gevraagd wordt naar dieven die geen lid zijn van ons gilde. Dan zouden mensen weleens een verkeerde indruk van deze stad kunnen krijgen.'

'Wie is het?' vroeg Rolf.

'Geen idee.'

'Waar is ze?'

'Ze slaapt onder de Groothandelspoort op de Hoofdstadboulevard, dus ik denk dat we er niet van uit hoeven gaan dat ze een debutante van adel of een schatrijke koopmansdochter is. Aangezien ze alleen op stap is, neem ik aan dat je er ook niet van uit hoeft te gaan dat ze je zoekt om je te vermoorden of je aan te geven. Als ik moest gokken, zou ik zeggen dat ze je zoekt om je ergens voor in te huren. Maar als zij typerend is voor jullie opdrachtgevers, zou ik toch echt een carrière in een traditioneler beroep gaan zoeken. Misschien is er nog een varkenshouder die jullie hulp kan gebruiken, dan is jullie gezelschap in elk geval van hetzelfde niveau.'

Pricks toon en uitdrukking werden nu wat ernstiger. 'Zoek haar op en zorg dat ze, met jullie erbij, morgenavond onze stad verlaten heeft. Ik zou dus maar opschieten. Als jullie haar in bad stoppen kan ze best een aardig ding zijn, dat je voor een even aardig prijsje kunt verkopen, of waar je in elk geval een paar minuten plezier van kunt hebben. Ik vermoed dat ze tot nu toe door niemand is gegrepen omdat ze overal jullie namen heeft laten vallen. En in deze buurt is de naam Rolf Molenbeek nog altijd synoniem aan de boeman.'

Prick maakte aanstalten om weg te gaan en zijn spottende toontje was terug. 'Echt jammer dat jullie niet langer kunnen blijven; in het theater speelt een voorstelling over een stel dieven die in een val lopen, waardoor ze worden beschuldigd van de moord op de koning van Midvoorde. Losjes gebaseerd op de werkelijke moord op Amrath een paar jaar geleden.' Prick schudde het hoofd. 'Totaal onrealistisch. Kunnen jullie je voorstellen dat een doorgewinterde dief een kasteel wordt ingelokt om een zwaard te stelen, zodat een ander een duel kan overleven? Schrijvers, ach...'

Prick liep hoofdschuddend met de andere dieven de brug af, op weg naar de straatjes aan de overkant. Hadriaan en Rolf bleven achter.

'Nou, dat was alleraardigst, vind je ook niet?' zei Hadriaan terwijl ze op hun schreden terugkeerden en de heuvel weer op gingen naar de Hoofdstadboulevard. 'Fijne gasten. Al ben ik een beetje teleurgesteld dat ze er maar vier stuurden.'

'Geloof me, ze waren gevaarlijker dan je denkt. Prick is eerste officier van de Diamant en die twee stille knapen waren loodleggers. Bovendien waren er nog zes, drie aan beide kanten van de brug, in een hinderlaag, voor het geval dat. Ze namen geen enkel risico met ons. Voel je je nu wat beter?'

'Veel beter, bedankt.' Hadriaan rolde met zijn ogen. 'Stoffer, hè?'

'Noem me niet zo,' zei Rolf op ernstige toon. 'Ik wil die naam nooit meer horen.'

'Welke naam?' vroeg Hadriaan onschuldig.

Rolf zuchtte en glimlachte toen naar hem. 'Loop eens een beetje door, het schijnt dat we een klant hebben.'

Ze werd wakker door een ruwe hand op haar dij.

'Wat hebbie in je beursje, liefie?'

Verward en verbijsterd wreef het meisje haar ogen uit. Ze lag in de goot onder de Groothandelspoort. Haar haar was vuil en verklit met takjes en blaadjes, haar jurkje een rafelige lap. Ze klemde een klein beursje tegen haar borst, het touwtje waarmee het sloot zat om haar nek. De meeste voorbijgangers zouden haar aanzien voor afval dat aan de kant van de weg was gedumpt, of een hoopje rotzooi en bladeren die per ongeluk door de straatvegers vergeten waren. Maar er waren altijd mensen die ook geïnteresseerd waren in zulke afvalhopen.

Het eerste wat ze zag toen haar ogen zich scherp stelden, was het donkere, verwilderde gezicht en de open mond van een man die over haar heen gebogen zat. Ze piepte en probeerde weg te kruipen. Een hand greep haar bij haar bos klitten. Sterke armen drukten haar tegen de grond en hielden haar polsen ver van elkaar.

Ze voelde zijn hete adem op haar gezicht – hij stonk naar drank en rook. Hij rukte het beursje uit haar vingers en trok het touw over haar hoofd.

'Nee!' Ze worstelde een hand uit zijn greep en reikte ernaar. 'Ik heb het nodig!'

'Ik ook.' De man lachte kakelend en sloeg haar hand opzij. Hij woog de munten in het zakje op zijn handpalm en glimlachte terwijl hij het buideltje in een borstzak stopte.

'Geef hier!' protesteerde ze.

Hij zat boven op haar zodat hij haar tegen de grond gedrukt hield en liet zijn vingers over haar gezicht, langs haar lippen en over haar hals dwalen. Langzaam spreidde hij ze over haar keel en kneep zachtjes. Ze hapte naar lucht, vocht om adem te halen. Hij drukte zijn lippen hard op de hare, zo hard dat ze voelde dat hij een paar tanden miste. De ruwe stoppels van zijn bakkebaarden schraapten over haar wangen en kin.

'Sst,' fluisterde hij. 'Dit is nog maar het begin. Bewaar je energie maar voor later.' Hij richtte zich op, bleef op zijn knieën zitten en reikte naar de knopen van zijn broek.

Ze probeerde hem weg te duwen, sloeg en schopte hem. Hij stopte haar armen onder zijn knieën en haar voeten trapten in de lucht. Ze gilde. De man reageerde door haar een harde klap in haar gezicht te geven. Door de schok verstomde ze en staarde in het duister terwijl hij verder ging met zijn knopen. De pijn drong nog niet helemaal tot haar door. Maar langzaam begon haar wang te gloeien, terwijl hij vuurrood werd. Door haar tranende ogen zag ze hem boven zich zitten, alsof hij ver van haar af zat. Losse geluiden hoorde ze niet meer, ze waren vervangen door een dof gesuis. Ze zag zijn gesprongen, bladderende lippen bewegen, de spieren van zijn keel trekken, lange dunne spiertjes, maar ze hoorde geen enkel woord. Ze trok één arm los, maar die werd meteen weer vastgepind.

Achter hem doemden twee gestalten op. Ergens diep in haar hart gloorde een greintje hoop en het lukte haar om hees te fluisteren: 'Help...'

De voorste man trok een groot zwaard, nam de kling in de hand en sloeg toe met de knop. Haar overweldiger viel met uitgespreide ledematen in de goot.

De man met het zwaard knielde bij haar neer. Hij was slechts een silhouet tegen de loodgrijze lucht, een geest in het donker.

'Kan ik u wellicht helpen, vrouwe?' Ze hoorde zijn stem – een aardige stem. Zijn hand vond die van haar en hij hielp haar te gaan staan.

'Wie ben je?'

'Ik heet Hadriaan Zwartwater.'

Ze staarde hem aan. 'Echt waar?' bracht ze uit en ze liet zijn hand niet los. Voor ze wist wat ze deed, barstte ze in snikken uit.

'Wat heb je met 'r gedaan?' vroeg de andere man, die bij hen kwam staan.

'Ik... ik weet het niet.'

'Knijp je haar hand soms fijn? Laat haar dan los.'

'Dat kan ik niet. Zij klemt zich aan mijn hand vast.'

'Het spijt me. Sorry.' Haar stem trilde. 'Ik begon alleen te denken dat ik je nooit zou vinden.'

'O, is het dat. Nou, het is je gelukt.' Hij lachte naar haar. 'En deze knaap hier is Rolf Molenbeek.'

Met een snik viel ze de kleinere man om de hals, omhelsde hem stevig en begon weer te huilen. Rolf stond er verbluft en stijfjes bij toen Hadriaan haar van hem af haalde.

'Nou, ik krijg de indruk dat je blij bent om ons te zien; dat is altijd leuk,' zei Hadriaan tegen haar. 'En wie ben jij eigenlijk?'

'Trees Bosch uit het dorp Dahlgren.' Ze glimlachte door

haar tranen heen. Ze kon er niets aan doen. 'Ik ben al zo lang naar jullie op zoek.'

Ze wankelde.

'Alles goed met je?'

'Ben een beetje duizelig.'

'Wanneer heb je voor het laatst iets gegeten?'

Trees dacht na en fronste haar wenkbrauwen terwijl ze het zich probeerde te herinneren.

'Maakt niet uit.' Hadriaan wendde zich tot Rolf. 'Dit was ooit jouw stad. Heb je een idee waar we deze jongedame kunnen onderbrengen, zo midden in de nacht?'

'Jammer dat we niet in Midvoorde zijn. Gwen zou geweldig zijn met zo'n geval als dit.'

'Nou ja, is er hier geen bordeel in de buurt? We zitten tenslotte in de grootste handelsstad van de wereld. Vertel me nou niet dat ze hier dat soort koopwaar niet hebben!'

'Ja, er is een aardige in de Zuiderstraat.'

'Oké, Trees is het toch? Kom maar mee, dan zien we of we je een beetje op kunnen poetsen en wat te eten voor je kunnen regelen.'

'Wacht.' Ze knielde neer bij de bewusteloze man en trok haar beursje uit zijn zak.

'Is hij dood?' vroeg ze.

'Ik betwijfel het. Zo hard sloeg ik hem nou ook weer niet.'

Toen ze opstond, werd ze licht in het hoofd, en het werd haar zwart voor de ogen. Ze wiegde even heen en weer als een dronkenman en zakte toen ineen. Heel even merkte ze dat ze voorzichtig door iemand werd opgetild. Ergens ver weg klonk een soort gegrinnik.

'Wat is er zo lollig?' hoorde ze iemand zeggen.

'Dit is waarschijnlijk de eerste keer dat iemand een hoerenkast bezoekt en zijn eigen meisje meeneemt.'

2

TREES

'Blinkend als een nieuwe koperen stuiver,' merkte Clarissa op, terwijl ze alle drie door de deuropening naar Trees in de ontvangstkamer keken. Clarissa was een forse, ronde vrouw met korte vette vingertjes, waarmee ze aan de plooien van haar rok friemelde. Zij en de andere vrouwen van het Schuine Bakbordeel hadden wonderen verricht met het meisje. Trees was van top tot teen in het nieuw gestoken. De kleren waren goedkoop en eenvoudig – een lange bruin linnen rok over een wit gesmokt hemd met een gesteven bruin lijfje – maar hoe dan ook een stuk eleganter dan de armoedige vodden die ze aan had gehad. Ze leek in niets op de ragebol die de dieven de avond ervoor hadden gevonden. De hoertjes hadden haar een bed gegeven om in te slapen, en hadden haar die ochtend schoongeboend, gekamd en te eten gegeven. Haar lippen en ogen hadden een kleurtje gekregen en het effect was om steil van achterover te slaan. Het was een jonge schoonheid met opzienbarend blauwe ogen en goudkleurig haar.

'Het arme kind was er erg aan toe toen jullie haar hier brachten. Waar hebben jullie haar gevonden?' vroeg Clarissa.

'Onder de Groothandelspoort,' antwoordde Hadriaan.

'Arm schaap.' De grote vrouw schudde medelijdend haar hoofd. 'Je weet, als ze een baantje zoekt, kunnen we haar zo in het werkschema inpassen. Ze krijgt een bed om in te slapen, drie maaltijden per dag en met haar uiterlijk zou ze goed kunnen verdienen.'

'Ik heb het gevoel dat ze geen straatmadelief is,' zei Hadriaan.

'Dat geldt voor ons allemaal, schat. Niet als je onder de Groothandelspoort leeft, bedoel ik. Maar je had haar bij het ontbijt moeten zien. Viel er als een uitgehongerde hond op aan. Logisch dat ze er eerst geen hap van wilde nemen tot we haar ervan verzekerden dat het ontbijt gratis was, welkomstcadeautje van de Kamer van Koophandel aan bezoekers van de stad. Had Magda verzonnen. Lachen met die meid. Nu ik het er toch over heb: de rekening voor de kamer, de kleren, eten en algemene schoonmaakkosten komt op vijfenzestig zilverstukken. Die make-up is gratis, omdat Dexia gewoon wilde zien hoe ze er dan uitzag. Aangezien het kind zei dat ze nog nooit verf op heeft gehad.'

Rolf overhandigde haar een goudstuk.

'Nou, nou, jullie tweetjes mogen hier wel vaker langskomen, maar dan wel zonder een meisje, hè?' Ze knipoogde. 'Even serieus, wat is er met haar aan de hand?'

'Dat weten we eigenlijk niet,' zei Hadriaan.

'Maar ik vind het tijd worden om dat eens uit te zoeken,' voegde Rolf eraan toe.

Ondanks de inrichting met protserige rode draperieën, gammel meubilair, roze lampenkappen en overal bonte kussentjes, was het Schuine Bakbordeel niet half zo gezellig als Huize Midvoorde van Gwen. Alles hier had kwastjes en franjes, van de dunne tapijten tot de repen stof die de bovenkant van de muren bedekten. Het was oud, verschoten en versleten maar het was tenminste schoon.

De ontvangstkamer was een kleine ovale kamer vlak naast de hal, met twee erkers die uitzagen op straat. Er stonden twee knusse bankjes, een paar tafeltjes die volstonden met porseleinen tierelantijnen en er was een kleine haard. Op een van de bankjes zat Trees te wachten; haar ogen schoten alle kanten op als van een konijn in het open veld. Zodra de twee mannen binnenkwamen, sprong ze op, knielde en boog het hoofd.

'Hé! Kijk nou uit, dat is een nieuwe jurk,' zei Hadriaan glimlachend.

'O!' Ze krabbelde blozend overeind, maakte een knixje en boog weer haar hoofd.

'Wat doet ze nou toch,' fluisterde Rolf tegen Hadriaan.

'Geen idee,' fluisterde hij terug.

'Ik probeer de passende reverence te maken, uwe heren,' fluisterde ze, terwijl ze naar beneden bleef kijken. 'Het spijt me als ik er niet zo goed in ben.'

Rolf rolde met zijn ogen en Hadriaan begon te lachen.

'Waarom fluister je?' vroeg hij.

'Omdat jij dat ook deed.'

Hadriaan grinnikte opnieuw. 'Sorry, Trees – het was toch Trees, hè?'

'Ja, heer, Teresa Annabel Bosch uit Dahlgren.' Onhandig maakte ze weer een knix.

'Oké dan, Trees.' Hadriaan deed zijn best het met een ernstig gezicht te zeggen. 'Rolf en ik zijn geen heren, dus laat die buigingen en zo maar zitten.'

Het meisje keek op.

'Jullie hebben mijn leven gered,' zei ze op zo'n ernstige toon dat Hadriaans lach van zijn gezicht verdween. 'Ik herinner me niet veel van gisternacht, maar dat herinner ik me wel. En ik ben jullie dan ook eeuwig dankbaar.'

'Een verklaring zou ik liever hebben,' zei Rolf en hij slenterde naar het raam. Hij trok de gordijnen dicht. 'Kom overeind, in Maribors naam, voor een stadswacht je ziet, denkt dat wij edelen zijn en ons noteert. We zitten al genoeg in de puree door hier in de stad te zijn. Laten we het niet erger maken.'

Ze ging rechtop staan en Hadriaan kon zijn ogen niet van haar afhouden. Haar lange blonde haar, zonder twijgjes en blaadjes erin, viel in glanzende golven over haar schouders. Ze was een visioen van jeugdige schoonheid en Hadriaan schatte dat ze niet ouder dan zeventien jaar kon zijn.

'Vertel, waarom was je op zoek naar ons?' vroeg Rolf en hij sloot het laatste gordijn.

'Om jullie in te huren om mijn vader te redden,' zei ze en ze haalde het touwtje met het beursje over haar hoofd heen en bood het ze aan. 'Hier, ik heb vijfentwintig zilverstukken. Puur zilver, met de kroon van Dunmoer erop.'

Rolf en Hadriaan wisselden een blik.

'Is het niet genoeg?' vroeg ze en haar lip begon te trillen.

'Hoe lang heb je erover gedaan om dit geld bij elkaar te krijgen?' vroeg Hadriaan.

'Mijn hele leven. Ik spaarde elke cent die ik kreeg, of verdiende. Het is mijn bruidsschat.'

'Je bruidsschat.'

Ze boog het hoofd en keek naar haar voeten. 'Mijn vader is een arme boer. Hij zou het nooit – ik besloot er zelf voor te sparen. Het is niet genoeg, hè? Dat wist ik niet. Ik kom uit een piepklein dorpje. Iedereen vond het een boel geld; dat zeiden ze, maar...'

Ze keek rond naar de haveloze tweezitters en de verschoten gordijnen. 'We hebben geen paleizen zoals dit.'

'Nou, we zijn niet van plan om...' begon Rolf op zijn gebruikelijke gevoelloze toon.

'Wat Rolf wil zeggen,' viel Hadriaan hem snel in de rede, 'is dat we het nog niet weten. Het hangt ervan af wat je wilt dat we doen.'

Trees keek op met hoop in haar ogen.

Rolf keek zijn maat boos aan.

'Nou, dat is toch zo, of niet soms?' Hadriaan haalde zijn schouders op. 'Dus Trees, je zegt dat je wilt dat we je vader redden. Is hij ontvoerd of zoiets?'

'O nee, dat is het niet. Voor zover ik weet gaat het goed met hem. Al ben ik dan al zo lang onderweg om jullie te vinden. Dus zeker weet ik het niet.'

'Ik begrijp het niet. Waarvoor heb je ons dan nodig?'

'Ik heb jullie nodig om een slot open te maken.'

'Een slot? Waarvan?'

'Een toren.'

'Je wilt dat we inbreken in een toren?'

'Nee. Ik bedoel... ja, maar het is niet... het is niet illegaal of zo. De toren is niet bewoond; hij staat al jaren leeg. Geloof ik tenminste.'

'Dus je wilt alleen dat we een deur openmaken van een verlaten toren?'

'Ja!' zei ze en ze knikte zo wild met haar hoofd dat haar haar danste.

'Appeltje-eitje lijkt me.' Hadriaan keek Rolf aan.

'Waar staat die toren?' vroeg Rolf.

'Vlak bij mijn dorp, dat op de oever van de Nidwalden-rivier ligt. Dahlgren is piepklein en is nog niet zo oud. Het ligt in de nieuwe provincie Westeroever, in Dunmoer.'

'Ik heb wel eens gehoord van die plek. Die schijnt vaak aangevallen te worden door elfen.'

'O, maar het gaat niet om de elfen. De elfen hebben ons nooit last bezorgd.'

'Ik wist het wel,' mompelde Rolf tegen niemand in het bijzonder.

'Ik dacht het niet in elk geval,' ging Trees verder. 'We denken dat er een of ander monster is. Niemand heeft het ooit gezien. Diaken Tomas zegt dat het een demon is, een dienaar van Uberlin.'

'En je vader?' vroeg Hadriaan. 'Wat heeft hij ermee te maken?'

'Hij wil proberen het monster te doden, alleen...' Ze stokte en keek naar haar voeten.

'Alleen ben je bang dat hij gedood wordt in plaats van het beest?'

'Het monster heeft al vijftien mensen doodgemaakt en zeker tachtig stuks vee.'

Een vrouw vol sproeten en een wilde bos rood haar kwam de ontvangstkamer binnen, terwijl ze een dik heertje met zich meetrok dat eruitzag alsof hij zich had geschoren voor deze gelegenheid, want zijn gezicht was rood en rauw. De vrouw gierde het uit, terwijl ze achteruitliep en het mannetje met beide handen naar binnen trok. De man bleef staan toen hij hen zag. Hij trok zijn handen uit die van de vrouw en ze viel met een doffe klap achterover op de grond. Het mannetje keek van de vrouw naar hen en weer terug, maar bleef stokstijf staan. De roodharige vrouw keek op en lachte.

'Oeps,' was alles wat ze kon uitbrengen. 'Ik wist niet dat hij bezet was. Help me eens overeind, Rudi.'

De man trok haar aan haar handen op. Ze was even stil en bekeek Trees goedkeurend en knipoogde naar de dieven. 'We hebben wel goed werk verricht, hè?'

'Dat was Magda,' zei Trees, toen de vrouw haar mannetje weer naar buiten sleepte.

Hadriaan ging op de bank zitten en gebaarde dat Trees erbij moest komen. Stijfjes rechtop nam ze plaats, zonder met haar rug de leuning te raken en snel haar rok gladstrijkend.

Rolf bleef staan. 'Heeft Westeroever geen heer? Waarom doet hij er niets aan?'

'We hadden een goede markgraaf,' zei ze. 'Een moedig man met drie dappere ridders.'

'Hadden?'

'Hij en zijn ridders zijn er op een avond opuit getrokken om het monster te verslaan. 's Ochtends werden er alleen wat losse stukken van de harnassen gevonden.'

'Waarom verhuizen jullie dan niet gewoon?'

Trees liet haar hoofd weer hangen en haar schouders zakten mee. 'Twee nachten voor ik vertrok om jullie hier te gaan zoeken heeft het monster al mijn familieleden vermoord, op mijn vader en mij na. Wij waren niet thuis. Mijn vader had tot laat op de akker gewerkt en ik was hem gaan halen. Ik... ik liet per ongeluk de deur open. Licht trekt het monster aan. Hij kwam recht op ons huis af. Mijn moeder, mijn broer Thim, zijn vrouw en hun zoontje zijn allemaal vermoord.

Thim was mijn vaders lieveling. Vanwege hem zijn we juist naar Dahlgren verhuisd; hij zou de eerste kuiperij in het dorp opzetten.' Tranen welden in haar ogen op. 'Nu zijn ze allemaal dood en mijn vader heeft alleen zijn verdriet en het monster dat dat teweeg heeft gebracht. Hij is vastbesloten het te doden voor de maand voorbij is. Had ik die deur nou maar dichtgedaan... Had ik de grendel er maar voor geschoven...'

Ze sloeg haar handen voor haar gezicht en haar tengere lijfje schokte. Rolf keek Hadriaan waarschuwend aan, schudde onmerkbaar zijn hoofd en zei onhoorbaar 'nee'.

Hadriaan keek stuurs terug en legde een hand op haar schouder. Hij veegde wat haar uit haar gezicht. 'Zo loopt al die mooie make-up van je uit,' zei hij.

'Sorry, ik wil jullie niet tot last zijn. Het zijn jullie problemen niet. Maar ik heb alleen mijn vader nog maar en ik moet er niet aan denken dat ik ook hem nog verlies. Ik kan hem niet overtuigen. Ik heb hem gevraagd te vertrekken, maar hij wil er niet van weten.'

'Ik snap je probleem wel, maar waarom moet je ons hebben?' vroeg Rolf koel. 'En hoe weet een boerenmeisje van de grens van ons bestaan af, en dat we in Colnora zijn?'

'Een invalide man heeft het me verteld. Hij stuurde me hierheen. Hij zei dat jullie de toren konden openmaken.'

'Een invalide man?'

'Ja. Meneer Haddon vertelde me dat het monster niet door...'

'Meneer Haddon?' viel Rolf haar in de rede.

'Eh... ja.'

'Deze meneer Haddon... die had toch niet toevallig geen handen meer, hè?'

'Die heeft-ie niet meer, nee.'

Rolf en Hadriaan wisselden weer een blik.

'Wat zei hij precies?'

'Hij zei dat het monster niet kan worden verwond door wapens die door mensen gemaakt zijn, maar binnen Avempartha ligt een zwaard waarmee het wel gedood kan worden.'

'Dus, een man zonder handen vertelde jou dat je ons in Colnora kon vinden en dat je ons in moest huren om een zwaard voor je vader te halen uit een toren die Avempartha heet?' vroeg Rolf.

Het meisje knikte.

Hadriaan keek naar zijn maat. 'Ik wil het niet weten... Is het een dwergentoren?'

'Nee...' zei Rolf. 'Hij is van de elfen.' Hij draaide zich met een nadenkende blik om.

Hadriaan richtte zich weer tot het meisje. Hij voelde zich ellendig. Het was al erg genoeg dat haar dorp zo ver weg lag, maar nu kwam daar ook nog een elfentoren bij. Al bood ze hun honderd goudstukken aan, hij zou Rolf absoluut nooit kunnen overhalen de klus aan te nemen. Ze was zo wanhopig, ze moest hulp hebben, maar... Hij kreeg pijn in zijn maag toen hij bedacht wat hij haar moest gaan zeggen.

'Nou,' begon Hadriaan met tegenzin. 'Je dorp ligt bij de Nidwalden en die stroomt een paar dagen reizen van hier, over ruig terrein. We moeten proviand hebben voor een dag of zes, zeven. Dat is twee weken heen en terug. Voer voor de paarden moet dus ook mee. Dan zijn we nog tijd kwijt in die toren. In al die tijd hadden we andere klussen kunnen doen, dus we verliezen er fors op. Nog afgezien van het gevaar natuurlijk. Risico's jagen onze prijs altijd op en een spook-demon-monster dat als massamoordenaar optreedt en niet verwond kan worden valt volgens mij in de categorie van risico.'

Hadriaan keek haar aan en schudde het hoofd. 'Het spijt me dat ik het zeggen moet, en ik vind het echt heel erg voor je, maar we kunnen het niet...'

'Je geld,' onderbrak Rolf hem abrupt terwijl hij zich omdraaide. 'Dat is te veel. Om al die vijfentwintig zilverstukken voor deze klus aan te nemen... Dat is veel te veel. Tien moet genoeg zijn.'

Hadriaan trok verbaasd een wenkbrauw op en staarde zijn partner aan, maar hield zijn mond.

'Tien zilverstukken de man?' vroeg ze.

'Welnee,' antwoordde Hadriaan terwijl hij Rolf in het oog hield. 'Voor ons samen. Oké? Vijf voor elk?'

Rolf haalde zijn schouders op. 'Aangezien ik het slot open moet krijgen, zou ik er misschien zes moeten krijgen, maar dat regelen we wel. Daar hoeft zij haar hoofd niet over te breken.'

'Echt?' vroeg Trees en ze straalde zo alsof ze een sprongetje wilde maken van geluk.

'Ja joh,' antwoordde Rolf. 'We zijn toch zeker geen... dieven.'

'Kun je me misschien even uitleggen waarom we deze klus aannemen?' vroeg Hadriaan, zijn ogen afschermend tegen het zonlicht. De hemel was strakblauw en de ochtendzon deed z'n best de plassen van de afgelopen nacht te laten verdwijnen. Om hen heen haastten de mensen zich naar de markt. Karren vol lentegroenten en met geteerd zeildoek bedekte vaatjes zaten vast achter drie afgeladen hooiwagens, die ook niet verder konden. Vanuit de menigte voor hen kwam een dikke man tevoorschijn met een met zijn vleugels fladderende kip stevig onder zijn arm. Hij sprong luchtig rond de plassen, ontweek mensen en karren behendig en mompelde onophoudelijk verontschuldigingen als hij zich naar voren drong.

'Ze betaalt ons tien zilverstukken voor een klus die ons nu al een goudstuk heeft gekost,' vervolgde Hadriaan nadat hij de kippenman zorgvuldig ontweken had. 'Het kost ons er nog een paar voor we klaar zijn.'

'We doen dit niet voor het geld,' legde Rolf uit, terwijl hij zich een pad door de menigte baande.

'Dat had ik al door, maar waarom dan wel? Ik bedoel, oké, ze is een lekker ding, maar tenzij je haar wilt verkopen, zie ik het nut er niet van in.'

Rolf keek over zijn schouder en grijnsde vuil. 'Hoe kom je dáár nou bij? Alsof ik het ook maar een seconde zou overwegen haar te verkopen! Hoewel, het zou wel kostendekkend zijn, ja.'

'Vergeet maar dat ik erover begon. Vertel me nou maar gewoon waarom we dit gaan doen.'

Rolf leidde hen de mensenmassa door naar Ognotons rariteitenwinkeltje, waarvan de etalage volstond met waterpijpen, porseleinen dierenbeeldjes en sieradenkistjes met bronzen slotjes. Ze doken een smal steegje in tussen het winkeltje en een snoepwinkel waar je gratis zuurtjes mocht proeven.

'Ga me nou niet vertellen dat je je nooit hebt afgevraagd wat Esrahaddon al die tijd gedaan heeft,' fluisterde Rolf. 'Die magiër zat negenhonderd jaar gevangen, verdwijnt op de dag dat we hem bevrijden en we horen niks meer van hem, tot vandaag? De kerk moet het weten en toch hebben de keizersgezinden geen zoekacties op touw gezet of plakkaten opgehangen. Je zou toch denken dat als de gevaarlijkste man ter wereld op vrije voeten was, er iets meer drukte zou worden gemaakt.

Twee jaar later duikt hij op in een of ander gat en nodigt ons uit via een smoes uit om hem te komen bezoeken. Maar hij kiest de grens met elfenland, en wel precies Avempartha als ontmoetingsplek. Wil je dan niet weten wat hij te zeggen heeft?'

'Wat is dat Avempartha dan?'

'Ik weet alleen dat het heel oud is. Echt stokoud. Een soortement elfencitadel. En dan vraag ik me af: zou jij daar niet eens een kijkje willen nemen? Als Esrahaddon denkt dat het zin heeft om er in te breken, dan zal hij wel gelijk hebben.'

'Dus we gaan vanwege een oude elfenschat?'

'Geen idee, maar ik weet zeker dat het iets waardevols is. We hebben echter wel spullen en proviand nodig en we moeten de stad uit zijn voor Prick zijn bloedhonden loslaat.'

'Nou ja, als je maar belooft het meisje niet te verkopen.'

'Ik beloof het – als ze zich gedraagt.'

Hadriaan voelde dat Trees zich weer naar voren boog, deze keer om te staren naar een gepleisterd stenen landhuis van twee verdiepingen met een geel strodak en een oranje schoorsteen van klei. Het werd omgeven door een middelhoge muur waarover zich seringen en klimop slingerden.

'Het is zo mooi,' fluisterde ze.

Het was vroeg in de middag en ze waren pas een paar mijl

buiten Colnora, rijdend naar het oosten op de Algewestweg. De landweg kronkelde zich door de kleinste dorpjes waarmee de heuvels rond de stad waren bezaaid. Hier werkten de arme boeren op hun akkers rond de zomerhuizen van de lanterfantende welgestelden, die drie maanden per jaar konden doen alsof ze landjonkers waren. Rolf reed naast hen of draafde vooruit als er een opstopping dreigde. Hij had zijn kap omhoog ondanks het aangename weer. Trees zat achter Hadriaan op zijn vos, met haar benen bungelend aan één kant, wippend op het ritme van de gang van de merrie.

'Het is een andere wereld,' zei ze. 'Een paradijs gewoon. Iedereen is rijk. Iedereen is hier een koning.'

'Colnora doet het niet slecht, maar zover zou ik toch niet gaan.'

'Hoe verklaar je dan al die kasten van huizen hier? De wagens hebben metalen randen om hun wielen. De groentekramen liggen vol bossen uien en doperwten. In Dahlgren hebben we alleen zandpaadjes en die zijn onbegaanbaar na een regenbui, maar hier heb je zulke brede wegen met zelfs namen op bordjes! En ik zag een boer met handschoenen aan terwijl hij aan het werk was. In Dahlgren heeft zelfs de diaken van de kerk geen dure handschoenen, en anders zou hij er zeker niet in werken. Jullie zijn zo rijk hier.'

'Sommigen wel.'

'Zoals jullie twee.'

Hadriaan lachte.

'Jullie hebben toch mooie kleren en prachtige paarden.'

'Dat van mij kan je nauwelijks een paard noemen.'

'In Dahlgren hebben alleen de heer en zijn ridders paarden, en deze zijn echt mooi. Ik vind vooral haar ogen prachtig – van die lange wimpers. Hoe heet ze?'

'Ik noem haar Millie, naar een vrouw die ik kende en die ook nooit naar me luisterde.'

'Millie is een schattige naam. Precies goed. En hoe heet Rolfs paard?'

Hadriaan fronste zijn wenkbrauwen en keek naar zijn

vriend. 'Geen idee. Rolf, heb je haar ooit een naam gegeven?'

'Waar is dat voor nodig?'

Hadriaan keek terug naar Trees die hem verbijsterd aan-staarde.

'Nou, wat dacht je van...' Ze dacht even na terwijl ze langs de kant van de weg keek. 'Sering, of Margriet, of wacht, wat vind je van Lelietje-van-dalen?'

'Lelietje-van-dalen?' herhaalde Hadriaan. Al was het een grappig idee dat Rolf op een Lelietje-van-dalen, dan wel Se-ring of Margriet zou rijden, hij wees haar er toch maar op dat die namen niet echt pasten bij Rolfs kortbenige, vuilgrijze paardje. 'Wat dacht je van Kortpoot of Roetmop?'

'Nee!' zei Trees boos. 'Dan wordt dat arme dier meteen de-pressief!'

Hadriaan grinnikte. Rolf luisterde niet naar het gesprek. Hij klakte met zijn tong, schopte een keer tegen de zij van zijn paard en draafde naar voren om een naderende wagen te ontwijken, maar hij bleef daar ook toen de weg weer vrij was.

'Wat dacht je van Prinses?' vroeg Trees.

'Is een beetje te chic voor haar, vind je niet? Ze is niet be-paald een nuffig paradepaardje.'

'Dan voelt ze zich vast beter. Geeft haar zelfvertrouwen.'

Ze bereikten een riviertje waar kamperfoelie en frambozen-struiken de gladde granieten oevers bedolven onder schitte-rend lentegroen. Een watermolen stond aan de rand ervan met zijn krakende druipende rad. Twee kleine vierkante raampjes vormden de ogen van het stenen gebouwtje onder het puntige houten dak. Een laag muurtje scheidde de molen van de weg af; erbovenop zat een wit-grijze kat. Hij opende lui zijn groene ogen en knipperde naar hen. Toen ze dichterbij kwamen, be-sloot de kat dat ze iets te ver gingen. Hij sprong van de muur en schoot de weg over, het struikgewas in.

Rolfs paard steigerde en hinnikte geschrokken en danste over de weg. Toen het paard achteruit begon te stappen, vloek-te Rolf en trok de teugels strak aan, waardoor ze haar hoofd naar beneden moest buigen en gedwongen was een rondje te draaien.

'Belachelijk!' klaagde Rolf toen hij het dier weer in bedwang had. 'Een beest van duizend pond dat bang is voor een kat van vijf pond; je zou zweren dat ze een muis was.'

'Muis! Dat is perfect!' riep Trees, waardoor Millie haar oren in de nek legde.

'Klinkt goed,' zei Hadriaan.

'Maribor beware me,' zuchtte Rolf en hoofdschuddend reed hij weer door.

Hoe verder ze kwamen, hoe meer de landhuizen in boerderijen veranderden. Rozenstruiken werden heggen, en hekken die weilanden verdeelden maakten plaats voor rijen bomen. Maar Trees bleef nog steeds interessante dingen aanwijzen, zoals de onvoorstelbare luxe van overdekte bruggen of de rijkelijk gedecoreerde koetsen die af en toe voorbij denderden.

Naar het oosten toe begon de weg te stijgen en ze moesten het een tijdje zonder schaduw stellen, toen het akkers en weilanden plaatsmaakten voor uitgestrekte lappen braakliggend land vol guldenroede, wolfsmelk en wilde salifaan. Vliegen vielen hen lastig in de hitte en het monotone gezoem van cicaden hield niet meer op. Eindelijk hield Trees haar mond en ze legde haar hoofd tegen Hadriaans rug. Hij werd bang dat ze in slaap zou vallen en van het paard zou glijden, maar af en toe kwam ze even overeind of sloeg ze een vlieg weg.

Hoger en hoger kwamen ze, tot ze de top van de Amberhoogten bereikten. De hoogvlakte sprong eruit als een dorre plek met kort gras en kaal gesteente. De heuvels lagen deels langs de oostkant van Warrick, en deden dan ook dienst als grens tussen het koninkrijk Warrick en het koninkrijk Algewest. Algewest stond qua macht en rijkdom op de derde plaats, na Warrick en Melengar. Het grootste deel van het land was dichtbebost en de kust werd vaak aangevallen door de Ba Ran Ghazel, die bliksemaanvallen deden, de ongelukkige bewoners ontvoerden en alles in brand staken wat ze niet konden meenemen. Algewests koning, Armand, had pas onlangs de troon bestegen, na de onverwachte dood van de oude koning. Terwijl koning Reinhold altijd koningsgezind was geweest, had Hadriaan de indruk dat de nieuwe koning eerder keizersgezind was, wat hij zelfs openlijk liet blijken. Dat was pijnlijk voor Melengar, wiens lijst van bondgenoten met de dag korter leek te worden.

De Amberhoogten waren zelfs voor de lokale bevolking iets bijzonders vanwege de staande stenen: enorme rotsblokken van blauwgrijs graniet die in fraaie vormen waren gehakt. Ze zagen er natuurlijk gevormd uit, de vloeiende afgeronde lijnen gaven de indruk van kronkelende slangen die in en uit de heuveltop staken. Hadriaan had geen idee waarvoor de stenen oorspronkelijk bedoeld waren. Volgens hem wist niemand dat. Restanten van kampvuurtjes lagen rondom de stenen, die bekrast waren met liefdesboodschappen of leuzen zoals: 'Maribor is God!' 'Koningsgezinden zijn knettergek,' 'De Erfgenaam is dood,' en zelfs: 'Taveerne De Grijze Muis: ga hier naar beneden.' Hier op de hoogvlakte zagen ze de grote stad Colnora achter zich liggen, terwijl naar het noordoosten de dichtbegroeide, woeste wouden lagen, waar de koninkrijken Algewest en Dunmoer in elkaar overgingen. Het leek wel een onafgebroken groene oceaan – mijlen en mijlen van ruige wildernis, met aan het andere eind het dorpje Dahlgren.

Omdat de wind op de top van de heuvel koel en krachtig genoeg was om de vliegen weg te houden, leek dit een uitgelezen plek voor het middagmaal. Ze aten gezouten varkensvlees, hard donker brood, uien en augurken. Het was het soort eten dat Hadriaan in de stad nooit door zijn keel kon krijgen, maar onderweg, wanneer hij meer trek had en de keuze beperkter was, at hij alles met smaak op. Hij keek naar Trees die in het gras aan een augurkje knabbelde, voorzichtig om geen vlekken op haar nieuwe kleren te maken. Ze keek dromerig in de verte, en genoot van de frisse lucht door diep adem te halen.

'Waar denk je aan?' vroeg Hadriaan.

Ze glimlachte een beetje betrapt en hij voelde iets van melancholie om haar heen. 'Ik dacht er net aan hoe prachtig dit alles is. Hoe fijn het zou zijn om in een van die boerderijen te wonen waar we langsgekomen zijn. Het zou niet groot hoeven zijn, het zou niet eens een huis hoeven hebben – mijn vader kan zelf een huis bouwen en elke grond bewerken. Er is niets wat hij niet kan als hij het zich heeft voorgenomen, en als hij zich iets heeft voorgenomen, krijg je hem er niet meer vanaf.'

'Lijkt me een geweldige vent.'

'O, dat is-ie ook. Hij is heel sterk, erg vastberaden.'

'Het verbaast me dat hij je toestond in je eentje te reizen, zoals je hebt gedaan.'

Trees glimlachte.

'Je bent toch niet de hele weg komen lopen?'

'O nee, ik kreeg een lift van een marskramer en zijn vrouw, die net in Dahlgren waren. Ze lieten me achter in de wagen meerijden.'

'Had je al eerder gereisd?'

'Nee. Ik ben geboren in Glamrendor, de hoofdstad van Dunmoer. Mijn vader was daar pachter van de heer. Toen ik negen was verhuisden we naar Dahlgren, dus tot nu toe was ik nooit buiten Dunmoer geweest. Ik kan me ook niet veel van Glamrendor herinneren. Maar ik weet nog wel dat het er vies was. Alle gebouwen waren van hout en de straten waren heel modderig – zo herinner ik het me tenminste.'

'Zo is het nog steeds,' mompelde Rolf.

'Niet te geloven dat ze zo moedig was om zomaar op stap te gaan,' zei Hadriaan hoofdschuddend. 'Het zal wel een schok voor je zijn geweest om Dahlgren te verlaten en een paar dagen later midden in de grootste stad op aarde te staan.'

'O, dat was het ook,' antwoordde ze en ze veegde met haar pink een paar haartjes weg die tegen haar mond bleven kleven. 'Ik begreep pas hoe dom het was toen ik besefte hoe moeilijk het zou zijn om jullie te vinden. Ik had verwacht dat het zoals thuis zou zijn, dat ik zomaar naar iemand toe kon stappen en dat die zou weten wie jullie waren. Er zijn veel meer mensen in Colnora dan ik had gedacht. Maar er is sowieso veel meer daar. Ik zocht en zocht en kon jullie maar niet vinden.'

'Je vader zal wel ongerust zijn.'

'Nee hoor, valt wel mee.'

'Maar als...'

'Wat zijn dit?' vroeg ze en ze wees met haar augurk naar de stenen. 'Die blauwe stenen. Ze zien er zo raar uit.'

'Dat weet niemand,' zei Rolf.

'Zijn ze door elfen gemaakt?' vroeg ze.

Rolf hield zijn hoofd schuin en keek haar strak aan. 'Waarom denk je dat?'

'Ze lijken een beetje op de toren bij mijn dorp. Die jullie moeten openmaken. Zelfde soort steen, denk ik tenminste. De toren heeft ook een blauwige tint, maar dat kan ook door de afstand komen – ooit gemerkt dat alles blauw lijkt in de verte? Ik denk dat als we er dichtbij zouden kunnen komen, hij misschien gewoon grijs blijkt te zijn.'

'En waarom zouden we er niet dichtbij kunnen komen?' vroeg Hadriaan.

'Omdat hij midden in de rivier staat.'

'Kun je er niet heen zwemmen?'

'Je moet wel een erg sterke zwemmer zijn. De toren is op een rots gebouwd die over een waterval hangt. Prachtige waterval, ontzettend hoog, je weet wel. Er stroomt gigantisch veel water over. Op zonnige dagen zie je regenbogen in de mist. Het is natuurlijk erg gevaarlijk. Zeker vijf mensen zijn er al doodgegaan. Van twee is dat zeker, van die andere drie niet omdat...' Ze stopte toen ze de uitdrukking op hun gezichten zag. 'Is er iets?'

'Dat had je ons wel eens eerder mogen vertellen,' zei Rolf.

'Van die waterval? O, ik dacht dat jullie dat wisten. Ik bedoel, jullie deden alsof jullie de toren kenden toen ik erover begon. Het spijt me.'

Ze aten in stilte verder. Toen Trees klaar was stond ze op en liep naar de stenen, haar rok opbollend in de wind. 'Ik begrijp het niet,' zei ze ten slotte, haar stem tegen de wind verheffend. 'Als de Nidwalden de grens vormt, waarom staan die elfenstenen dan hier?'

'Vroeger was dit elfenland,' legde Rolf uit. 'Alles. Voor Colnora bestond, of Warrick, maakte het deel uit van het Erivaanse Rijk. Veel mensen erkennen dat liever niet; ze zeggen dat hier altijd mensen geheerst hebben. Het zit ze niet lekker. Het grappige is dat we veel elfse namen gebruiken. Ervanon, Rhenydd, Glamrendor, Galewyr en Nidwalden: allemaal elfse benamingen. De naam van dit land, Avryn, betekent "groene velden".'

'Moet je eens aan de bar van een taveerne vertellen, dan zul je zien hoe snel je op je hoofd getimmerd wordt,' merkte Hadriaan op.

Terwijl ze het laatste eten opmaakten bleef Trees tussen de stenen staan, en staarde naar het westen, met haar en jurk wapperend in de wind. Haar blik ging naar de horizon, verder dan Colnora, verder dan de blauwe heuvels, naar de dunne streep van de zee. Ze zag er zo klein en tenger uit dat Hadriaan half verwachtte dat de wind haar als een gouden blaadje zou optillen en meevoeren, tot hij de blik in haar ogen zag. Ze was eigenlijk nog een kind, maar haar ogen waren ouder – de glans van de onschuld en de vonk van verwondering waren verdwenen. Er lag iets gewichtigs in haar trekken, een vastberadenheid in haar blik. De jeugd die ze gekend had lag al jaren achter haar.

Ze pakten alles weer in en trokken verder. De rest van de dag volgden ze het pad dat het hoogland weer afdaalde naar het bos, maar toen de zon begon te zakken, was de weg niet veel meer dan een smal paadje. Zo nu en dan was er nog een boerderij te zien, maar dat werden er steeds minder. Het woud werd dichter en de weg donkerder.

Toen het laatste zonlicht verdween, werd Trees opvallend stil. Er was niets moois meer te zien of aan te wijzen, maar Hadriaan dacht dat er meer aan de hand was. Muis schopte een steen in een hoop dorre bladeren en ze schoot verschrikt omhoog, hem stevig vastgrijpend. Ze zette haar nagels zo diep in zijn zij dat zijn gezicht vertrok van pijn.

'Moeten we geen schuilplaats zoeken?' vroeg ze.

'Weinig kans dat we die hier vinden,' zei Hadriaan. 'Vanaf hier laten we de beschaving achter ons. Trouwens, het is een prachtige avond. De grond is droog en het ziet ernaar uit dat het warm blijft.'

'Slapen we buiten?'

Hadriaan keerde zich om zodat hij haar gezicht zag. Haar mond stond een beetje open, haar voorhoofd was gefronst en ze keek met wijd open ogen naar de lucht. 'We zijn nog een heel eind van Dahlgren af,' verzekerde hij haar. Ze knikte, maar hield hem nog steviger vast.

Ze hielden halt op een open plek bij een smal beekje dat over een rij rotsen stroomde, wat een vriendelijk ruisend geluid gaf. Hadriaan hielp Trees van het paard af en trok de zadels van de paarden.

'Waar is Rolf?' vroeg Trees fluisterend, met een ondertoon van paniek. Ze stond met haar armen voor haar borst gevouwen, en keek ongerust om zich heen.

'Niks aan de hand,' zei Hadriaan, terwijl hij de halster van Millies hoofd haalde. 'Hij gaat altijd even op verkenning als we stoppen voor de nacht. Hij loopt in een grote kring om ons heen om er zeker van te zijn dat we alleen zijn. Rolf heeft een hekel aan verrassingen.'

Trees knikte maar bleef zichzelf stevig vastpakken, alsof ze op een steen midden in een kolkende rivier stond.

'We maken hier een slaapplaats. Misschien kun je het een beetje schoonvegen. Eén steentje kan je de hele nacht dwarszitten. En ik kan het weten; elke keer dat ik buiten slaap, ligt er altijd een steentje precies onder mijn onderrug.'

Ze liep de open plek op en boog al tastend voorover om de takjes en steentjes die ze vond opzij te gooien. Maar ze bleef steeds nerveus naar de lucht kijken en schrok op van het kleinste geluidje. Toen Hadriaan de paarden verzorgd had, kwam Rolf terug. Hij droeg een bos takken onder de ene arm en had zelfs wat houtblokken gevonden, waarmee hij een vuur begon aan te leggen.

Trees keek er vol afschuw naar. 'Het is veel te fel,' fluisterde ze.

Hadriaan kneep in haar hand en glimlachte. 'Weet je, volgens mij kun jij heerlijk koken. Ik kan wel wat te eten maken, maar dat zou maar een treurig maal worden. Aardappels koken, dat is het enige wat ik kan. Wil jij het niet eens proberen? Wat denk je? Er zijn potten en pannen in die tas daar en ingrediënten in de zak ernaast.'

Trees knikte zwijgend en met een laatste blik naar de hemel schuifelde ze naar de tassen. 'Wat zouden jullie lusten?'

'Iets eetbaars zou al heel lekker zijn,' mompelde Rolf terwijl hij nog wat hout op het vuur legde.

Hadriaan gooide een stokje naar hem. De dief ving het op en wierp het in de vlammen.

Ze begon de bagage door te spitten, zo ver dat haar hoofd in de zak verdween, en dook even later weer op met handenvol spullen. Ze leende Hadriaans mes en begon de groenten te snijden op een omgekeerde pan.

Het werd snel donker, zodat het vuur de enige lichtbron op de open plek was. De flakkerende gele straling verlichtte het gebladerte om hen heen, waardoor het net leek of ze in een bosgrot zaten. Hadriaan zocht een met gras begroeid stukje op dat uit de rook lag en bedekte dat met geteerde lappen canvas. Zo zou het vocht niet in hun kleren trekken. In al die tijd dat ze onderweg waren, hadden ze ontdekt dat dit een goede ondergrond was. Maar ze hadden geen tijd gehad er een voor Trees te maken. Met een zucht gooide hij Trees' dekens op zijn lap canvas en ging op zoek naar dennentakken voor zijn eigen bed.

Toen het eten klaar was riep Rolf zijn maat. Hij kwam bij het vuur zitten, waar Trees een geurige stoofpot van peen, aardappelen, uien en spek opdiende. Rolf zat met een warme kom op schoot blij te glimlachen.

'Zo vrolijk hoef je nu ook weer niet te zijn,' zei Hadriaan.

'Maar kijk dan, Hadriaan: een echte maaltijd!'

Er werd nauwelijks gesproken onder het eten. Rolf maakte

een paar opmerkingen over wat ze moesten aanschaffen als ze door Algewest kwamen, zoals een tweede stuk touw en een nieuwe lepel om het gebarsten exemplaar te vervangen. Hadriaan hield zijn ogen voornamelijk op Trees gericht. Ze wilde niet bij het vuur zitten en at in haar eentje op een rotsblok in de schaduw bij de paarden. Toen ze klaar waren, verdween ze met de pan en de houten kommen naar de rivier om af te wassen.

'Alles goed met je?' vroeg Hadriaan toen hij haar bij de rotsachtige oever aantrof.

Trees zat gehurkt op een grote, met mos begroeide steen, met haar rok strak rond haar enkels, terwijl ze de pan en kommen schoonmaakte door ze met opgeschept zand te schrobben en te spoelen.

'Prima, dank je. Ik ben er alleen niet aan gewend om 's nachts buiten te zijn.'

Hadriaan hurkte naast haar neer en begon zijn kom af te wassen.

'Dat kan ik wel doen,' zei ze.

'Maar ik kan het ook. Bovendien ben jij de klant, dus je moet wel waar voor je geld krijgen.'

Ze grijnsde. 'Ik ben niet gek, hoor. Tien zilverstukken zijn niet eens genoeg voor het voer van de paarden, toch?'

'Nee, maar je wist vast niet dat Muis en Millie erg verwend zijn. Ze eten alleen de allerbeste haver.' Hij knipoogde. Ze moest wel terug lachen.

Trees was klaar met de pan en de andere kommen en ze liepen terug naar het kamp.

'Hoe ver is het nog?' vroeg ze, terwijl ze de spullen weer in de zak opborg.

'Ik weet het niet precies. Ik ben nooit in Dahlgren geweest, maar we zijn flink opgeschoten vandaag, dus misschien nog maar een dag of vier.'

'Ik hoop dat het goed gaat met mijn vader. Meneer Haddon zei dat hij zou proberen hem tegen te houden om met het beest te vechten tot ik terug was. Ik hoop dat hem dat is gelukt. Zoals ik al zei, mijn vader is vreselijk koppig en ik kan me nauwelijks voorstellen dat iemand hem van gedachten kan laten veranderen.'

'Nou, als iemand het kan, is het meneer Haddon wel,' merkte Rolf op, terwijl hij met een lange stok in het vuur porde. 'Hoe ben je hem tegengekomen?'

Trees vond het bed dat Hadriaan voor haar bij het vuur gemaakt had en ging op de deken zitten. 'Meteen na de begrafenis van mijn familie. Die was erg mooi trouwens. Het hele dorp was uitgelopen. Marie en Jessie Kaasstra hingen kransen van wilde salifaan op de grafstenen. Maai Drundel en Roos en Verna Deernstra zongen "Velden vol Lelies" en diaken Tomas zei een paar gebeden op. Lena en Rumold Beidewikke hielden een receptie in hun huis. Lena en mijn moeder waren goede vriendinnen.'

'Ik kan me niet herinneren dat je het over je moeder hebt gehad, was zij...'

'Mijn moeder stierf twee jaar geleden.'

'Dat spijt me. Was ze ziek?'

Trees schudde haar hoofd.

Ze zwegen een tijdje, tot Hadriaan zei: 'Je was aan het vertellen hoe je meneer Haddon had ontmoet...'

'O ja, nou, ik weet niet hoeveel begrafenissen jij hebt meegemaakt, maar na een tijdje wordt het een beetje benauwend. Al dat huilen en al die oude verhalen. Ik glipte ertussenuit. Ik liep gewoon een beetje te wandelen. Ik kwam uit bij de dorpsput en daar stond hij... een vreemdeling. Die zien we niet vaak, maar dat was nog niet alles. Hij had zo'n glimmend gewaad aan dat steeds van kleur scheen te veranderen wanneer hij bewoog, maar het opvallendste was nog wel dat hij geen handen had. De arme man probeerde wat te drinken, maar dat lukte niet met dat touw en die emmer.

Ik vroeg hoe hij heette en toen... o, ik weet het niet meer, ik begon zo stom te huilen en hij vroeg me wat er aan de hand was. Op dat moment huilde ik niet omdat mijn broer en zijn vrouw net overleden waren. Ik huilde omdat ik bang was dat mijn vader de volgende zou zijn. Ik weet ook niet waarom ik hem dat vertelde. Misschien omdat hij een vreemde was. Maar ik flapte alles eruit. Ik voelde me behoorlijk opgelaten daarna, maar hij was erg geduldig. En toen vertelde hij me over het wapen in de toren en over jullie tweeën.'

'Hoe wist hij dan waar we waren?'

Trees haalde haar schouders op. 'Wonen jullie daar dan niet?'

'Nee... we waren op bezoek bij een oude vriend. Sprak hij niet raar? Met veel ge en gij en zo?'

'Nee, maar hij sprak wel wat geleerder dan de mensen uit mijn dorp. Hij heette meneer Esra Haddon. Is hij een vriend van jullie?'

'We hebben hem ooit heel even ontmoet,' legde Hadriaan uit. 'Net als jij hielpen we hem met het oplossen van een probleempje.'

'De vraag is wel, waarom houdt hij ons in de gaten?' vroeg Rolf. 'En hoe doet hij dat, want ik kan me niet herinneren dat we hem onze namen hebben verteld, en al helemaal niet dat we naar Colnora gingen.'

'Hij vertelde me alleen dat jullie die toren binnen konden komen en als ik direct zou vertrekken, kon ik jullie daar vinden. Toen regelde hij voor me dat ik mee kon rijden met de marskramer. Hij heeft me erg geholpen.'

'Verbazingwekkend eigenlijk, hè, voor een man die niet eens een kop water voor zichzelf te pakken kan krijgen,' mompelde Rolf.

3

DE AMBASSADEUR

Arista stond voor het torenraampje en staarde uit over de wereld ver onder haar. Ze zag de daken van winkels en huizen als grijze, bruine en rode vierkantjes en driehoeken, doorboord door schoorstenen die niet in gebruik waren vanwege het warme lenteweer. De regen had alles schoongespoeld, zodat de wereld er fris en helder uitzag. Ze keek naar de mensen die door straten liepen, op pleintjes bij elkaar stonden of deuren in- en uitgingen. Af en toe bereikte een kreet haar oren, zacht en zwak. De meeste geluiden kwamen van de binnenplaats recht onder haar, waar zojuist een stoet van zeven koetsen gearriveerd was; de knechten waren bezig met hutkoffers.

'Nee, nee, nee! Niet die rode jurk!' riep Berthe tegen Melissa. 'Novron helpe ons. Kijk dan, dat decolleté! Hare hoogheid heeft een reputatie hoog te houden. Stop hem maar in de berging, of beter: verbrand dat ding. Als ze dat aandoet kun je haar net zo goed met zout bestrooien, een garnering achter haar oor steken en haar voeren aan een roedel hongerige wolven. Nee, die donkere ook niet; die lijkt wel zwart – het is lente, in Mariborsnaam. Waar ben je met je hoofd? De hemelsblauwe japon, ja, die mag blijven. Jeetje, als ik er toch niet bij was...'

Berthe was een oud gedrongen vrouwtje met een gezicht als een klont deeg met uitzakkende wangen en een onderkin. Haar haarkleur was onbekend, aangezien ze het haar altijd onder een barbette droeg, een wit linnen kapje dat haar van kruin tot en met hals bedekte. Daarover droeg ze een lange sluier die recht over haar voorhoofd liep zodat het leek of haar hoofd plat was. Ze stond midden in Arista's slaapkamer, wapperend met haar armen en luide uitroepen slakend te midden van de chaos en onrust die ze zelf veroorzaakte.

Overal lagen stapels kleding, behalve in Arista's kleerkasten. Die waren leeg, wachtend met hun deuren open, terwijl Berthe elk gewaad door haar handen liet gaan en de winterjaponnen opzijlegde voor de berging. Behalve Melissa had Berthe twee andere meisjes naar boven geroepen om te helpen met het vouwen en pakken. Eén kast begon wat voller te raken, maar nog steeds lag haar hele slaapkamer bezaaid met gewaden, en Arista kreeg zo langzamerhand een stevige hoofdpijn van al dat geschreeuw.

Berthe was een van haar moeders persoonlijke bedienden geweest. Koningin Anne had er verschillende gehad: Drundiline, een beeld van een vrouw, was behalve kamerjuffer ook haar moeders klerk en vriendin geweest; Jette was als huishoudster verantwoordelijk voor de schoonmaakstaf, de naaisters en de wasvrouwen. Nora met haar luie oog waardoor je nooit kon zeggen naar wie ze keek, zorgde voor de kinderen. Arista herinnerde zich de sprookjes nog die ze voor het slapengaan vertelde, over hebzuchtige dwergen die verwende prinsesjes ontvoerden, maar een adembenemende prins redde ze uiteindelijk altijd. In totaal kon Arista zich acht dienstmaagden herinneren, maar Berthe zat daar niet bij.

Ze was twee jaar geleden naar Kasteel Essendon gekomen, een maand nadat Arista's vader, koning Amrath, was vermoord. Bisschop Saldur vertelde dat ze de koningin had gediend en dat ze de enige kamenier was die was ontkomen aan de grote brand, waarbij jaren daarvoor haar moeder om het leven was gekomen. Berthe was jarenlang weg geweest, overmand door verdriet en ziekte, maar toen ook Amrath overleden was, was ze teruggekeerd om voor haar geliefde prinses te zorgen.

'O, hoogheid,' zei Berthe, met twee paar schoenen van Arista in haar handen. 'Gaat u toch bij dat raam vandaan. Het is misschien lekker weer, maar tocht moet u niet te licht opvatten. Geloof me, ik weet er alles van – persoonlijk. Pas maar op dat u niet hoeft te doorstaan wat ik allemaal heb gehad: de pijn, de krampen, het hoesten. Niet dat ik klaag, natuurlijk niet; ik leef nog steeds, niet? Ik ben zo gelukkig om u te zien opgroeien tot een echte dame en als Maribor het wil, zie ik u zelfs nog als bruid. Wat een lief bruidje zult u worden! Ik hoop dat koning Alric spoedig een echtgenoot voor u vindt. Wie weet hoe lang ik nog te leven heb, en we zouden niet willen dat de mensen nog meer over u roddelen dan ze al doen...'

'Roddelen ze dan over me?' Arista draaide zich om en ging op de open vensterbank zitten.

Toen ze haar zo gevaarlijk zag zitten, schrok Berthe zo dat ze als versteend bleef staan, en haar mond opende en sloot in stil protest terwijl ze voorzichtig wenkte, met de schoenen in haar handen. 'Uwe hoogheid,' bracht ze hees uit, 'u valt nog!'

'Ik zit hier best.'

'Nee, dat zit u niet.' Berthe schudde wild haar hoofd. 'Alstublieft. Ik smeek het u.'

Ze liet de schoenen vallen, zette haar voeten stevig uiteen en stak haar hand uit alsof ze op de rand van een afgrond stond. 'Alstublieft...'

Arista rolde met haar ogen, liet zich van de vensterbank afglijden en liep van het raam vandaan naar haar bed, dat door een dikke laag kleren werd bedekt.

'Nee, nee, wacht!' riep Berthe weer. Ze schudde haar handen bij de polsen heen en weer alsof ze er druppels van afsloeg. 'Melissa, maak daar een plek voor hare hoogheid vrij, zodat ze kan zitten.'

Arista zuchtte en haalde haar hand door haar haar, terwijl ze wachtte tot Melissa wat jurken opnam.

'Pas nou op, je kreukt ze nog,' waarschuwde Berthe.

'Het spijt me, hoogheid,' zei Melissa terwijl ze een armvol

japonnen oppakte. Ze was een kleine rode krullenbol met donkergroene ogen en werkte al vijf jaar voor Arista. De prinses kreeg de indruk dat de verontschuldiging van het meisje niet op de bende kleren op haar bed sloeg. Arista moest zich bedwingen niet in lachen uit te barsten en hield het op een glimlach. Het werd er niet makkelijker op toen ze de grijns van Melissa opmerkte.

'Het goede nieuws is dat de bisschop vanmorgen een lijst van potentiële huwelijkskandidaten aan zijne majesteit heeft aangeboden,' zei Berthe en Arista had opeens geen enkele moeite meer haar lach te bedwingen; zelfs haar glimlach verdween. 'Ik hoop dat die aardige prins Rudolf erbij zit, de zoon van koning Armand.' Berthe trok haar wenkbrauwen op en grijnsde guitig als een gestoorde kabouter. 'Hij is erg knap – om niet te zeggen bijzonder aantrekkelijk – en Algewest is een beeldig koninkrijk, heb ik horen vertellen.'

'Ik ben er geweest en ik heb hem ontmoet. Het is een ingebeelde kwal.'

'O, die taal van u!' Berthe sloeg haar handen tegen haar wangen, hief haar ogen ten hemel, en bad in stilte. 'U moet echt leren uzelf te beheersen. Als een ander u had gehoord... Maar gelukkig zijn wij hier alleen.'

Arista wierp een blik op Melissa en de andere twee meiden die bezig waren met het sorteren van haar goed. Melissa ving haar blik op en haalde haar schouders op.

'Goed dan, dus prins Rudolf ligt u niet zo erg, maar dat maakt niet uit. Wat dacht u dan van koning Edelbert van Warrick? Beter kunt u het niet treffen. Die arme weduwnaar is de machtigste vorst van Avryn. Je zou in Aquesta gaan wonen en koningin van de Midwinterfestivals zijn.'

'Die man is ergens in de vijftig. En niet te vergeten: hij is keizersgezind. Ik snij nog liever mijn polsen door.'

Berthe strompelde achteruit en sloeg haar ene hand om haar hals terwijl ze met de andere steun zocht bij de muur.

Melissa gniffelde en probeerde dat te maskeren door nadrukkelijk te kuchen.

'Ik denk dat je wel klaar bent hier, Melissa,' zei Berthe. 'Neem de kamerpot mee als je gaat.'

'Maar het sorteerwerk is nog niet...' protesteerde Melissa.

Berthe keek haar waarschuwend aan.

Melissa zuchtte. 'Hoogheid,' zei ze tegen Arista, terwijl ze een knix maakte. Ze pakte de pot op en vertrok.

'Ze bedoelde er niks mee,' zei Arista tegen Berthe.

'Maakt niet uit. Respect mag nimmer uit het oog verloren worden. Ik weet dat ik maar een gekke oude vrouw ben die er niet meer toe doet, maar ik zeg u dit: als ik hier was geweest... als ik ook maar iets gezonder was geweest zodat ik u had kunnen opvoeden nadat uw moeder gestorven was, dan zouden de mensen u vandaag de dag geen heks noemen.'

Arista sperde haar ogen open.

'Vergeef me, hoogheid, maar zo is het. Zonder uw moeder, zonder mij als kindermeid, vrees ik dat u een hopeloze opvoeding hebt gekregen. Maribor zij gedankt dat ik terug mocht komen toen ik dat kon, want wie weet wat er anders van u terecht zou komen. Maar maak u geen zorgen, m'n kind, we hebben u zo weer op het rechte pad. U zult wel zien, alles komt goed als u eenmaal een passende echtgenoot hebt. Al die nonsens uit het verleden zal spoedig vergeten zijn.'

Zowel haar waardigheid als de lengte van haar gewaad belette Arista om de trappen af te rennen. Hilfred draafde achter haar aan en deed zijn best haar bij te houden toen ze er plotseling vandoor ging. Ze had haar lijfwacht verrast. Ze had zichzelf verrast. Arista was vast van plan geweest rustig en beheerst naar haar broer toe te gaan om beleefd te vragen of hij gek was geworden. Dat was goed gegaan tot ze de kapel passeerde, toen begon ze sneller en sneller te lopen.

Het goede nieuws is dat de bisschop vanmorgen een lijst van potentiële huwelijkskandidaten aan zijne majesteit heeft aangeboden.

Ze zag de grijns van Berthe nog precies voor zich, ze hoorde de perverse opgewektheid van haar woorden, alsof ze een toeschouwer aan de voet van de galg was, wachtend tot de beul de emmer onder het slachtoffer vandaan schopte.

Ik hoop dat die aardige prins Rudolf erbij zit, de zoon van koning Armand.

Ze begon te hijgen. Haar haar wapperde achter haar aan toen het lint losraakte. Toen Arista de hoek om dook naar de balzaal, gleed haar linkervoet onder haar uit en bijna struikelde ze. Haar muiltje schoot uit en vloog over de gepolitoerde vloer. Ze liet hem liggen en ging zo snel mogelijk voort, hobbelend als een wagen met een gebroken wiel. Ze bereikte de westelijke gang. Het was een lang, recht stuk met harnassen aan beide kanten, en hier begon ze pas echt vaart te maken. Jacobs, de koninklijke klerk, zag haar langsrennen vanaf zijn hoge kruk aan de rand van de ontvangsthal en sprong op de grond.

'Hoogheid!' riep hij en hij maakte een buiging toen ze afremde.

'Is hij daarbinnen?' blafte ze.

De kleine klerk met zijn ronde gezicht en zijn rode neus knikte. 'Maar zijne majesteit is in staatsvergadering. Hij wenste nadrukkelijk niet gestoord te worden.'

'Die man is toch al gestoord. Ik ben hier om wat verstand in die zwakke hersentjes van hem te pompen.'

De klerk dook ineen. Hij zag eruit als een eekhoorn in de stortregen. Als hij een staart had gehad zou hij hem over zijn hoofd hebben gelegd. Achter zich hoorde ze Hilfreds bekende voetstappen naderen.

Ze wendde zich naar de deur en deed een stap.

'U kunt niet naar binnen,' zei Jacobs in paniek. 'Ze hebben een staatsvergadering,' herhaalde hij.

De wachters die aan weerszijden van de deur stonden blokkeerden haar de weg.

'Uit de weg!' schreeuwde ze.

'Vergeef ons, hoogheid, maar we hebben orders gehad van de koning om niemand toegang te verlenen.'

'Ik ben zijn zuster,' protesteerde ze.

'Het spijt me zeer, hoogheid; zijne majesteit... noemde u met name.'

'Hij... wát?' Heel even stond ze als aan de grond genageld, toen draaide ze zich vliegensvlug om naar de klerk die net zijn neus afveegde aan zijn zakdoek. 'Wíé zijn daar binnen bij hem? Met wie voert hij die stáátsvergadering?'

'Wat is hier aan de hand?' vroeg Julius Storm, het hoofd der financiën, terwijl hij zich uit zijn kantoor haastte. Zijn lange zwarte gewaad met gouden hekjestekens op zijn mouwen sleepte achter hem aan als de sleep van bruid. Julius was een bejaarde heer die al hoofd der financiën op Kasteel Essendon was geweest voor zij geboren was, misschien al voor haar vader was geboren. Gewoonlijk droeg hij een gepoederde pruik die over zijn schouders viel als de slappe flaporen van een oude hond, maar nu hij onverwacht zijn kamer uitkwam, zag ze dat hij in werkelijkheid maar een paar toefjes wit haar had, die veel weg hadden van de pluizenbolletjes van de melkdistel.

'Ik wil mijn broer spreken,' zei Arista nors.

'Maar... maar, hoogheid, hij zit in een staatsvergadering; het kan vast wel even wachten.'

'Met wie vergadert hij dan?'

'Ik dacht met bisschop Saldur, kanselier Piekering, heer Valin, en o, ik weet niet precies wie nog meer.' Julius keek even naar Jacobs, alsof hij om hulp vroeg.

'En waar gaat die vergadering dan over?'

'Nou, eigenlijk vermoed ik dat het te maken heeft met' – hij aarzelde – 'uw toekomst.'

'Mijn toekomst? Ze bepalen mijn leven daarbinnen en ik mag er niet bij zijn?' Ze was des duivels. 'Zit prins Rudolf soms ook binnen? Of Lanis Edelbert misschien?'

'Eh... dat weet ik niet – ik denk het niet.' Weer keek hij tersluiks naar de klerk, die zich hier niet mee wilde bemoeien. 'Hoogheid, alstublieft, kalmeer toch een beetje. Ik vermoed dat ze u kunnen horen.'

'Mooi!' schreeuwde ze. 'Ze móéten me ook horen! Ik wil

dat ze me horen. Als ze denken dat ik hier gewoon netjes blijf staan om op hun vonnis te wachten, om te horen wat zij besloten hebben wat mijn lot zal zijn, dan...'

'Arista!'

Ze draaide zich om en zag dat de deuren naar de troonzaal zich openden. Haar broer, Alric, stond tussen de twee wachters in, maar die stapten schielijk opzij. Hij droeg de witte bontmantel die hij van Julius beslist over zijn schouders moest hangen bij alle staatsaangelegenheden, net als de zware gouden kroon, die hij nu naar achteren schoof. 'Wat is je probleem? Je klinkt als een dol geworden viswijf.'

'Ik zal je vertellen wat mijn probleem is! Ik sta niet toe dat je me dit aandoet. Je gaat me niet naar Algewest of Warrick of waar dan ook sturen als een of ander exportproduct!'

'Ik stuur je helemaal niet naar Algewest of Warrick. We hebben al besloten dat je naar Dunmoer gaat.'

'Dunmoer?' Het woord was een klap in haar gezicht. 'Dat meen je niet. Zeg dat je dat niet meent.'

'Ik wilde het je vanavond vertellen. Al dacht ik dat je het beter op zou nemen. Ik dacht dat je het leuk zou vinden.'

'Leuk zou vinden? Léúk zou vinden? O, ja, ik sta echt te trappelen om als politieke pion te worden gebruikt. Wat geven ze jou in ruil voor mij? Was je dat soms aan het doen, daarbinnen, een beetje handjeklap spelen?' Ze ging op haar tenen staan om een blik over haar broers schouder te werpen en te zien wie hij in de zaal verborg. 'Zijn jullie over me aan het onderhandelen als een prijskoe?'

'Prijskoe? Waar heb je het over?' Alric keek betrapt over zijn schouder en sloot de deuren. Hij keek naar Julius en Jacobs en wuifde ze weg. Op zachtere toon zei hij: 'Je zult daar gerespecteerd worden. Je zult een autoriteit zijn. Je zult niet gewoon de prinses zijn en je zult iets om handen hebben. Was jij dat niet, die zei dat je de toren uit wilde en iets wilde bijdragen aan het welzijn van het koninkrijk?'

'En... en toen heb je dit bedacht?' Ze wilde haast in gillen uitbarsten. 'Doe me dit niet aan, Alric, ik smeek het je. Ik weet dat ik je in verlegenheid heb gebracht. Ik weet wat ze over me zeggen. Dacht je dat ik ze niet "heks" hoorde fluisteren als ik langsliep? Dacht je dat ik niet wist wat er op het proces werd gezegd?'

'Arista, die mensen waren onder druk gezet. Dat weet je best.' Even keek hij Hilfred aan, die naast haar stond met de verloren schoen.

'Ik zeg alleen maar dat ik ervan weet. Ik weet zeker dat ze onophoudelijk tegen je klagen.' Ze gebaarde naar de gesloten deur. Ze wist niet zeker wie ze bedoelde met 'ze' en hoopte maar dat hij het niet zou vragen. 'Maar ik kan er niets aan doen dat mensen zo over me denken. Ik kan vaker met je mee-komen naar evenementen, als je wilt. Naar staatsdiners bij-voorbeeld. Ik kan gaan borduren. Ik maak wel een suf wand-kleed. Heel schattig en beschaafd. Wat dacht je van een hertenjacht? Geen idee hoe je een wandkleed maakt, maar ik gok dat Berthe er alles vanaf weet – van dat soort dingen weet ze alles af.'

'Jij? Ga jij een wandkleed maken?'

'Als dat nodig is. Ik kan me beter gedragen, echt. Ik heb zelfs geen slot op mijn deur in de nieuwe toren gemaakt. Ik heb niets uitgespookt sinds je gekroond werd, ik zweer het. Veroordeel me alsjeblieft niet tot een leven van dienstbaar-heid. Het kan me niet schelen dat ik "gewoon maar een prin-ses" ben, geloof me nou.'

Hij keek haar verward aan.

'Ik meen het. Heus waar, Alric. Alsjeblieft, stuur me niet weg.'

Hij zuchtte en keek haar bedroefd aan. 'Arista, wat kan ik anders met je doen? Ik wil niet dat je voor de rest van je leven als een kluizenaar in die toren moet leven. Ik ben er zeker van dat dit het beste voor je is. Het zal goed voor je zijn. Misschien denk je nu van niet, maar... kijk me niet zo aan! Ik ben de ko-ning en je doet wat ik zeg. Het is noodzakelijk dat je dit voor me doet, en voor het koninkrijk.'

Ze kon haar oren niet geloven. Arista voelde de tranen naar

boven komen. Haar kaak verstrakte, ze zette haar kiezen op elkaar en ademde gejaagd. Ze voelde zich licht in het hoofd en koortsachtig. 'En ik neem dus aan dat ik meteen wordt weggevoerd. Daarom staan die koetsen zeker buiten.'

'Ja,' zei hij ferm. 'Het leek me het beste dat je meteen morgenochtend vertrekt.'

'Morgen al?' Arista begon te wankelen op haar benen, de lucht werd uit haar longen geslagen.

'O, in Mariborsnaam, Arista; ik huwelijk je toch niet uit aan een of andere oude sukkel!'

'Poeh zeg, wat ben ik blij dat je zo goed voor me hebt gezocht,' zei ze. 'Wie is het dan wel? Een van de neefjes van koning Roswort? Maribor sta me bij! Waarom Dunmoer, Alric? Rudolf zou al gruwelijk genoeg zijn geweest, maar ik kan tenminste inzien dat een verbond met Algewest nut heeft. Maar Dunmoer? Dat is gewoon wreed. Haat je me dan zo erg? Heb je zo'n hekel aan me dat je me uithuwelijkt aan een graafje van niets in een achterafgelegen koninkrijkje? Zelfs vader had me dat niet aangedaan – ja, waarom lach je nou? Hou op met lachen, geniepige kleine kobold!'

'Ik huwelijk je helemaal niet uit, Arista,' wist Alric lachend uit te brengen.

Ze kneep haar ogen samen. 'Niet?'

'Goden, nee! Dacht je dat? Dat zou ik toch nooit doen. Ik ken dat soort mensen toch. Voor ik het wist zou ik weer de Galewyr afdrijven.'

'Maar wat dan? Julius zei dat jullie over mijn toekomst, mijn lot zaten te beslissen.'

'Ik heb... ik heb je officieel benoemd tot Ambassadeur van Melengar.'

Ze staarde hem met open mond aan. Zonder haar hoofd te draaien, keek ze opzij en nam ze haar muiltje uit Hilfreds hand. Terwijl ze op zijn schouder leunde trok ze het weer aan.

'Maar Berthe zei dat Sally een lijst met passende vrijers was komen brengen,' zei ze voorzichtig.

'O ja, dat klopt,' zei Alric en hij grinnikte. 'Daar hebben

we hartelijk om moeten lachen.'

'We?'

'Mauvin en Fanen zitten binnen.' Hij wees met zijn duim naar de deur. 'Ze gaan met je mee. Fanen is van plan aan de krachtmeting mee te doen die de kerk in Ervanon heeft uitgeschreven. Kijk, het was de bedoeling dat het een grote verrassing voor je zou zijn, maar zoals gebruikelijk liet je ons plannetje weer in het honderd lopen.'

'Het spijt me,' zei ze, en onverwacht beefde haar stem. Ze sloeg haar armen om haar broer heen en drukte hem tegen zich aan. 'Dank je wel.'

De voorwielen van de koets bonkten in een kuil, meteen gevolgd door de achterwielen. Arista stootte bijna haar hoofd tegen het dak en ze verloor haar concentratie wat haar kwaad maakte, want de naam van de minister van Financiën van Dunmoer had op het puntje van haar tong gelegen. Het begon met Bon, of Bonnie, of Bobo – nee, Bobo kon het moeilijk zijn. Maar het was iets in die richting. Al die namen, al die titels, de derde baron van Brodinia, de graaf van Nith... of was het nou de derde baron van Nith en de graaf van Brodinia? Arista keek in haar handpalm, en vroeg zich af of ze er wat ezelsbruggetjes in zou schrijven. Als dat ontdekt werd, zou dat niet alleen een blamage voor haarzelf betekenen, maar ook voor Alric, zo niet voor heel Melengar. Van nu af aan zou alles wat ze deed, elke vergissing, elke fout niet alleen een pijnlijke zaak voor haarzelf zijn, maar voor haar hele koninkrijk. Ze moest het perfect doen. Het probleem was dat ze niet wist hoe je het perfect deed. Ze wenste dat haar broer haar meer tijd had gegeven om zich voor te bereiden.

Dunmoer was een nieuw koninkrijk, pas zeventig jaar oud; een overwoekerd, ongebruikt leengoed dat gered was door ambitieuze edelen van onduidelijke afkomst. Het ontbrak het rijkje totaal aan tradities of verfijning die in andere delen van Avryn werd aangetroffen, maar er was een duizelingwekkend aantal onbegrijpelijk genaamde ministeries en departementen.

Ze was ervan overtuigd dat koning Roswort ze had opgericht zoals een zelfverzekerd iemand een simpel huis pompeus zou inrichten. Hij had in elk geval veel meer ministers dan Alric, met titels die minstens tweemaal zo lang waren en tegelijkertijd bijzonder vaag, zoals Assistent-Staatssecretaris van de Tweede Koninklijke Boulevard-Inspectiegroepering. Wat betekent dat in hemelsnaam? Dan had je ook nog de mysterieuze Grootmeester van de Vloot, terwijl Dunmoer geheel door land omgeven was. Desalniettemin had Julius haar een lijst van de ministers gegeven en ze deed haar best die uit haar hoofd te leren, net als de ontelbare notulen over de in- en uitvoer, handelsovereenkomsten, militaire verdragen en zelfs de naam van de hond van de koning. Ze liet haar hoofd tegen de fluwelen bekleding van de koets leunen en zuchtte diep.

'Is er iets, m'n kind?' informeerde bisschop Saldur, die recht tegenover haar zat, met zijn vingertoppen tegen elkaar gedrukt. Hij staarde naar haar met een strakke blik waarmee hij meer opnam dan haar gezicht. Ze had hem onbeschoft kunnen noemen als hij iemand anders was geweest. Saldur – of Sally zoals ze hem altijd noemde – had haar voor het eerst paardenbloemenpluis laten blazen toen ze vijf was. Hij had haar dammen geleerd en deed altijd net alsof hij niet zag dat ze in bomen klom of er op haar pony in galop vandoor ging. Op haar zestiende verjaardag had hij haar persoonlijk ingewijd in de Stukken van het Geloof in Nyphron. Hij was een soort grootvader van haar. Hij zat altijd naar haar te staren. Ze had het maar opgegeven zich af te vragen wat daar de reden van was.

'Het is veel te veel. Ik kan het echt niet onthouden. En dat gehobbel helpt ook niet echt. Ik wil het zo graag goed doen,' zei ze bladerend door de stapels perkament, 'maar ik denk niet dat het me gaat lukken.'

De oude man glimlachte naar haar en hij trok vriendelijk zijn wenkbrauwen op. 'Dat zal best meevallen. Trouwens, het is Dunmoer maar.' Hij knipoogde. 'Ik denk dat je zijne koninklijke hoogheid koning Roswort geen prettig heerschap zult vinden. Dunmoer is maar traag in het onderkennen van de vreugden die de rest van de beschaving heeft leren waarderen. Wees maar geduldig en respectvol. Vergeet nooit dat je in zijn hof bent, niet op Melengar, en daar ben je een onderdaan van hem. Bij elke discussie is zwijgzaamheid je beste vriend. Leer die techniek vooral snel aan. Leer te luisteren in plaats van te spreken, dan overleef je de grootste stormen. En beloof nooit wat. Geef de indruk dat je het belooft, maar spreek die woorden nooit uit. Op die manier geef je Alric alle ruimte om te onderhandelen of eronderuit te komen. Het is niet handig de handen van je heerser te binden.'

'Wilt u misschien iets te drinken, hoogheid?' vroeg Berthe, die met een mand vol versnaperingen op haar schoot naast Arista op de brede bank zat. Ze zat rechtop, knieën bij elkaar, met haar handen op het hengsel en wreef haar duimen tegen elkaar. Berthe straalde als ze Arista aankeek, zodat diepe lijnen vanuit haar ooghoeken uitwaaierden. Haar ronde appelwangetjes werden naar boven gedrongen door haar brede lach, een meewarige glimlach, zoals een moeder die heeft als haar kind een geschaafde knie laat zien. Soms vroeg Arista zich af of de oude vrouw zich inbeeldde dat ze haar moeder was.

'Wat heb je daar allemaal, m'n beste?' vroeg Saldur. 'Iets opwekkends misschien?'

'Ik heb een pintje brandewijn bij me,' zei ze kleurend en voegde er gehaast aan toe: 'Voor het geval het koud wordt.'

'Nu je het zegt, ik krijg het een beetje frisjes,' zei Saldur en hij begon omstandig zijn handen en zijn armen te wrijven, en deed of hij rilde.

Arista trok een wenkbrauw op. 'Deze koets is net een oven,' zei ze, de hoge kraag van haar japon naar beneden trekkend. Alric had nadrukkelijk gezegd dat ze ingetogen, bescheiden kleding mee moest nemen, alsof ze zich gewoonlijk buiten het kasteel begaf in diep gedecolleteerde felrode taveernekleding. Berthe had dit bevel als carte blanche gezien om Arista op te sluiten in ouderwetse kostuums van zware dikke stof. De enige uitzondering was de staatsiejurk voor de ontvangst door de koning. Arista wilde alle hulp die ze kon krijgen om een goede indruk te maken en besloot het formele ontvangstgewaad te dragen dat eens haar moeder had toebehoord. Het was ontegenzeglijk de meest oogstrelende japon die Arista ooit had gezien. Toen haar moeder hem aan had gehad, trok ze ieders blikken. Ze had er zo indrukwekkend, zo stralend uitgezien: op-en-top een koningin.

'Oude botten, m'n beste,' zei Saldur tegen haar. 'Kom, Berthe, waarom nemen jij en ik niet een klein neutje?' Berthe hoorde dat aan met een verlegen glimlachje.

Arista trok het fluwelen gordijntje opzij en keek uit het raampje. Haar koets reed in het midden van de karavaan van rijtuigen, huifkarren en soldaten te paard. Mauvin en Fanen zaten daar ergens, maar ze kon alleen zien wat haar raampje toonde. Ze waren nu in het koninkrijk Ghent, hoewel Ghent geen koning had. Het stond direct onder de Kerk van Nyphron en dat was al een paar honderd jaar zo geweest. Er waren maar weinig bomen in dit rotsachtige gebied en de heuvels waren bloedeloos bruin, alsof de lente talmde hier te komen en liever in andere regionen neerstreek en in Ghent zijn taak veronachtzaamde. Hoog boven de vlakte cirkelde een havik in wijde kringen.

'O jeetje!' riep Berthe uit toen de koets weer een hobbel nam. *O jeetje!* was de ergste vloek die Berthe over haar lippen kreeg. Arista keek opzij en zag dat het proces om de brandewijn in het bekertje te krijgen een hele uitdaging was. Sally met de kruik, Berthe met het kopje, hun armen op en neer gaand; zo deden ze hun best de zaken bij elkaar te krijgen, alsof het een vaardigheidswedstrijd op de Meikermis was – een spel dat er simpel uitzag maar vrijwel alle spelers in verlegenheid bracht. Tot Sally uiteindelijk op het juiste moment de kruik kantelde en ze elkaar opgelucht feliciteerden.

'Geen druppel verspild,' zei hij ingenomen met zichzelf. 'Op de nieuwe ambassadeur! Opdat we trots op haar mogen zijn.' Hij hief het bekertje, nam een flinke slok en zakte met een zucht naar achteren. 'Ben je ook niet eerder in Ervanon geweest, liefje?'

Arista schudde haar hoofd.

'Ik denk dat je het spiritueel hoogst aangenaam zult vinden. Echt, het verbaast me dat je vader je hier nooit mee naartoe heeft genomen. Het is een pelgrimage die ieder lid van de Kerk van Nyphron minstens eenmaal in zijn leven gemaakt moet hebben.'

Arista knikte, maar liet achterwege dat wijlen haar vader niet erg vroom was geweest. Het was zijn plicht geweest zijn rol te spelen in de religieuze diensten van het rijk, maar hij glipte er vaak tussenuit als de vissen goed beten, of als de jagers hem hadden laten weten dat er een edelhert in de vallei was gesignaleerd. Uiteraard had zelfs hij perioden waarin hij vertroosting zocht. Zijn dood had Arista lang beziggehouden. Waarom was hij die nacht in de kapel, toen die ellendige dwerg hem doodgestoken had? En wat belangrijker was, hoe had haar oom Perrie geweten dat hij daar zou zijn? Zodat hij die kennis kon gebruiken om hem daar te laten vermoorden? Het hield haar bezig tot ze besefte dat hij niet had gebeden tot Novron of Maribor – hij prevelde zijn woorden tot háár. Het was de herinneringsdag van de brand geweest. De dag dat Arista's moeder was gestorven. Waarschijnlijk bezocht hij de kapel elk jaar op die dag en Arista baalde ervan dat haar oom meer van haar vaders gewoonten af had geweten dan zij. Het zat haar ook dwars dat ze er nooit aan had gedacht hem te vergezellen.

'Je zult het voorrecht genieten om zijne heiligheid de aartsbisschop van Ghent te ontmoeten.'

Verrast ging ze rechtop zitten. 'Dat heeft Alric me niet verteld. Ik dacht dat we alleen op doorreis waren in Ervanon, op weg naar Dunmoer.'

'Het is geen formele ontmoeting, maar hij is erg benieuwd naar de nieuwe ambassadeur van Melengar.'

'Zal ik ook de patriarch ontmoeten?' vroeg ze bezorgd. Dat ze niet klaar was met de voorbereiding voor Dunmoer was één ding, maar zonder kennis van zaken de patriarch ontmoeten zou helemaal een ramp zijn.

'Nee.' Saldur glimlachte als een man die zich vrolijk maakt over de eerste onbeholpen stapjes van een kind. 'Totdat de Erfgenaam van Novron is gevonden, is de patriarch degene die het dichtste bij god staat. Hij leeft zijn leven in afzondering en spreekt uiterst zelden. Hij is een zeer groot man, een zeer heilig man. Trouwens, we zullen er niet te lang blijven. Je kunt niet te laat komen op een afspraak met koning Roswort in Glamrendor.'

'Ik neem aan dat ik de krachtmeting dan zal missen.'

'Ik zou niet weten waarom,' zei de bisschop nadat hij nog wat nipte van de drank, waardoor zijn lippen glinsterden.

'Als ik nu snel door moet naar Dunmoer, zal ik niet in Ervanon zijn om te zien hoe...'

'O, maar de krachtmeting wordt niet in Ervanon gehouden,' legde Saldur uit. 'Die pamfletten die je hebt gezien vermelden alleen dat de deelnemers zich daar moeten verzamelen.'

'Waar wordt hij dan gehouden?'

'Tja, dat is eigenlijk min of meer geheim. Gezien het belang van het evenement moet alles goed onder controle blijven, maar ik kan je wel vertellen dat Dunmoer op de weg ernaartoe ligt. Je stopt daar lang genoeg om je audiëntie met de koning te hebben, en dan zul je doorgaan naar de krachtmeting met de rest van deze karavaan. Alric wil vast en zeker dat zijn ambassadeur bij deze belangwekkende aangelegenheid aanwezig is.'

'O prachtig, dat zou ik fijn vinden. Fanen Piekering doet ook mee. Maar betekent dat dat u niet meekomt?'

'Dat ligt helemaal aan de beslissing van de aartsbisschop.'

'Ik hoop van wel. Hoe meer mensen Fanen toejuichen, hoe beter.'

'O, maar zo'n wedstrijd is het niet. Ik weet dat al die omroepers en pamfletten het op die manier voorstellen, wat nogal jammer is, want de patriarch had het niet zo bedoeld.'

Arista keek hem verward aan. 'Ik dacht dat het een toernooi was. Ik zag een aankondiging dat de kerk een groots evenement organiseerde, een test van moed en behendigheid, en de winnaar zou een schitterende beloning verdienen.'

'Ja, en dat is allemaal waar, maar ook een beetje misleidend. Behendigheid is minder belangrijk dan moed en... Nou ja, je zult het wel zien.'

Hij hield zijn bekertje ondersteboven en fronste zijn voorhoofd, waarna hij een hoopvolle blik op Berthe wierp.

Arista staarde de geestelijke nog even aan en vroeg zich af wat dat allemaal te betekenen had, maar het was duidelijk dat Sally er geen woord meer over kwijt wilde. Ze draaide zich weer naar het raampje en keek naar buiten. Hilfred draafde naast de koets op zijn witte hengst. In tegenstelling tot Berthe was haar lijfwacht discreet en stil. Hij was er altijd, afstandelijk, alert, respectvol wat betreft haar privacy, in elk geval zoveel als een man van wie werd verwacht dat hij haar overal volgde kon zijn. Hij was altijd in zicht, maar hij keek nooit naar haar – de perfecte schaduw. Zo was het altijd geweest, maar sinds het proces was hij veranderd. Het was een subtiele verandering, maar ze voelde dat hij nog meer afstand van haar had genomen. Misschien voelde hij zich schuldig vanwege zijn getuigenis, of misschien geloofde hij net als zovelen dat er iets van de beschuldigingen tegen haar waar was. Het was mogelijk dat Hilfred dacht dat hij in dienst was van een heks. Misschien had hij er zelfs spijt van dat hij haar die nacht gered had van de brand. Ze trok het gordijntje dicht en slaakte een zucht.

Het was donker toen de karavaan Ervanon bereikte. Berthe was in slaap gesukkeld, met haar hoofd slap op de mand die van haar schoot dreigde te vallen. Ook Saldur was ingedommeld, zijn hoofd zakte dieper en dieper, om af en toe omhoog te schieten, waarna het weer begon te zakken. Door haar raampje voelde Arista de koele bedauwde nachtlucht in haar gezicht wanneer ze haar nek uitstak om naar voren te kijken.

De hemel was bezaaid met sterren, waardoor die een licht stoffige aanblik kreeg en Arista zag de donkere contouren van de stad die oprees op de brede heuvel. De laagste gebouwen waren slechts schaduwen, maar vanuit hun midden rees een soort vinger op. De Kroontoren was onmiskenbaar. De kantelen van albast die rond de bovenkant liepen, leken wel een witte kroon die hoog in de lucht zweefde. Het eeuwenoude tastbare overblijfsel van het Bewind van de Regent stond bekend als het hoogste bouwwerk dat ooit door de mens was gemaakt. Zelfs van een afstand riep het ontzag op.

Rondom de stad zag ze kampvuren, flakkerende lichtjes verspreid over het laagland als een zwerm neergestreken vuurvliegjes. Terwijl ze de stad naderden hoorde ze steeds meer stemmen, geschreeuw, gelach en geruzie vanuit de vele kampen langs de weg. Dat waren de deelnemers aan de krachtmeting; het moesten er honderden zijn. Arista kon er vanuit de rijdende koets maar glimpen van opvangen. Gezichten werden verlicht door het schijnsel van het vuur. Silhouetten droegen borden rond; mannen en jongens zaten lachend op de grond, en hieven bekers naar hun mond. Daartussenin stonden tenten; rijen gekluisterde paarden en wagens stonden verderop in de schaduw.

De wielen en hoeven van haar koets klepperden terwijl ze de keien bereikten. Ze reden onder een poort door en ze kon alleen de toortsen zien die hier en daar een muur verlichtten. Of licht dat uit een raam scheen. Het stelde haar erg teleur. Ze had veel over de geschiedenis van de stad geleerd op de Universiteit van Scheerdam en had ernaar uitgezien de oude zetel te zien waarvanuit eens de wereld werd geregeerd. In het machtsvacuüm dat was ontstaan na de val van het Keizerrijk van Novron, waren burgeroorlogen uitgebroken en werden de volkeren verdeeld naar hun Apelanese etnische oorsprong, waardoor de vier naties van Apeladorn waren ontstaan: Trent, Avryn, Calis en Delgos. Binnen deze staten vochten krijgsheren om de macht door hun buren te overmeesteren en hun land in te pikken. Na meer dan driehonderd jaar onafgebroken oorlog lukte het slechts één heerser om een serieuze poging te doen de vier landen weer te verenigen tot een keizerrijk. Glenmoran van Ghent maakte een einde aan de periode van burgeroorlogen en dankzij geniale en meedogenloze veroveringen verenigde hij Trent, Avryn, Calis en Delgos weer onder één vlag. De Kerk van Nyphron stond achter hem, maar herinnerde het volk er wel aan dat Glenmoran niet de Erfgenaam van Novron was, door hem de titel te geven van Verdediger van het Geloof en Regent van de Erfgenaam. Ze bekrachtigden de unie door Ervanon tot centrum van de kerk te verklaren en de kathedraal naast het kasteel van Glenmoran te bouwen.

Het Bewind van de Regent hield geen stand. Volgens Arista's professor was de zoon van Glenmoran niet in staat de taak die hij erfde op zich te nemen, en het rijk van de Regent eindigde al na zeventig jaar, voordat het goed en wel was begonnen; het stortte ineen doordat Glenmoran III verraden werd door zijn vazallen. Vrij snel trokken Calis en Trent zich terug uit de unie en Delgos verklaarde zichzelf tot republiek.

Ervanon werd grotendeels in de as gelegd door de oorlogen die volgden, maar in de nasleep ervan verhuisde de patriarch naar het laatste stuk van Glenmorans kasteel dat nog overeind stond: de Kroontoren. Vanaf die dag stonden de toren en de stad bekend als de zetel van de Kerk en de heiligste plaats op aarde na de oude – maar vernietigde – Novroniaanse hoofdstad Percepliquis.

Met een schok stopte de koets. De inzittenden schoten naar voren en naar achteren, waardoor Saldur wakker schrok en Berthe gilde toen haar mand viel en er van alles uit rolde.

'We zijn d'r,' merkte Saldur met een slaapdronken stem op, terwijl hij zijn ogen uitwreef, gaapte en zich uitrekte.

De koetsier zette de koets op de rem, klom van de bok en opende het deurtje. Een vlaag koele lucht sloeg naar binnen en Arista kreeg meteen kippenvel. Met een duf gevoel stapte ze stijf uit. Het was vreemd om weer stil te kunnen staan. Ze stonden aan de voet van de enorme Kroontoren. Ze keek omhoog en werd er duizelig van. Zelfs zo in het donker tekende de toren zich duidelijk tegen de nachtelijke hemel af. De toren was gebouwd op een koepelvormige heuvel die bekendstond als Glenmorans Helling. Al ging ze niet verder naar boven, vanaf hier leek het al alsof ze op de top van de wereld stond, omdat ze over de oude stadsmuren heen kon kijken naar de vallei die zich om de heuvel heen uitstrekte.

Ze gaapte en huiverde weer, maar Berthe was er als de kippen bij om een mantel over haar schouders te gooien en hem van voren dicht te knopen. Sally deed er langer over om de koets uit te klimmen. Hij strekte langzaam zijn benen en zette ze een voor een neer, tot hij wankelend kon blijven staan.

'Monseigneur.' Er verscheen een jongeman. 'Ik hoop dat u een aangename reis hebt gehad. De aartsbisschop vroeg me u te vertellen dat hij in zijn privévertrekken wacht op de komst van de prinses.'

Arista schrok zich een hoedje. 'Nu al?' Ze wendde zich tot de bisschop. 'Je verwacht toch niet van me dat ik meteen voor hem verschijn, bezweet en bedekt met een laag zand en stof? Ik zie er niet uit, stink als een varken en ik ben uitgeput.'

'U ziet er net zo prachtig uit als anders, hoogheid,' zei Berthe flemend, terwijl ze het haar van de prinses wat gladstreek. Dat was een gewoonte van haar waar Arista juist de grootste hekel aan had. 'Ik weet zeker dat de aartsbisschop, als spiritueel persoon, naar de schoonheid van je ziel zal kijken, niet naar je uiterlijk.'

Arista keek Berthe bevreemd aan en rolde toen met haar ogen.

Bedienden gekleed in habijt verschenen om hen heen, laadden de bagage uit, ontdeden de paarden van hun tuigage en gaven de dieren te drinken.

'Deze kant op, monseigneur,' zei de jongen en leidde het gezelschap de toren in.

Ze kwamen in een grote ronde zaal met een glimmende marmeren vloer en zuilen die het centrum afscheidden van een gang langs de muur. Heel in de verte hoorde ze gezang. Tientallen stemmen, misschien een koor dat aan het oefenen was. Flakkerend licht van onzichtbare lampen werd weerspiegeld in de geboende oppervlakken. Hun voetstappen echoden luid op het marmer.

'Kan ik hem niet morgenochtend ontmoeten?'

'Nee,' zei Saldur, 'dit is een zaak van groot belang.'

Arista fronste haar wenkbrauwen en dacht daarover na. Ze had steeds gedacht dat de kennismaking met de aartsbisschop slechts een formaliteit was, maar dat leek dus niet het geval. Als onderdeel van Perrie Braga's complot om zich het koninkrijk Melengar toe te eigenen, had hij haar terecht laten staan op beschuldiging van de moord op haar vader. Omdat ze het proces zelf niet had mogen volgen hoorde ze later geruchten over de getuigenissen, waaronder die van haar geliefde Sally. Als die verhalen klopten, had Sally haar niet alleen beticht van de dood van haar vader, maar ook van hekserij. Ze had nooit met de bisschop over die beschuldigingen gesproken, noch had ze Hilfred uitleg gevraagd over zijn beweringen. Perrie Braga was immers van al die ellende de oorzaak. Hij had iedereen misleid. Hilfred en Sally hadden alleen gedaan wat volgens hen het beste was voor het koninkrijk. Toch kreeg ze af en toe het idee dat zij degene was die beetgenomen was.

Volgens de leer van de kerk, waren hekserij en tovenarij op welke manier dan ook een gruwel tegenover het geloof. *Als Sally dacht dat ik schuldig was, zou hij dan stappen tegen me ondernemen?* Ze vond het ondenkbaar dat de bisschop, die zo ongeveer een familielid van haar was geweest, en die altijd zo vriendelijk en haar goedgezind was geweest, zoiets zou doen. Daar stond tegenover dat Braga haar echte oom was geweest en dat hij na bijna twintig jaar van trouwe dienst, haar vader had vermoord en hetzelfde probeerde te doen met haar en Alric. Zijn verlangen naar macht kende geen loyaliteit.

Ze werd zich er steeds sterker van bewust dat Hilfred vlak achter haar de trap op liep. Gewoonlijk gaf dat haar een veilig gevoel, maar nu had het iets dreigends. *Waarom kijkt hij me nooit meer aan?* Misschien had ze het helemaal mis. Misschien had het niets te maken met schuldgevoel of afkeer, misschien was het een manier om zichzelf niet aan haar te hechten. Ze had wel eens gehoord van boeren die hun melkkoeien namen gaven als Boukje en Geertruida, maar die hun vleeskoeien zelden een naam gaven, aangezien ze bestemd waren voor de slacht.

Arista dacht snel na over de mogelijkheden. Brachten ze haar naar een cel in een of andere toren? Zouden ze haar terechtstellen, zoals de kerk Glenmoran III had omgebracht? Zouden ze haar aan een staak binden en verbranden, om het later goed te praten als reinigingsrite voor haar ketterij? Wat zou Alric doen als hij daarachter kwam? Zou hij de kerk de oorlog verklaren? Als hij dat deed, zouden alle andere koninkrijken zich tegen hem keren. Hij zou geen andere keus hebben dan de regels van de kerk te accepteren.

Toen ze voor een deur stopten, vroeg de bisschop aan Berthe of ze de kamer van de prinses gereed wilde maken. Hij vroeg Hilfred om buiten te wachten terwijl hij Arista voor zich uit naar binnen liet gaan en de deur achter hen sloot.

Ze kwamen in een verrassend klein kamertje, een smalle studeerkamer met een paar stoelen en een volgeladen, rommelig bureau. Muurhouders met kaarsen beschenen stapels dikke boeken, perkamentrollen, zegels, landkaarten en diverse liturgische gewaden.

Er wachtten twee mannen binnen. Achter het bureau zat de aartsbisschop, een oude man met wit haar en een gezicht vol rimpels. Hij was gewikkeld in een purperen soutane met een geborduurde schoudercape en een gouden stool, die om zijn hals hing als een losse sjaal. Hij had een lang, flets gezicht, dat nog langer leek door de onverzorgde baard, die, wanneer hij zat zoals hij nu deed, tot de grond reikte. Ook zijn wenkbrauwen waren wild en borstelig. Hij zat kromgebogen op een hoge houten stoel, wat de indruk gaf dat hij geïnteresseerd naar voren leunde.

Een ander, veel jonger, mager en klein mannetje was met

lange vingers en heen en weer schietende ogen op zoek naar iets in de warboel op het bureau. Ook hij was bleek, alsof hij in geen jaren de zon had gezien. Zijn lange zwarte haar dat in een strakke vlecht op zijn rug hing, zorgde ervoor dat hij die strakke intense blik vertoonde van iemand die geheel opging in zijn werk.

'Hoogwaardige excellentie aartsbisschop Galiaan,' sprak Saldur nadat ze waren binnengekomen, 'mag ik u voorstellen: prinses Arista Essendon van Melengar.'

'Zo blij dat je kon komen,' zei de oude geestelijke tegen haar. Zijn mond, die veel tanden verloren had, zoog regelmatig zijn dunne lippen naar binnen. Zijn stem was hees, met een zeker schor randje. 'Neem alsjeblieft plaats. Ik neem aan dat je een zware dag hebt gehad, hotsend op een bank in een rijtuig. Vreselijke dingen, vreselijk. Ze rijten de wegen aan flarden en schudden je helemaal door elkaar. Ik hou er helemaal niet van. Net of je in je kist stapt en op mijn leeftijd kun je beter in geen enkele kist stappen. Maar ik moet het maar accepteren in het belang van de toekomst, een toekomst die ik toch niet meer meemaak.' Onverwacht gaf hij haar een knipoogje. 'Kan ik je wat te drinken aanbieden? Wijn, misschien? Karel, maak jezelf eens nuttig, kleine schooier, en geef hare hoogheid een glas montemorcey.'

De kleine man zei niets, maar ging snel naar een kastje in de hoek. Hij haalde een donkere fles tevoorschijn en trok de kurk eruit.

'Ga zitten, Arista,' fluisterde Saldur.

De prinses koos een roodfluwelen stoel vlak voor het bureau, klopte haar jurk af en ging kaarsrecht zitten. Ze voelde zich niet op haar gemak, maar deed haar best haar groeiende onrust te verbergen.

Karel presenteerde haar een glas rode wijn op een gegraveerd zilveren dienblad. Het schoot door haar heen dat er mogelijk een bedwelmend middel, zelfs gif in was gedaan, maar ze verdrong de gedachte meteen – dat was belachelijk. *Waarom zouden ze me verdoven of vergiftigen? Ik ben toch al zo stom geweest om blindelings in jullie val te trappen.* Als Hilfred zich aan hun kant had geschaard, had ze alleen Berthe nog om haar te beschermen tegen de gehele gewapende macht van Ghent. Ze was al afhankelijk van hun genade.

Arista nam het glas aan, knikte naar Karel en nipte ervan. 'De wijn wordt geïmporteerd door de Vandon Specerijen Compagnie in Delgos,' vertelde de aartsbisschop haar. 'Ik heb geen flauw idee waar Montemorcey ligt, maar ze maken er fantastische wijn. Vind je niet?'

'Ik moet me verontschuldigen,' flapte Arista er zenuwachtig uit. 'Het was me niet bekend dat ik direct naar u toe moest komen. Ik nam aan dat ik wel de kans zou krijgen me een beetje op te frissen na de lange reis. Meestal ben ik er beter op gekleed. Moet ik me misschien terugtrekken en morgen terugkomen?'

'Je ziet er piekfijn uit. Je kunt er ook niets aan doen. Maar mooie jonge prinsessen zien er nu eenmaal altijd prima uit. Bisschop Saldur heeft correct gehandeld door je meteen naar me toe te brengen, zelfs meer dan hij weet.'

'Is er dan iets gebeurd?' vroeg Saldur.

'Het is letterlijk vanboven tot ons gekomen' – en hij keek omhoog en wees naar het plafond – 'dat Louis Gydo met ons mee zal reizen.'

'De sentinel?'

Galiaan knikte.

'Dat kan van pas komen, niet? Hij neemt een troep seret-ridders mee. En die zorgen er wel voor dat de orde bewaakt wordt.'

'Ik weet zeker dat dat de patriarch door het hoofd speelde. Ik weet echter ook hoe de sentinel werkt. Hij luistert niet naar me en zijn methoden zijn nogal hardhandig. Maar goed, daarvoor zijn we nu niet hier.'

Hij zweeg even, haalde diep adem en richtte zijn aandacht weer op Arista. 'Vertel eens, kindje, wat weet je van Esrahaddon?'

Arista's hart sloeg een slag over, maar ze liet niets merken.

Bisschop Saldur legde zijn hand op de hare en glimlachte. 'Mijn kind, we weten allang dat je hem maanden lang in de Gutariagevangenis hebt opgezocht en dat hij je leerde wat hij wist van zijn vuige zwarte magie. We weten ook dat Alric hem heeft vrijgelaten. Maar daar gaat het nu allemaal niet om. Wat we moeten weten is waar hij is en of hij contact met je heeft opgenomen sinds zijn vrijlating. Jij bent de enige bekende van hem die hij kan vertrouwen en daarom de enige die hij zal willen spreken. Dus vertel ons eens, kindje, heb je nog contact met hem gehad?'

'Heb je me daarom hier gebracht? Om jullie te helpen een zogenaamde misdadiger op te sporen?'

'Hij ís een misdadiger, Arista,' zei Galiaan. 'Ondanks alles wat hij je heeft verteld, is hij...'

'Hoe weet u wat hij me heeft verteld? Hebt u soms elk woord wat hij zei laten afluisteren?'

'Dat klopt,' zei de oude man neutraal.

Dat botte antwoord overrompelde haar.

'Mijn lieve kind, die oude magiër heeft je wat op de mouw gespeld. Een deel ervan is zeer zeker waar, maar hij heeft ook een hele hoop weggelaten.'

Ze keek schuin naar Sally, wiens vaderlijke trekken ernstig stonden toen hij knikte om dat te bevestigen.

'Jouw oom Braga was niet verantwoordelijk voor de moord op je vader,' zei de aartsbisschop tegen haar. 'Het was Esrahaddon.'

'Dat is belachelijk,' zei Arista half lachend. 'Hij zat op dat moment in de gevangenis en hij kon niet eens boodschappen sturen.'

'Aha, maar dat kon hij wel – en dat deed hij ook – via jou. Waarom denk je dat hij je leerde dat genezende drankje voor je vader te maken?'

'Nog afgezien van het feit dat hij hem genas, bedoelt u?'

'Esrahaddon gaf niets om Amrath. Hij gaf zelfs niets om jou. De waarheid is dat hij je vader dood wilde hebben. Je maakte de fout door naar hem toe te gaan. Hem te vertrouwen. Dacht je soms dat hij je vriend zou worden? Je wijze oude leraar, zoals Arcadius? Esrahaddon is geen getemd beest, geen eerbare heer. Hij is een demon en hij is gevaarlijk. Hij gebruikte jou om te ontsnappen. Vanaf de eerste keer dat je hem bezocht, zag hij in hoe hij je daarvoor kon gebruiken. Om te ontsnappen had hij de regerende vorst nodig om hem vrij te laten. Je vader wist wie hij was en wat hij was, dus dat zou hij nooit toestaan. Maar Alric, die van toeten noch blazen wist, zou er misschien geen bezwaar tegen hebben. Dus moest hij ervoor zorgen dat je vader stierf. En daarvoor hoefde hij er alleen maar voor te zorgen dat de kerk geloofde dat je vader de Erfgenaam van het keizerrijk was. Hij wist dat wij ons dan genoodzaakt zouden zien om tegen hem op te treden.'

'Maar waarom zou de kerk de Erfgenaam dood willen zien? Ik begrijp het niet.'

'Dat zullen we straks wel uitleggen. Voor nu is het voldoende dat zijn interesse in jou en je vader door ons werd opgemerkt. Het was het genezende drankje dat Esrahaddon jou liet maken dat je vaders lot bezegelde. Het veranderde zijn bloed zodat het leek alsof hij een afstammeling van de keizer was. Toen Braga dat vernam, deed hij wat volgens hem in overeenstemming was met de wens van de kerk en hij smeedde een complot, met als doel Amrath en zijn kinderen uit te schakelen.'

'Bedoelt u nu dat Braga voor de kérk werkte toen hij mijn vader liet vermoorden?'

'Niet rechtstreeks, niet officieel. Maar Braga was een vurig gelovige. Hij handelde onbesuisd, wachtte niet op de "pennenlikkerij" van de kerk, zoals hij het noemde. Zowel de bisschop als ikzelf spreekt namens de hele kerk als we zeggen dat het ons oprecht spijt dat deze tragedie heeft plaatsgevonden. Toch moet je begrijpen dat wij het zo niet gestuurd hebben. Het was Esrahaddon die heeft uitgedokterd hoe hij de radertjes van jouw vaders lot in beweging moest zetten. Hij heeft de kerk net zo goed gebruikt als hij jou gebruikte.'

Arista keek met grote ogen naar de aartsbisschop en toen naar Sally. 'Jij wist hiervan?'

De bisschop knikte.

'Hoe kon je toestaan dat Braga mijn vader vermoordde? Hij was je vriend!'

'Ik heb geprobeerd hem tegen te houden,' zei Sally. 'Je moet me geloven. Zodra de test gedaan was, met bezwarende uitslag voor je vader, vroeg ik een crisisberaad van de kerk aan, maar Braga was niet te stuiten en wilde meteen optreden. Hij weigerde naar me te luisteren en zei dat ik kostbare tijd verspilde.'

De angst dat zijzelf vermoord zou worden vervloog en de leegte in haar hart werd gevuld met woede. Ze stond op met gebalde vuisten en haar ogen spuwden vuur.

'Arista, ik weet dat je van streek bent, en daar heb je ook alle recht toe, maar laat me het je duidelijker uitleggen.' De aartsbisschop wachtte tot ze weer was gaan zitten. 'Wat ik je nu ga vertellen is het best bewaarde geheim van de Kerk van Nyphron. Deze informatie is voorbehouden aan de allerhoogste leden van de geestelijkheid. Ik vertrouw je deze kennis toe omdat we je hulp nodig hebben en ik weet dat je die niet zult geven tenzij je begrijpt hoe het zit.'

Hij nam het glas wijn, nipte ervan, boog zich naar voren en sprak tegen Arista op kalme toon. 'In de laatste paar jaar van het keizerrijk bracht de kerk een duister en waanzinnig plan aan het licht, met het doel de gehele mensheid in slaven te veranderen. De samenzwering was rechtstreeks afkomstig van de keizer. Alleen de kerk kon de mensheid nog redden. We doodden de keizer en probeerden zijn afstammelingen te elimineren, maar de zoon van de keizer, de Erfgenaam, werd geholpen door Esrahaddon. Zijn nalatenschap bevat de macht om de demonen van het verleden op te roepen en de mensheid wederom op de rand van de afgrond te brengen. En daarom is de kerk een zoektocht begonnen naar die Erfgenaam om hem en de zijnen die de rest van ons het mes op de keel zetten, te vernietigen. Aangezien het eeuwen geleden is gebeurd, is het denkbaar dat de Erfgenaam misschien niet eens weet heeft van zijn macht, of van wie hij afstamt. Maar Esrahaddon weet dat wel. Als die magiër de Erfgenaam eerder vindt dan wij, kan hij hem als wapen tegen de kerk gebruiken. En dan is niemand meer veilig voor algehele slavernij.'

De aartsbisschop keek haar doordringend aan. 'Esrahaddon was ooit lid van de hoge raad. Hij was een van sleutelfiguren bij de poging het rijk te redden van samenzweerders, maar op het laatste moment heeft hij de kerk verraden. In plaats van een vredige overgang, veroorzaakte hij genadeloos een burgeroorlog die het keizerrijk ten val bracht. De kerk liet zijn handen afhakken en heeft hem gedurende bijna een millennium gevangengehouden. Wat denk je dat hij doet als hij de kans krijgt om wraak te nemen? Het beetje menselijkheid dat hij bezat is hij in de Gutariagevangenis wel kwijtgeraakt. Wat er van hem over is, is een machtige demon die uit is op onze vernietiging – wraak om de wraak alleen; hij is ervan bezeten. Hij is als een laaiend vuur dat alles zal verteren als hij niet wordt tegengehouden. Als prinses van een koninkrijk zul je dit begrijpen: voor de toekomst van het rijk zullen offers moeten worden gebracht. Het spijt ons ten zeerste dat er een grote fout is begaan wat je vader betreft, maar we hopen dat je inziet waarom het is gebeurd. Aanvaard onze verontschuldigingen, alsjeblieft, en help ons om het einde van de wereld te voorkomen.

Esrahaddon is een ongelooflijk intelligente waanzinnige, gefixeerd op de vernietiging van alles en iedereen. De Erfgenaam is zijn wapen. Als hij hem vindt voor wij dat doen, als we het afschrikwekkende scenario dat we eeuwen geleden afgewend hebben niet kunnen voorkomen, dan zal dit alles – deze stad, je koninkrijk Melengar, en geheel Apeladorn – verloren zijn. We hebben je hulp nodig, Arista. We hebben je nodig om ons te helpen Esrahaddon te vinden.'

De deur vloog plotseling open en een priester kwam binnen.

'Excellentie,' zei hij buiten adem, 'de sentinel heeft de curie opgeroepen.'

Galiaan knikte en richtte zich weer tot Arista. 'Wat denk

je ervan, m'n kind? Kun je ons helpen?'

De prinses staarde naar haar handen. Er schoot van alles door haar hoofd: Esrahaddon, Braga, Sally, mysterieuze samenzweringen, genezende drankjes. Het enige beeld dat niet bewoog, was de herinnering aan haar vader die op bed lag, met een bleek gezicht en onder met bloed doordrenkte lakens. Het had zo'n tijd geduurd om de pijn op afstand te houden en nu... had Esrahaddon hem gedood? Hadden zij het gedaan? 'Ik weet het niet,' mompelde ze.

'Kun je ons dan ten minste vertellen of hij contact met je heeft opgenomen sinds zijn ontsnapping?'

'Ik heb niets van Esrahaddon gezien of gehoord sinds de dood van mijn vader.'

'Je begrijpt natuurlijk wel,' zei de aartsbisschop, 'dat al is dit het geval, hij jou toch het eerst als contactpersoon zal kiezen, omdat hij je vertrouwt. Dus we zouden graag zien dat je nadenkt over het plan met ons samen te werken om hem te vinden. Als ambassadeur van Melengar zou je zonder dat iemand het verdacht vindt kunnen reizen tussen koninkrijken en staten. Ik begrijp heel goed dat je nu op dit moment niet klaar bent om je hulp toe te zeggen, dus dat vraag ik niet; maar denk er wel over na. De kerk heeft je vreselijk in de steek gelaten; ik smeek je alleen om een kans om het in jouw ogen weer goed te maken.'

Arista dronk het laatste beetje wijn op en knikte langzaam.

'Denk je dat het waar is wat ze zei?' vroeg de aartsbisschop hem. Er lag een hoopvolle blik in zijn ogen, die echter vertroebeld werd door de algehele uitdrukking van groot getob. 'Ze maakte een onwillige indruk.'

Saldur keek nog steeds naar de deur waardoor Arista verdwenen was. '*Woedend* lijkt me een beter woord, maar ja, ik denk wel dat ze de waarheid sprak.'

Hij wist niet echt wat Galiaan verwacht had. Had hij gedacht dat Arista hem om de hals zou vliegen nadat ze hadden uitgelegd dat zij haar vader eigenlijk hadden omgebracht? Het hele idee was te gek om los te lopen, een wanhopige maatregel van een man die langzaam wegzonk in drijfzand.

'Het was de moeite waard,' zei de aartsbisschop weinig overtuigd.

Saldur plukte aan een losse draad van zijn mouw, en wilde dat hij het laatste restje uit Berthes flesje had meegenomen. Hij had nooit zoveel om wijn gegeven. Het ergste van de hele tragedie rond Braga was dat er een grote bron van uitgelezen brandewijn verloren was gegaan. De aartshertog was echt een kenner geweest.

Galiaan staarde naar hem. 'Wat ben je stil,' zei de aartsbisschop. 'Je denkt natuurlijk dat ik er verkeerd aan heb gedaan. Dat heb je toch gezegd? Je liet het duidelijk blijken op de vorige vergadering. Je hield haar constant in de gaten. Je had die... die...' De oude man zwaaide wat met zijn hand naar de deur alsof dat zijn gehakkel zou verduidelijken. '... die ouwe kamenier ingezet om verslag uit te brengen van alles wat ze doet of zegt. Is dat niet zo? En als Esrahaddon contact met haar had opgenomen, dan zouden we het dus hebben geweten en zij zouden geen cent wijzer geweest zijn, maar nu...' De aartsbisschop hief zijn handen, walging veinzend in een sarcastische imitatie van Saldur.

Saldur bleef maar plukken aan het draadje, wond het om zijn wijsvinger, strakker en strakker.

'Je bent arrogant en daar schiet je niets mee op.' Galiaan verdedigde zich door hem te beschuldigen. 'Die vent is een keizersgezinde tovenaar. Waartoe hij in staat is gaat jouw verstand te boven. Hij kan haar net zo goed in de gedaante van een vlinder hebben bezocht als ze in de tuin was, of als een mot die elke nacht haar kamer binnenfladderde. We moesten het zeker weten.'

'Een vlinder?' zei Saldur, oprecht verbaasd.

'Hij is een magiër! Verdomme nog an toe, die lui doen dat soort dingen toch...'

'Ik betwijfel ten zeerste...'

'Het gaat erom dat we het niet zeker weten.'

'En daar komen we ook niet achter. Ik kan alleen zeggen dat ik Arista niet van liegen verdenk, maar ze is wel een slim meisje. Maribor weet dat ze dat al eerder bewezen heeft.'

Galiaan hield zijn lege wijnglas op. 'Karel!'

De bediende keek op. 'Het spijt me, excellentie, maar ik ken haar echt niet goed genoeg om daar mijn mening over te geven.'

'Goeie god, man. Ik vroeg je niet om je mening; ik wil meer wijn, idioot.'

'Ah,' zei Karel; hij liep snel naar de fles en trok de kurk eruit met een doffe plop.

'Het probleem is dat de patriarch mij er de schuld van geeft dat Esrahaddon verdwenen is,' vervolgde Galiaan.

Voor de eerste keer sinds Arista's vertrek keek Saldur belangstellend op. 'Heeft hij dat gezegd?'

'Dat is het nu juist; hij vertelt me helemaal niets meer. Hij praat alleen nog maar met de sentinels. Louis Gydo en die andere... Thranic. Gydo is een akelige man, maar Thranic...' Zijn stem stierf weg, hij schudde het hoofd en fronste zijn voorhoofd.

'Ik heb nog nooit een sentinel ontmoet.'

'Dan heb je geluk gehad. Hoewel je geluk een beetje terugloopt de laatste tijd. Gydo heeft de hele morgen boven doorgebracht in lang overleg met de patriarch.' Hij speelde met zijn lege glas en liet zijn vinger over de rand rondgaan. 'Momenteel is hij in de raadszaal, om zijn petitie aan de curie voor te leggen.'

'Moeten wij daar dan niet bij zijn?'

'Ja,' zei de oude man mismoedig, maar hij maakte geen aanstalten om op te staan.

'Excellentie?' vroeg Saldur.

'Ja, ja...' Galiaan maakte een wegwuivend gebaar. 'Karel, geef me mijn stok.'

Saldur en de aartsbisschop traden binnen terwijl iemand met bulderende stem het woord voerde. De luisterrijke raadskamer was een drie verdiepingen hoge ronde zaal, die de gehele omtrek van de toren besloeg. Slanke, versierde zuilen stonden twee aan twee langs de buitenwand, verwijzend naar de relatie tussen Novron, de Verdediger van het Geloof, en Maribor, de god van de mens. Tussen elk tweetal was een hoog, smal raam aangebracht, waardoor de zaal voorzien werd van een panoramisch uitzicht over de omliggende landschappen. Vanuit het middelpunt van de zaal liepen steeds groter wordende kringen banken naar achteren, waarop de leden van de curie, het college van de hoogste geestelijken van de Kerk van Nyphron, gezeten waren. Ook de andere achttien bisschoppen waren aanwezig om de woorden van de patriarch te horen, zoals ze werden voorgedragen door Louis Gydo.

De sentinel – een lange, slanke man met lang zwart haar en een verontrustende blik in de ogen – stond in het centrum van de zaal. Hij was zeer scherpzinnig, dat was Saldurs eerste indruk van de man: hij was helder, geordend en gefocust, zowel qua gedrag als qua uiterlijk. Hij had ravenzwart haar hoewel hij een lichte huid had, wat een opvallend contrast opleverde. Zijn snorretje was dun, zijn baard kort en streng, tot op de millimeter gelijk getrimd. Hij was gekleed in de traditionele rode soutane, zwarte cape en zwarte hoed; het symbool van de gebroken kroon was fijntjes geborduurd op zijn borst. Geen haar of plooi was uit model. Hij stond kaarsrecht en zijn ogen gingen niet gewoon over de aanwezigen, maar keken hen dreigend aan.

'... en de patriarch heeft het gevoel dat Rufus de kracht heeft om de adel van Trent over te halen, dan doet de kerk de rest wel. Vergeet vooral niet dat het hier niet gaat om de keuze van een goed renpaard. De patriarch wil net dat paard kiezen dat de race zal winnen en Rufus is de kandidaat die daarop de meeste kans maakt. Hij is een held in het zuiden en is afkomstig uit het noorden. Hij heeft geen opvallende banden met de kerk. Als hij tot keizer wordt gekroond, zal een groot deel van de bevolking onmiddellijk tot bedaren worden gebracht, terwijl ze anders tegen ons zouden zijn. Hoewel Rufus

Trent en Calis er niet toe zal kunnen zetten om zich te onderwerpen aan het Nieuwe Keizerrijk, kan het hen wel beletten een verbond tegen ons te vormen. Terwijl zij aarzelen, hebben wij de tijd om heel Avryn onder één keizer samen te voegen. Daarna zullen we dan systematisch en een voor een eerst Trent, dan Calis dwingen toe treden of een invasie tegemoet te zien. Wanneer zij de onmetelijk superieure rijkdom en kracht van Avryn tegenover zich zien, is het zeer aannemelijk dat zij zich zonder strijd zullen onderwerpen – zeker met Rufus als keizer.'

'Je spreekt alsof de kroning al heeft plaatsgevonden,' zei bisschop Tildale van Dunmoer. 'Maar Avryn telt acht koninkrijken en alleen Dunmoer, Ghent en Warrick zijn keizersgezind. Wat doe je met die koningsgezinden? Die zullen dit niet zonder slag of stoot accepteren. We leven niet meer in de tijd van Glenmoran, die alleen maar een paar krijgsheren tegenover zich zag – dit zijn koningen met land en eigendomsrechten die al generaties lang in hun bezit zijn. De koninkrijken Algewest en Melengar zijn oude en trotse rijken. Zelfs koning Urith van Rhenydd zal, hoe arm hij ook is, niet zomaar voor Rufus knielen als wij hem dat zeggen te doen. En wat denk je van Maranon? Hun akkers leveren het overgrote deel van het voedsel dat in Avryn wordt gegeten. Als koning Vincent weerstand biedt, kan hij ons uithongeren tot we van het plan afzien. En Galeannon? Koning Frederik heeft al vaker gedreigd om zijn rijk over te dragen aan Calis, waar hij de leider van een zwak leger kan worden, in plaats van de zwakke leider van een sterk land. Als wij erop staan hem die onafhankelijke keuzevrijheid te ontzeggen, zijn we hem ook kwijt.'

'Ik kan u verzekeren dat koning Frederik voor de keizerskroon zal buigen wanneer de tijd daar is,' deelde de bisschop van Galeannon mede.

'En wees maar niet bezorgd over de graanvelden van Maranon,' zei de bisschop van Maranon.

'Zoals u ziet is het koningsgezinde probleem al uit de weg

geruimd,' stelde Gydo vast. 'Het heeft bijna een generatie geduurd, maar de kerk heeft met succes loyale keizersgezinden op sleutelposities van elk koninkrijk weten te schuiven, met als enige uitzondering Melengar, waar onze plannen helaas niet verliepen zoals we hadden verwacht. Deze misser zal gemakkelijk tenietgedaan worden door zijn uitzonderlijkheid. Zodra Rufus uitgeroepen wordt tot keizer, zullen alle andere koninkrijken hem ook als keizer aanvaarden en dan staat Melengar alleen. Ze zullen zwichten of zich een oorlog met de rest van Avryn op de hals halen. Dus ja, op een enkele uitzondering na, kunnen we ervan uitgaan dat de unificatie van Avryn inderdaad al bijna heeft plaatsgevonden. We hebben het feit alleen nog niet openbaar gemaakt.'

Dit veroorzaakte geroezemoes in de zaal.

'Ik wist dat we op de goede koers lagen wat dit project betreft,' zei Saldur zacht tegen de aartsbisschop, 'maar ik had geen idee dat we al zo ver waren.'

'Braga's benoeming tot koning van Melengar had de laatste stap moeten worden,' antwoordde Galiaan een beetje zuur. Van alle koninkrijken die door de kerk waren voorbereid op het komende keizerrijk, was alleen dat van Saldur een mislukking gebleken.

'En de nationalisten?' informeerde de prelaat van Ratibor. 'Die nemen behoorlijk in aantal toe. Je kunt ze niet zomaar negeren.'

'De nationalisten zullen inderdaad voor problemen kunnen zorgen,' gaf Gydo toe. 'Al jaren volgt de seret Degan Grim en zijn volgelingen. Ze worden van geld voorzien door de DeLeur-familie en een aantal machtige handelskartels in de republiek Delgos. Delgos heeft al te lang van zijn vrijheid genoten om te worden overtuigd van de voordelen van een centrale autoriteit. Het idee van een verenigd keizerrijk alleen al jaagt ze angst aan. Dus ja, we gaan ervan uit dat ze zullen vechten. Ze zullen dus verslagen moeten worden op het strijdveld, hetgeen een tweede reden is waarom de patriarch voor Rufus heeft gekozen. Hij is een meedogenloze krijgsheer. Het verpletteren van die nationalisten zal zijn eerste daad als keizer zijn. Delgos zal vervolgens spoedig vallen.'

'Hebben we wel troepen om Delgos te verslaan?' vroeg prelaat Krindel, de historicus die in de Kroontoren woonde. 'Tur Del Fur wordt verdedigd door een fort vol dwergen. Het houdt al twee jaar stand onder de belegering van Dacca.'

'Ik heb me verdiept in dat probleem en ik denk dat ik een uníéke oplossing heb gevonden.'

'En wat mag die dan wel zijn?' vroeg Galiaan wantrouwend.

Louis Gydo keek op. 'Ah, aartsbisschop, wat fijn dat u er toch nog bij bent gekomen. Ik heb iedereen laten melden dat we bijna een uur geleden zouden beginnen.'

'Ben je van plan me over de knie te leggen omdat ik wat later ben gekomen, Gydo? Of probeer je gewoon mijn vraag te omzeilen?'

'U bent nog niet klaar om het antwoord op uw vraag te vernemen,' antwoordde de sentinel, wat hem een afkeurende blik van de aartsbisschop opleverde. 'U zou me niet geloven als ik het u vertelde, maar u zult het zeker niet goedkeuren. Maar wanneer de tijd daar is, en het noodzakelijk blijkt, dan kunt u zich ervan verzekeren dat het fort Drumindor zal vallen, en Delgos in zijn val meesleept.'

De aartsbisschop fronste zijn wenkbrauwen omdat hij neerbuigend behandeld werd, maar voor hij er commentaar op kon geven, stelde Saldur een vraag. 'Hoe zit het met het gewone volk? Zullen zij blij zijn met een nieuwe keizer?'

'Ik heb de vier staten van onder tot boven doorkruist om de krachtmeting bekend te maken. Herauten hebben het van Dagastan in het zuiden tot Lanksterre in het noorden omgeroepen; heel Apeladorn weet van het evenement af. Op de marktpleinen, taveernes en op de binnenplaatsen van de kastelen zullen de mensen ernaar uitzien. Heren, dit zijn spannende tijden. Het is niet langer als, maar wanneer het Nieuwe Rijk een feit zal zijn. De basis is gelegd. Alles wat we moeten doen is de kroning laten plaatsvinden.'

'En koning Edelbert van Warrick?' vroeg Galiaan. 'Doet hij mee?'

Gydo haalde de schouders op. 'Hij staat niet te springen om zijn troon op te geven in ruil voor het onderkoningschap, maar dat heeft hij gemeen met andere vorsten, ook met degenen die wat meer macht toebedeeld zullen krijgen. Verbazingwekkend hoe snel een gewone heerser eraan gewend raakt om "majesteit" genoemd te worden. Maar we hebben hem laten weten dat de eerste die zijn kroon inlevert, ook de hoogste plaats in de nieuwe hiërarchie zal krijgen. Het is heel waarschijnlijk dat hij aanneemt dat de rol van regent, door het bestuur uit te voeren in naam van heer Rufus als de nieuwe keizer, te verkiezen valt boven het leiden van een opstand. Ik liet ook doorschemeren dat hij in principe voorzitter van de raad kon blijven. Dat leek hem tevreden te stellen.'

'Ik vind het nog steeds geen prettig idee de macht over te dragen aan Rufus en Edelbert,' zei Saldur.

'Dat gebeurt ook niet,' stelde Galiaan hem gerust. 'De kerk zal uiteindelijk de leiding in handen hebben. Zij zijn het gezicht, wij zijn het verstand, met de touwtjes in handen. De kerk zal iemand permanent aanstellen in het paleis van de nieuwe keizer, die belast zal worden met het toezicht op de constructie van de nieuwe regering.' Hij keek Gydo aan. 'Heeft de patriarch je dat ook niet verteld?'

'Dat heeft hij gezegd, ja.'

'En heeft hij ook gezegd dat hijzelf deze verantwoordelijke taak op zich zou nemen?'

'Gezien zijn gevorderde leeftijd, zal de patriarch deze last niet zelf op zich nemen, maar hij zal in eigen persoon iemand uit de raad aanwijzen die de macht zal krijgen om naar eigen inzicht te handelen, uit naam van de gehele kerk. Die persoon zal worden aangesteld als mede-regent van Edelbert, ten minste voor de duur van de reconstructieperiode.'

'Zo iemand zou dan enorm machtig zijn,' zei de aartsbisschop. Saldur maakt uit zijn toon op – en waarschijnlijk de anderen ook – dat hij wist dat hij het niet zou worden. 'Zou jij de uitverkorene zijn?'

Gydo schudde het hoofd. 'Mijn taak is net als die van mijn vader, en als die van zijn vader, het opsporen van de Erfgenaam van Novron. De patriarch heeft me gevraagd hem te assisteren in deze kwestie betreffende de oprichting van het keizerrijk, en dat is geen probleem voor me, maar verder laat ik me niet afleiden van mijn levensdoel.'

'Wie wordt het dan?'

'Zijne Heiligheid heeft nog niets besloten. Ik neem aan dat hij wacht op de ontwikkelingen rond de krachtmeting.' Iedereen zweeg en wachtte tot Gydo verder sprak. 'Dit is een historisch moment. Alles waarvoor we ons hebben ingezet, alles wat eeuwenlang gevoed en verzorgd is, staat op het punt vrucht te dragen. Wij staan op de drempel van een nieuwe dageraad voor de mensheid. Wat bijna duizend jaar geleden begonnen is, zal tijdens deze generatie worden afgerond. Moge Novron onze handen zegenen.'

'Hij is best indrukwekkend,' zei Saldur zacht tegen Galiaan.

'Vind je?' antwoordde de aartsbisschop. 'Mooi, want jij gaat met ons mee.'

'Naar de krachtmeting?'

Hij knikte. 'Ik heb iemand nodig als tegenwicht tegen Gydo. Misschien kan jij het hem net zo lastig maken als je het mij hebt gemaakt.'

Arista aarzelde bij de deur met een kaars in haar hand. Erachter hoorde ze Berthe rondschuifelen; ze maakte het bed op, goot water in het wasbekken en legde Arista's nachtkleding neer op die verschrikkelijke kindermeisjesmanier van d'r. Al was ze nog zo moe, ze had geen enkele behoefte om de deur open te doen. Ze had te veel om over na te denken en daarbij kon ze Berthe echt niet gebruiken.

Hoeveel dagen?

Ze probeerde ze uit haar hoofd af te tellen, riep herinneringen in zich op aan die warrige periode tussen de dood van haar vader en de dood van haar oom; er was zoveel in korte tijd gebeurd. Ze herinnerde zich goed het doodsbleke gezicht van haar vader in zijn bed, een enkele bloederige traan op zijn wang en de donkere vlek die zich in het matras onder hem verspreidde.

Arista keek ongemakkelijk naar Hilfred, die achter haar stond. 'Ik ben er nog niet klaar voor om naar bed te gaan.'

'Zoals u wenst, vrouwe,' zei hij zacht, alsof hij begreep dat die kenau daarbinnen niet mocht horen dat er iemand stond.

Arista begon doelloos rond te lopen door de grote ronde hal. Deze simpele beweging gaf haar het idee dat ze ergens grip op had, dat ze ergens doelbewust op af ging, in plaats van heen en weer geslingerd te worden. Hilfred volgde haar op drie passen afstand, zijn zwaard klapte tegen zijn dijbeen, een geluid dat ze al jaren kende, dat als de zwaai van een slinger de seconden van haar leven aftelde.

Hoeveel dagen?

Sally had geweten dat oom Perrie haar vader wilde vermoorden. Hij wist het voor het gebeurde! Hoe lang van tevoren wist hij het? Waren het uren? Dagen? Weken? Hij zei dat hij had geprobeerd hem tegen te houden. Dat was een leugen, dat moest wel. Waarom had hij het niet openbaar gemaakt? Waarom had hij niet op zijn minst haar vader gewaarschuwd? Maar misschien had Sally dat wel gedaan. Misschien wilde haar vader er niet van horen. Was het mogelijk dat Esrahaddon haar werkelijk had gebruikt?

De gedempt verlichte gang boog mee met de ronding van de toren. Het gebrek aan versiering verbaasde Arista. Uiteraard was de Kroontoren maar een klein deel van het oude paleis, niet meer dan een wenteltrap aan de zijkant. De stenen waren uit rots gehouwen blokken die eeuwen geleden op elkaar gestapeld waren. Ze zagen er allemaal gelijk uit – groezelig. Besmeurd met roet, en geel als de tanden van een oude man. Ze passeerde een aantal deuren tot ze bij een wenteltrap kwam die ze op liep. Het was prettig haar benen weer eens te moeten gebruiken nadat ze zo'n tijd stilgezeten had.

Hoeveel dagen?

Ze herinnerde zich dat haar oom op zoek was naar Alric, terwijl hij haar in de gaten hield en haar liet volgen. Als Saldur wist dat Perrie dat deed, waarom had hij dan niet ingegrepen? Waarom had hij er niets tegen gedaan dat ze werd opgesloten in de toren en dat gruwelijke proces had moeten ondergaan? Zou Sally zijn mond hebben gehouden als ze haar terecht hadden willen stellen? Als hij zich alleen maar had laten horen, als hij haar had gesteund, had ze opdracht kunnen geven om Braga gevangen te zetten. De Slag van Midvoorde had vermeden kunnen worden en al die mensen zouden nu nog in leven zijn geweest.

Hoeveel dagen voor Braga's dood had Saldur het geweten... en had hij geen vinger uitgestoken?

Het was een vraag zonder antwoord. Een vraag die echode in haar hoofd, een vraag waarvan ze niet eens zeker wist of ze daarop een antwoord wilde horen.

En wat was al dat gepraat over de vernietiging van de mensheid? Ze wist dat ze dachten dat ze maar een naïef meisje was. *Denken ze soms dat ik ook op mijn achterhoofd ben gevallen?* Niemand had de macht om de hele bevolking tot slaaf te maken. Trouwens, het idee dat die dreiging uitging van de keizer was op zich al belachelijk. Die man regeerde de hele wereld immers al!

De trap eindigde in een donkere ronde ruimte. Geen wandfakkels of lantaarns te bekennen. Haar kaarsje was de enige lichtbron. Gevolgd door Hilfred nam ze de laatste trede. Ze waren binnen in de albasten kroon van de torenspits. Ze werd plotseling bevangen door een onrustig gevoel. Ze voelde zich een indringer op verboden terrein. Niets dat er aanleiding toe gaf, of het moest de duisternis zijn. En toch voelde het aan alsof ze een kind was dat op onderzoek uitging op zolder, door de stilte, de schimmige suggestie van verboden schatten die door de tijd vergeten waren.

Zoals iedereen was ook zij opgegroeid met de verhalen van de schatten van Glenmoran en hoe ze verborgen waren in de top van de Kroontoren. Ze kende zelfs het verhaal over de

diefstal van de schatten, die echter de volgende nacht weer terug werden bezorgd. Er waren zoveel verhalen over deze toren, vertellingen van beroemde mensen die hier gevangen hadden gezeten. Ketters zoals Ernest Halvare, die de ingang naar
de heilige stad Percepliquis zou hebben ontdekt en daarvoor
had moet boeten door de rest van zijn leven in totale afzondering door te brengen, zodat hij aan niemand de geheimen
ervan kon verklappen.

Het was hier. Het was allemaal hier.

Ze liep een rondje door de ruimte. Haar voetstappen echoden scherp van de stenen, misschien door het lage plafond, of
misschien verbeeldde ze het zich maar. Ze hield haar kaars
omhoog en ontdekte een deur aan de andere kant. Het was
geen gewone deur. Hoog en breed, niet van hout zoals de andere deuren in de toren, maar ook niet van staal of ijzer. Deze
deur was van steen gemaakt, één enkel massief blok steen dat
eruitzag als graniet en nogal uit de toon viel naast de wanden
van gepolijst albast.

Verbaasd bekeek ze hem. Er was geen deurklink, knop of
scharnier. Niets om hem open te doen. Ze overwoog of ze zou
kloppen. *Wat heeft het voor nut om op graniet te kloppen, ik
zal alleen mijn knokkels openhalen.* Ze zette haar hand tegen
de deur, duwde, maar er gebeurde niets. Arista keek naar Hilfred, die stil achter haar stond te wachten.

'Ik wilde alleen het uitzicht maar zien,' zei ze tegen hem,
want wat moest hij wel denken?

En op dat moment hoorde ze iets, geschuifel, een voetstap
boven haar hoofd. Ze hief haar hoofd en bescheen het houten
plafond. Er kleefden spinnenwebben tegenaan. Maar het
stond vast dat er iets of iemand rondliep.

De geest van Ernest Halvare!

De gedachte flitste door haar hoofd, maar ze wist meteen
wat een onzin dat was. Misschien moest ze maar meteen naar
bed gaan, diep onder de dekens kruipen en vragen of Tante
Berthe haar een sprookje voorlas. En toch bleef ze het zich afvragen. Wat zat er achter die zeer stevig uitziende stenen deur?

'Hallo?' weerklonk een stem en ze verbleekte van schrik. Ergens onder haar op de trap zag ze een ander lichtje naar boven komen, en ze hoorde voetstappen. 'Is er iemand daarboven?'

Ze wilde zich het liefst ergens verstoppen en dat had ze ook gedaan als er maar iets was geweest om achter te gaan zitten, en als Hilfred niet bij haar was geweest.

'Wie is daar?' Er verscheen een hoofd boven de ronding van de wenteltrap. Het was een man, zo te zien een priester van een of andere orde. Hij droeg een zwart gewaad, een paars lint viel langs zijn hals naar beneden. Zijn haar was dun en waar zij stond kon ze het begin van een kale plek op zijn hoofd zien, een bruin eilandje in een zee van grijzend haar. Hij hield een lantaarn boven zijn hoofd en tuurde haar met een vragende blik aan.

'Wie ben je?' vroeg hij op vlakke toon. Het klonk noch dreigend, noch uitnodigend, alleen maar nieuwsgierig.

Ze glimlachte stijfjes. 'Ik heet Arista, Arista van Melengar.'

'Arista van Melengar?' zei hij bedachtzaam. 'Mag ik vragen wat je hier doet, Arista van Melengar?'

'Moet ik het echt zeggen? Ik was, eh, ik hoopte dat ik het uitzicht kon zien vanuit de toren. Het is de eerste keer dat ik hier ben.'

De priester glimlachte en grinnikte. 'O, je bent de bezienswaardigheden aan het bewonderen?'

'Ja, zoiets ja.'

'En de jongeheer die bij je is – bezoekt hij ook de bezienswaardigheden?'

'Hij is mijn lijfwacht.'

'Lijfwacht?' De man zweeg even. 'Hebben alle jongedames uit Melengar een lijfwacht wanneer ze een reisje naar het buitenland maken?'

'Ik ben de prinses van Melengar, dochter van wijlen koning Amrath en zuster van koning Alric.'

'Aha!' zei de priester, die de ruimte binnenkwam en in een boog naar hen toe liep. 'Dat dacht ik al. Je hoort vast bij de karavaan die hier vanavond stopte, de dame die binnenkwam met de bisschop van Midvoorde. Ik zag een koninklijk rijtuig, maar ik wist niet welke hoogheid het bevatte.'

'En u bent?' vroeg ze.

'O ja, het spijt me, ik ben monseigneur Merton van Ghent, geboren en getogen in een klein dorpje dat Iberton wordt genoemd, op een steenworp afstand van Ervanon. Je kunt geweldig vissen in Iberton. Mijn vader was trouwens een visser. We visten het hele jaar door, met netten in de zomer en haken in de winter. Leer een man te vissen en hij zal nooit honger lijden, zeg ik altijd maar. Ik neem aan dat ik daarom hier ben beland, als je begrijpt wat ik bedoel.'

Arista glimlachte beleefd en keek weer naar de stenen deur.

'Het spijt me, maar die deur leidt niet naar buiten, en ik ben bang dat je ook niet naar de top mag.' Hij wees met een hoofdbeweging naar het plafond en dempte zijn stem. 'Daar woont hij.'

'Hij?'

'Zijne heiligheid, patriarch Nilnev. De hoogste verdieping van de toren is zijn domein. Ik kom hier soms gewoon om te zitten en te luisteren. Wanneer het stil is, wanneer het niet waait, kun je hem soms horen rondstommelen. Ik heb zelfs eens gedacht dat ik hem hoorde spreken, maar dat is misschien omdat ik dat zo sterk hoopte. Het is net of Novron zelf daar boven ons is, en naar ons kijkt en ons beschermt. Overigens, als je nog wilt, ik weet wel een plek waar je een mooi uitzicht hebt. Kom maar mee.'

De monseigneur draaide zich om en begon weer af te dalen. Arista wierp voor de laatste keer een blik op de stenen deur en kwam toen achter hem aan.

'Wanneer komt hij naar buiten?' vroeg Arista. 'De patriarch, bedoel ik.'

'Nooit. Ik heb het tenminste nooit gezien. Hij woont daar compleet geïsoleerd, om zo beter één te kunnen worden met de Heer.'

'Als hij nooit naar buiten komt, hoe weet je dan dat hij daar werkelijk is?'

'Hmmm?' Merton keek haar weer aan en grinnikte. 'O, nou ja, hij spreekt wel eens met andere mensen. Hij heeft privébijeenkomsten met bepaalde lieden, die wat hij zegt dan weer aan ons overbrengen.'

'En wie zijn die mensen? De aartsbisschop?'

'Soms, al zijn zijn besluiten de laatste tijd naar buiten gebracht door zijn sentinels.' Hij stopte even op hun neerwaartse tocht, draaide zich om en bekeek haar. 'Je hebt van ze gehoord, neem ik aan?'

'Ja,' antwoordde ze.

'Ja, een prinses weet dat natuurlijk.'

'We hebben er toch al in geen jaren eentje in Melengar op bezoek gehad.'

'Dat is begrijpelijk. Er zijn er nog maar een paar over en die hebben een enorm gebied onder zich.'

'Waarom zo weinig?'

'Zijne heiligheid heeft geen nieuwe gardisten aangesteld sinds hij Louis Gydo als sentinel aannam. Volgens mij was hij de laatste.'

Dit was het eerste goede nieuws van die dag voor Arista. De sentinels waren geen gewone gardisten, maar beruchte waakhonden van de kerk. Oorspronkelijk belast met de taak om de verloren Erfgenaam te vinden, voerden ze de beroemde orde van de seretridders aan. Deze ridders zagen toe op de naleving van de regels van de kerk, en zochten dag en nacht bij zowel leken als geestelijken naar tekenen van ketterij. Als de seret een onderzoek instelde, was het zeker dat er iemand schuldig werd bevonden, en als er iemand protesteerde, werd die meestal ook maar meteen van ketterij beschuldigd.

Monseigneur Merton ging haar voor naar een deur twee verdiepingen lager en klopte aan.

'Wat is er?' vroeg iemand op geërgerde toon.

'We komen je uitzicht bewonderen,' antwoordde Merton.

'Ik heb vandaag echt geen tijd voor je, Merton. Ga maar iemand anders lastigvallen en laat me met rust.'

'Het is niet voor mij. Prinses Arista van Midvoorde is hier

en ze wil graag het uitzicht vanuit de toren zien.'

'Ach, nee,' zei Arista hoofdschuddend. 'Zo belangrijk is het niet. Ik wilde alleen...'

De deur zwaaide wijd open en erachter stond een corpulente man die zo kaal als een ei was. Hij was geheel in het rood gekleed met een gedraaid gouden koord rond zijn omvangrijke middel. Hij veegde zijn vettige handen af aan een doek en keek Arista met grote interesse aan.

'Bij Mar! Het ís een prinses.'

'Janison!' beet Merton hem toe. 'Alsjeblieft, dat is geen manier van spreken voor een prelaat van de kerk.'

De dikke man keek Merton kwaad aan. 'Ziet u wel hoe hij me behandelt? Hij denkt dat ik Uberlin in eigen persoon ben omdat ik van eten hou en een drankje er af en toe ook wel ingaat.'

'Ik ben het niet die je veroordeelt, maar onze heer Novron. Mogen we binnenkomen?'

'Ja, ja, natuurlijk, kom binnen.'

De kamer was een chaotische verzameling van kleren, rollen perkament en schilderijen die op de vloer lagen of tegen manden en kisten leunden. Aan het ene eind van de kamer stond een bureau en een grote, iets gekantelde tafel stond aan de andere kant. Hij lag vol kaarten, inktflessen en tientallen schrijfveren. Niets scheen op zijn plaats te liggen of zelfs maar een vaste plaats te hebben.

'O...' en bijna had ze er 'jeetje' aan toe gevoegd, toen ze besefte dat ze dan wel erg op Berthe begon te lijken.

'Ja, wat een toestand hè? Prelaat Janison is niet zo netjes.'

'Mijn kaarten zijn prima geordend en dat is alles wat belangrijk is.'

'Niet voor Novron.'

'Ziet u nou? En ik kan natuurlijk niet tegenspreken. Hoe zou iemand het op durven nemen tegen Zijne Heiligheid Monseigneur Merton, die de zieken heelt en met de goden spreekt?'

Arista, die achter Merton aan over de rommel heen naar een wand liep die met een gordijn was afgedekt, bleef opeens staan toen een herinnering langzaam bij haar bovenkwam. Ze keek Merton aan en wist het weer. 'Je bent toch de redder van Fallon Mire?'

'Aha! Natuurlijk heeft hij dat niet verteld. Het zou te aanmatigend zijn om toe te geven dat hij de uitverkorene van onze god is.'

'O, hou toch eens op.' Nu was het Mertons beurt om kwaad te zijn.

'Ben je dat?' vroeg ze.

Merton knikte en keek Janison vals aan.

'Ik heb er alles over gehoord. Het was een paar jaar geleden. Ik was waarschijnlijk een jaar of vijf, zes toen de pest Fallon Mire bereikte. Iedereen was doodsbang, want de ziekte greep vanuit het zuiden om zich heen en Fallon Mire lag niet ver van Midvoorde vandaan. Ik weet nog dat mijn vader van plan was om naar het hof van de Velden van Drondil te gaan, maar zover kwam het niet. We hoefden niet weg omdat de pest nooit verder dan Fallon Mire kwam.'

'Omdat hij de ziekte een halt toeriep,' zei Janison.

'Dat deed ik niet!' snauwde Merton. 'Dat deed Novron.'

'Maar hij stuurde jou ernaartoe, niet dan? Nou?'

Merton zuchtte. 'Ik deed alleen wat de heer van me vroeg.'

Janison keek Arista aan. 'Ziet u wel? Hoe kan ik ooit hopen te concurreren met een man die door god zelf is uitverkoren om dagelijks een babbeltje mee te maken?'

'Hoorde je dan echt de stem van Novron die jou beval de mensen van Fallon Mire te redden?'

'Hij leidde me erheen.'

'Maar je praat ook met hem,' ging Janison door en hij keek Arista weer aan. 'Dat wil-ie niet vertellen natuurlijk. Want dat zou ketterij zijn en Louis Gydo zit hier maar een paar verdiepingen onder ons. Hij gelooft namelijk niet zo erg in je mirakel.' Janison ging zitten en grinnikte. 'Nee, de goede monseigneur hier wil niet toegeven dat hij kleine gesprekken met de heer voert, maar dat doet-ie wel. Ik heb hem gehoord. In de kleine uurtjes, in de gang, wanneer hij denkt dat iedereen slaapt.' Janison sprak een octaaf hoger alsof hij een meisje nadeed. *'O heer, waarom houdt u me wakker door die hoofdpijn wanneer ik morgen weer vroeg aan het werk moet? Hoe zegt u? O, ik snap het, wat verstandig van u.'*

'Dat is genoeg, Janison,' zei Merton ernstig.

'Ja, dat is het zeker, monseigneur. En kijk nou maar snel uit het raam zodat ik door kan gaan met mijn maaltijd.'

Janison pakte een kippenpootje en ging verder met kluiven terwijl Merton de gordijnen openschoof waarachter een enorm raam tevoorschijn kwam. Het was gigantisch, bijna zo breed als de kamer en door slechts drie zuilen in drieën verdeeld. Het uitzicht was adembenemend. De grote maan in de nachtelijke hemel leek wel een lamp die je kon aanraken, hangend tussen de verspreid staande flonkerende sterren.

Arista legde een hand op de vensterbank en tuurde naar beneden. Ze kon de kronkelende zilveren lijn zien van een rivier diep onder hen, schitterend in het maanlicht. Aan de voet van de toren verlichtten kampvuren de stad, kleine flakkerende speldenprikjes zoals de sterren. Ze keek loodrecht naar beneden en het begon haar te duizelen terwijl haar hart sneller sloeg. Ze vroeg zich af hoe ver ze van de top van de toren verwijderd was, en toen ze naar boven keek telde ze drie niveaus ramen boven zich, tot de witte kroon van albast.

'Dank je,' zei ze tegen Merton en ze knikte naar Janison.

'Slaap wel, hoogheid. Hij is daarboven.'

Ze knikte, maar ze wist niet zeker of hij de god of de patriarch bedoelde.

4

DAHLGREN

Vijf dagen lang baanden Rolf, Hadriaan en Trees zich een weg naar het noorden door een naamloze zee van bomen in het oosten van Avryn; het was een gebied waarover al tijden een strijd woedde tussen Algewest en Dunmoer. Elk van hen claimde het uitgestrekte, dichte bos dat hun grens vormde, maar op de vestiging van Dahlgren na, maakte geen van de koninkrijken echt haast om het gebied te ontginnen. Het grote woud, waarnaar men hoogstens verwees als het Oosten of de Wildernis, werd niet omgehakt, niet aangeraakt, niet bezoedeld. De weg waarover ze reisden, en die eens een brede straatweg naar het noorden van Algewest was geweest, ging al snel over in een karrenspoor met een strook gras ertussen, dat niet veel later versmalde tot een zandpad dat dreigde uiteindelijk geheel te verdwijnen. Geen hekken, boerderijtjes of herbergen aan de rand van de weg brachten wat variatie in de muren van hoog oprijzende bomen, noch kwamen ze andere reizigers tegen. Hier in het noordoosten werden de kaarten vaag, met maar een enkele markering, en werd hun gebied zelfs een witte plek aan de overkant van de Nidwaldenrivier.

Op sommige momenten was het woud van een adembenemende, zo niet spirituele schoonheid. Monolithische iepen torenden boven hun hoofden en vormden als ze boven samenkwamen een imposante tunnel van groen. Het deed Hadriaan denken aan de paar keer dat hij zijn hoofd om de deur van de Mareskathedraal in Midvoorde had gestoken. De hoogstammige bomen bogen zich over hun pad als de steunberen van de grote kerk en vormden een natuurlijk middenschip. IJle, nevelige lichtschachten drongen in verschillende hoeken door het bladerdak, alsof ze binnenvielen door een rij hoge ramen boven hun hoofd. Langs hun pad groeiden waaiers van fijn geveerde varens op uit de bruine bladeren van verleden jaar; ze deden dienst als een zacht wiegend tapijt. Een koor van vogels zong onzichtbaar op de takken en vanuit het bed van knisperend blad klonk het geritsel van eekhoorns en egels als het gekuch, gefluister en geschuifel van de kerkgangers. Het was een prachtige tocht maar tegelijkertijd ontregelend, alsof je te ver in zee ging, omdat ze zich begaven in onbekende, ongeziene en ongetemde plaatsen.

De afgelopen dagen was het reizen steeds moeizamer geworden. Door de recente lentestormen waren er bomen op hun pad gevallen die de route net zo onneembaar blokkeerden als de poorten van een kasteel. Ze stegen af en worstelden zich door het struikgewas, terwijl Rolf een weg om de blokkade heen zocht. Uren gingen voorbij maar ze vonden hun pad niet meer terug. Vol schrammen en bezweet leidden ze hun paarden langs beekjes tot ze zomaar bij een steil ravijn kwamen. Na over de rotsachtige klif naar beneden te hebben gestaard, wierp Hadriaan Rolf een sceptische blik toe. Gewoonlijk twijfelde Hadriaan nooit aan Rolfs richtingsgevoel of keuze van het pad. Rolf had een ongewoon talent voor het vinden van een weg door een wildernis, dat had hij al talloze malen bewezen. Hadriaan hief zijn hoofd. Hij kon noch de zon noch de hemel zien; er was geen referentiepunt – alles was takken en bladeren. Rolf had nooit eerder gefaald, maar ze waren ook nog nooit op een plaats als deze geweest.

'Komt wel goed,' zei Rolf met iets van ergernis in zijn stem.

Via het minst steile stuk gingen ze voetje voor voetje naar beneden, Rolf en Trees met de paarden aan de leidsels terwijl Hadriaan een pad vrijmaakte. Toen ze beneden waren aangekomen vonden ze een klein stroompje, maar geen pad. Nogmaals wierp Hadriaan Rolf een blik toe, maar deze keer gaf de dief geen commentaar, terwijl ze voortgingen over een route die het minst dichtbegroeid leek.

'Daar,' zei Trees plotseling, en ze wees vooruit naar een open plek die opviel door een paar zonnevlekken die kans hadden gezien door het bladerdek te dringen. Een paar stappen dichterbij begon het weggetje weer. Rolf keek er even naar, haalde zijn schouders op, klom weer op zijn paard en drukte zijn hakken in Muis' flanken.

Ze kwamen na enige tijd tevoorschijn uit het woud alsof ze een diepe grot uit kwamen, op een plek waar het eerst directe zonlicht sinds dagen op hen neerdaalde. In de vallei, naast een ruw houten put, stond een kind tussen een kudde van acht grazende varkens en biggen. Het kind, dat hoogstens een jaar of vijf was, hield een lange dunne stok vast en het vuile, ronde gezichtje drukte grote verwondering uit. Hadriaan had geen idee of het een jongetje of een meisje was, omdat het kind geen kenmerken vertoonde van de een of de ander, en gekleed was in een eenvoudig linnen hemd dat zo smerig was en vol scheuren en gaten zat, dat het wel de bedoeling leek.

'Parel!' riep Trees uit, terwijl ze zich zo snel van Millie liet afglijden dat het paard verbaasd een paar stappen opzijzette. 'Ik ben terug!' Ze liep ernaartoe en woelde door het klitterige haar van het kind.

Het kleine meisje – gokte Hadriaan nu – keek Trees nauwelijks aan en bleef met grote verbaasde ogen naar hen staren.

Trees spreidde haar armen uit en draaide in de rondte. 'Dit is Dahlgren. Dit is mijn thuis.'

Hadriaan steeg af en keek verward om zich heen. Ze stonden op een veldje van kaalgevreten gras naast een put, die bestond uit wat onbeholpen getimmerde planken en een houten emmer die, nat en druipend, op een dwarsbalk stond. Twee andere uitgesleten paden kruisten het pad dat zij gevolgd hadden, zodat ze een driehoek vormden met de put in het midden.

Aan alle kanten werden ze ingesloten door bomen. Dikke bomen van immense hoogte blokkeerden nog steeds de hemel, op dat kleine gat boven de open plek na, waardoor Hadriaan de bleekblauwe lucht van de late namiddag kon zien.

Hij schepte een handvol water uit de emmer om het zweet van zijn gezicht te wassen en Millie duwde hem haast opzij om haar neus in de emmer te stoppen en de inhoud dorstig op te drinken.

'Wat is dat voor klok?' vroeg Rolf, terwijl hij van Muis afsteeg en naar een schaduw gebaarde.

Hadriaan keek ernaar en zag tot zijn verbazing een grote bronzen klok die aan een soort hefboom hing, die op zijn beurt op een lage tak van een eikenboom steunde. Hadriaan vermoedde dat als de klok op de grond had gestaan, Rolf eronder verdwenen zou zijn. Er bungelde een touw naast met knopen op regelmatige afstanden.

'Dat is vreemd,' zei hij en liep ernaartoe. 'Hoe zou hij klinken?'

'Niet luiden!' riep Trees uit. Hadriaan draaide zich met opgetrokken wenkbrauwen om. 'Die luiden we alleen in noodgevallen.'

Hij keek weer naar de klok, en zag de afbeeldingen van Maribor en Novron in reliëf, met eronder regels van religieuze strekking die rondom liepen. 'Lijkt me nogal overdreven voor... nou ja....' Hij keek rond op de lege plek.

'Het was het idee van diaken Tomas. Hij bleef maar zeggen: "Een dorp is geen dorp zonder kerk, en een kerk is geen kerk zonder klok." Iedereen gaf wat hij kon missen. De oude markgraaf legde er nog wat bij en bestelde de klok. Lang voordat we tijd hadden om de kerk te bouwen, was de klok al klaar. Meneer Deernstra spande zijn ossen voor de wagen om hem helemaal in Ervanon op te halen. Toen hij terugkwam hadden we er geen plaats voor en hij had zijn wagen weer nodig. Toen bedacht mijn vader dat we hem hier moesten hangen en hem als alarmbel moesten gebruiken tot de kerk overeind stond. Dat was een week voordat de aanvallen begonnen. Op dat moment hadden we geen idee dat we hem zo vaak zouden gebruiken.' Ze keek even bedachtzaam naar de grote klok en voegde er toen aan toe: 'Ik haat het geluid van die klok.'

Een sterk briesje deed de bladeren ritselen en blies een lok haar voor haar gezicht. Ze duwde hem weg en draaide zich af van de eik en de klok. 'Daar zo' – ze wees over een van de uitgesleten paden – 'wonen de meesten van ons.' Hadriaan zag beschaduwde bouwsels in een lagergelegen stuk, achter een veld van guldenroede en melkkruid. Het waren kleine, uit hout opgetrokken, huisjes waarvan de wanden van vlecht-werk waren opgevuld met een mengsel van modder, stro en mest. De daken waren van stro, de ramen niet meer dan een gat in de muur. De meeste hadden geen deur en hoogstens een lap voor de ingang; als die bewoog kon je de vloer van aan-gestampte aarde zien. Naast een van de hutjes zag hij een moestuintje op de plek die een enkele zonnestraal bereikte.

'Dat is het huis van Maai en Went Drundel, daar vooraan,' zei Trees. 'Ik bedoel, het is nu alleen van Maai. Went en de jongens... die zijn inmiddels overleden. Links, die met dat tuintje, is van de Beidewikkes. Ik paste altijd op Tad en de tweeling, maar Tad is nu oud genoeg om zelf op de tweeling te passen. Het is een soort familie van me geworden. Lena en mijn moeder waren goeie vriendinnen. Daarachter kun je net het dak van Deernstra's huis zien. Meneer Deernstra is de dorpssmid en alleen hij heeft een span ossen. Iedereen mag ze lenen, dus is hij zo populair als de lente. Rechts, waar de schommel hangt, woont de familie Kaasstra. Marie en Jessie zijn mijn beste vriendinnen. Mijn vader heeft die schommel er opgehangen toen we hier kwamen wonen. Ik heb een paar van de mooiste dagen van mijn leven op die schommel door-gebracht.'

'Waar wonen jullie?' vroeg Hadriaan.

'Mijn vader heeft ons huis een stuk verderop aan de voet van de heuvel gebouwd.' Ze wees naar een smal paadje dat naar het oosten liep. 'Het was het beste huis, beste boerderijtje eigenlijk, van het hele dorp. Iedereen was het ermee eens. Nu is er haast niets van over.'

Parel staarde hen nog steeds aan en hield elke beweging in de gaten.

'Hallo,' zei Hadriaan glimlachend en ging op zijn hurken zitten. 'Ik heet Hadriaan en dit is mijn vriend Rolf.' Parel keek hem dreigend aan en deed een stap naar achteren, terwijl ze met de stok naar hem zwaaide. 'Je bent niet zo'n pratertje, hè?'

'Haar ouders zijn twee maanden geleden gestorven terwijl ze aan het planten waren,' vertelde Trees en keek vertederd naar het meisje. 'Het was gewoon overdag en zoals alle anderen dachten ze dat het veilig was, maar het was een stormachtige dag. De wolken verduisterden de zon.' Trees zweeg even en ging verder: 'Er zijn veel mensen gedood die dag.'

'Waar zijn de anderen?' vroeg Rolf.

'Ze zijn nu allemaal op het veld, denk ik, om de eerste lading hooi binnen te halen. Maar ze zullen zo wel terugkomen, het wordt al avond. Parel let op de varkens van het hele dorp, ja toch, Parel?' Het kind knikte heftig, terwijl ze haar stok met beide handen stevig vasthield en Hadriaan strak in de gaten hield.

'Wat is dat daar?' vroeg Rolf. Hij was verder gelopen en keek een paadje af dat naar het noorden liep.

Hadriaan volgde hem en liet Millie, die zwiepend met haar staart een zwerm vastbesloten vliegen verjoeg, bij de emmer staan.

Achter een groepje sparrenbomen zag Hadriaan een paar honderd meter verderop een heuvel oprijzen waarvan de bomen waren gekapt. Op de top stond een palen omheining en in het midden rees een groot houten huis op.

'Dat is het kasteel van de markgraaf. Vader Tomas is de beheerder tot de koning een nieuwe heer aanstelt. Hij is reuze aardig en ik denk niet dat hij het erg vindt als jullie de stallen gebruiken, al is het maar omdat er geen andere paarden in het dorp zijn. Bind ze voorlopig maar even vast bij de put, dan kunnen we mijn vader opzoeken.

Parel, let op hun spullen en houd de varkens ervandaan. Als Tad, Han of Arvid terugkomt voor ik er ben, laat ze de paarden dan naar het kasteel brengen om de diaken te vragen of ze daar in de stal mogen staan, oké?'

Het kleine meisje knikte.

'Kan ze wel praten?' vroeg Hadriaan.

'Ja, maar dat doet ze niet veel meer. Kom op, ik neem jullie mee naar... naar wat mijn huis was. Pa zal wel thuis zijn. Het is niet ver en een fijn wandelingetje.' Ze begon naar het oosten te lopen over een paadje dat heuvelafwaarts achter de huizen langsliep. Terwijl ze eromheen liepen, kreeg Hadriaan een beter zicht op het dorp. Hij kon nog meer huizen ontdekken, allemaal even klein en krakkemikkig, een paar graanopslagplaatsen op stelten om de knaagdieren buiten te houden en iets wat eruitzag als een gemeenschappelijk privaat: ook dat had geen echte deur.

'Ik zal de familie Beidewikke vragen of jullie zolang bij hen kunnen logeren. Ik slaap er zelf ook; ze...' Trees stopte. Ze sloeg haar handen voor haar gezicht, ze ademde diep in maar haar lip begon te trillen.

Naast het pad, niet ver van het huis met de schommel, stonden twee houten latjes die onlangs in de grond waren gestoken. De namen van Marie en Jessie Kaasstra waren erin gekerfd.

De Boschhoeve kwam in zicht. Een aantal hectare was van bomen ontdaan, zodat het meeste land aan de voet van de heuvel bedekt was met welige akkers met graan dat in rechte rijen opkwam. Een laag stenen muurtje van gestapelde stenen gaf de grens aan. Het was een prachtig bouwland van volle donkere aarde, goed omgespit, goed beplant en goed gedraineerd.

Het boerenhuis zelf stond iets hoger en zag uit over de akker. Het bleek een ruïne zonder dak, met het stof verspreid over de grond, weggeblazen door de wind. Slechts een paar balken zaten nog op hun plaats – versplinterde palen staken omhoog als gebroken botten. De onderste helft van het gebouw en de schoorsteen waren beide van onregelmatige brokken steen gemaakt en waren voor het merendeel intact gebleven. Hier en daar was wel een steen losgeraakt, maar gek genoeg stond het merendeel nog overeind.

Kleine dingen trokken Hadriaans aandacht. Onder een van de ramen hing een bloembak met een schelpvormig eind waarin een hert was uitgesneden. De voordeur, die van stevig eikenhout was gemaakt, had een handgreep van hamerslag ijzer, en er was geen nagel of lasnaad te zien. De stenen waarvan de muren waren gebouwd en die afwisselend grijs, roze en bruin van kleur waren, waren keurig plat uitgehakt, zodat alles stevig in elkaar stak. Aan beide zijden van het pad naar de deur stonden struiken die keurig gesnoeid waren.

Boer Theron Bosch zat te midden van de restanten van zijn huis. Hij was een grote man met een gebruinde en gelooide huid, en een bos ongekamd grijs haar bekroonde zijn gezicht, dat getekend was door weer en wind. Hij zag eruit alsof hij een deel van de aarde was, een grillige stam van een stevige boom met een gezicht als een verweerde rots. Zittend op een muurtje dat nog overeind stond, sleep hij met een wetsteen het gebogen blad van zijn zeis. Heen en weer ging de steen, terwijl de man over het groene veld staarde met een uitdrukking die volgens Hadriaan niets anders dan verachting uitdrukte.

'Papa! Ik ben terug!' Trees rende op de oude boer af en vloog hem om de hals. 'Ik heb je zo gemist.'

Theron stond de omhelzing gelaten toe en keek naar de beide mannen. 'Zijn dit ze?'

'Ja. Dit zijn Hadriaan en Rolf. Ze zijn helemaal meegekomen uit Colnora om ons te helpen. Zij kunnen ons het wapen bezorgen waarover Esra het had.'

'Ik heb al een wapen,' gromde de boer en hij ging verder met het slijpen van de kling. Het klonk koud en raspend.

'Dit?' vroeg Trees. 'Je zeis? De markgraaf had een zwaard,

een schild, wapenrusting en hij is...'

'Niet dit ding, ik heb een ander wapen, veel groter. Veel scherper.'

Met een frons keek ze om zich heen. De oude legde het verder niet uit.

'Ik heb dat ding dat in de toren ligt niet nodig om het monster af te maken.'

'Maar je had het beloofd!'

'En ik houd me ook aan mijn woord,' antwoordde hij, en hij haalde de steen weer over de rand van de zeis. 'Het wachten alleen al maakt mijn wapen scherper.' Hij doopte de wetsteen in een emmer water die naast hem stond. Hij bracht hem weer naar de kling maar gebruikte hem niet. Hij zei: 'Elke dag dat ik wakker word, zie ik Thims kapotte bed en Braams wiegje. Ik zie de versplinterde kuip die Thim maakte, de velden die ik voor hem plantte en die groeiden al deed ik er niets aan. Beste oogst in tien jaar. Ik had meer dan genoeg kunnen oogsten om het contract en het gereedschap te kunnen betalen. Ik zou nog geld over gehad hebben. Ik had een winkel voor hem kunnen kopen. Ik had er een uithangbord bij kunnen kopen, ik had er echte glazen ramen in kunnen zetten. Hij had een vlak geschaafde deur kunnen hebben met echte scharnieren en beslagen met nagels. Zijn winkel had beter kunnen zijn dan welk huis in het dorp dan ook. Beter dan het kasteel. Mensen zouden erlangs lopen en hun ogen uitkijken, want het moest wel een groot man zijn die zo'n bedrijf runde. Wat voor vakman moest de kuiper van dit dorp wel niet zijn om zo'n fijne winkel te hebben?

Die klootzakken van Glamrendor die Thim nog geen dakspant wilden laten aanbrengen, ze zouden dit van hun leven niet gezien hebben. Het zou een dak van dakspanten hebben gehad, en afgeronde dakranden, een toonbank van dik eiken en ijzeren haken om lantaarns op te hangen wanneer hij tot laat moest werken om alle orders op tijd af te krijgen. Zijn vaten zouden in een opslagplaats naast de winkel opgeborgen worden. Groot als een hooischuur, en ik zou hem felrood verven zodat niemand hem over het hoofd kon zien. Ik zou ook een wagen voor hem hebben geregeld, al moest ik hem zelf in elkaar zetten. Zo zou hij opdrachten uit heel Avryn kunnen aannemen, tot in Glamrendor aan toe. Ik zou ze er hoogstpersoonlijk heen gereden hebben om de geschokte, verbeten koppen te zien.

"Goeiemorrege!" zou ik zeggen met een grijns als een krokodil. "Hier is alweer een mooie bestelling van Thimoteus Bosch, de beste kuiper van Avryn." Ze zouden kruipen en vloeken. Jep, dat is mijn jongen, en hij is geen boer, welnee meneer. En om te beginnen bij hem zouden alle afstammelingen van Bosch vaklieden en winkeliers zijn.

Dit dorp zou uit zijn voegen barsten. Mensen zouden komen en hun eigen zaken opzetten, alleen zou die van Thim nog altijd de eerste, de grootste en de beste zijn. Daar zou ik goed op letten. En dan zou dit gat hier een echte stad worden, een mooie stad, en de familie Bosch zou de succesvolste familie zijn – een koopmansfamilie die geld gaf aan de schone kunsten en die rond zou rijden in de prachtigste koetsen. En dit huis hier zou een waar herenhuis worden, want daar zou Thim op staan, maar dat zou me niks kunnen schelen, niks hoor. Ik zou al tevreden zijn als ik Braam kon zien opgroeien, kon zien hoe hij leerde lezen en schrijven – en ooit aangesteld zou worden als rechter, misschien. Mijn kleinzoon in een zwart ambtsgewaad! Jawel, rechter Bosch gaat naar het hof in een fraaie koets en ik zou hem trots voorbij zien rijden.

Ik zie het voor me. Elke ochtend als ik opsta, zit ik, kijk de Steenheuvel langs en zie het voor me. Het ligt allemaal voor me, op die akker recht voor me. Ik heb niet geschoffeld. Ik heb niet bemest, maar moet je zien. De beste oogst die ik ooit heb gehad wordt elke dag groter.'

'Papa, kom alsjeblieft met ons mee naar de Beidewikkes. Het wordt anders zo laat.'

'Dit is mijn huis!' riep de oude man, maar niet tegen haar. Zijn ogen lieten de akker niet los. Hij begon de zeis weer te wetten. Trees zuchtte.

Het bleef lang stil.

'Jij en die vrienden van je moeten maar gaan. Ik heb gezworen er niet meer naar te zoeken, maar het is niet uitgesloten dat het mij komt opzoeken.'

'Maar papa...'

'Ik zei: neem ze mee en ga. Ik heb je hier niet nodig.'

Trees keek hen vluchtig aan. Er stonden tranen in haar ogen. Haar lip trilde weer. Een ogenblik bleef ze zo staan, wankelend, tot ze het opeens op een rennen zette, het tuinpad af, naar het dorp. Theron negeerde haar. De oude boer draaide het blad van de zeis om en begon de andere kant te slijpen. Hadriaan bleef even naar hem kijken, het geluid van de steen op metaal overstemde het geluid van Trees' gesnik. Hij keek niet meer op, niet naar Hadriaan, niet naar het pad. De man was koppig als een blok graniet.

Hadriaan vond Trees zo'n honderd meter verder op het pad. Ze zat op haar knieën en huilde. Haar tengere lichaam schokte, haar haren wiegden mee met de beweging. Teder legde hij een hand op haar schouder. 'Je vader heeft gelijk. Dat wapen van hem is heel erg scherp.'

Rolf bereikte hen nu ook. Hij had een afgebroken stuk hout in zijn hand. Hij keek met een ongemakkelijke blik naar Trees.

'Wat is er?' vroeg Hadriaan, voordat Rolf een botte opmerking zou maken.

'Wat denk je hiervan?' antwoordde Rolf en hield het stuk hout voor zich uit, dat een deel van het geraamte van het huis kon zijn geweest. Het was een deel van een dikke balk, goed sterk eikenhout, ooit gezaagd uit de stam van een dikke boom. Er zaten vier dikke voren in.

'Sporen van een klauw?' Hadriaan nam het hout en zette zijn hand tegen de voren met zijn vingers gespreid. 'Grote klauwsporen zelfs.'

Rolf knikte. 'Wat het ook is, het is enorm. Dus hoe komt het dan dat niemand dat monster ooit heeft gezien?'

'Hier in de vallei wordt het altijd aardedonker,' vertelde

Trees terwijl ze haar wangen afveegde. Opeens keek ze verbaasd en ze liep naar een geelbloeiende forsythia onder een grote esdoorn. Aarzelend bukte ze zich en pakte iets wat er volgens Hadriaan uitzag als een prop textiel en verdord gras. Toen ze voorzichtig de takjes en blaadjes wegveegde, zag hij dat het een simpele lappenpop was met wollen draadjes als haar en x'jes als ogen.

'Van jou?' zei Hadriaan op goed geluk.

Ze schudde haar hoofd maar zei niets. Na een zucht antwoordde ze: 'Ik heb hem voor Braam gemaakt, de zoon van Thim. Het was zijn geschenk voor het Midwinterfeest, en hij was er gek op. Hij sleepte hem overal met zich mee.' Ze plukte de laatste grasjes uit het haar van de pop en wreef erover. 'Er zit bloed op.' Haar stem trilde. Ze drukte de pop tegen haar borst en zei zachtjes: 'Hij vergeet dat het ook mijn familie was.'

Rolf dacht dat het nog vroeg in de avond was toen ze naar het veld van het dorp terugkeerden, maar het licht was al aan het vervagen en de onzichtbare zon was al achter de bomen gezakt. Het kleine meisje en haar varkens waren verdwenen, evenals hun paarden en bagage. In hun plaats troffen ze een lange rij mensen aan die in opgewonden toestand naar het dorp liepen, wat hem onrustig maakte.

Mannen draafden de open plek over met schoffels, bijlen en stapels gekloofd hout over hun schouders; de meeste hadden geen schoenen aan en droegen met zweet bevlekte tunieken. De vrouwen volgden met grote bundels takken, riet, dik moerasgras en bossen vlas. Ook zij kwamen barrevoets, met hun haar opgestoken onder simpele hoofddoeken. Rolf begreep waarom Trees zo in de wolken was geweest met de jurk die ze voor haar hadden gekocht, want alle dorpsvrouwen droegen eenvoudige jasschorten in een soort gebroken wit, zonder enige versiering.

Ze zagen er warm en vermoeid uit en dachten alleen aan het bereiken van de bescherming van hun huis, waar ze hun last konden afwerpen. Terwijl de drie het dorp in liepen keek een van de jongens op en stopte. Hij had een lange schoffel over de schouder met zijn arm eroverheen.

'Wie zijn dat?' vroeg hij.

Dat wekte de aandacht van anderen in hun buurt. Een oude vrouw keek met half samengeknepen ogen, een bundel twijgen onder haar arm. Een man met ontblote borst en dikke, gespierde armen liet zijn last hout zakken en greep zijn bijl steviger vast. Hij keek even naar Trees die nog steeds haar rode betraande ogen bette, en kwam op hen af terwijl hij de bijl in zijn rechterhand klemde.

'Vin, we hebben bezoek!' schreeuwde hij.

Een gedrongen oude man met een slecht onderhouden baard draaide zich om en liet eveneens zijn bundel zakken. Hij keek de jongen aan die hen het eerst ontdekt had. 'Tad, ga je pa halen.' De jongen aarzelde. 'Rennen, jongen!'

De jongen holde naar een van de huisjes.

'Trees, liefje,' zei de oude vrouw. 'Is alles goed met je?'

De bebaarde man keek hen tersluiks aan. 'Wat hebben ze met je gedaan, kind?'

Terwijl de mannen samendromden, gingen Hadriaan en Rolf dichter bij elkaar staan en keken vol verwachting naar Trees. Rolfs hand glipte zijn mantel in.

'O nee!' riep Trees. 'Ze hebben me helemaal niets gedaan.'

'Dat lijkt me sterk. Verdwijnt wekenlang en je komt jankend terug, opgedoft als een...'

Trees schudde haar hoofd. 'Niks aan de hand. Het komt door mijn vader.'

De mannen bleven staan. Ze hielden de vreemdelingen dreigend in het oog, maar keken vol medelijden naar Trees.

'Theron is een prima kerel,' zei Vin tegen haar, 'en een taaie. Hij komt er wel weer bovenop, zul je zien. Hij heeft alleen wat tijd nodig.'

Ze knikte, maar niet overtuigd.

'Zo, en wie zijn jullie dan wel?'

'Dit is Hadriaan en dit Rolf,' vertelde Trees eindelijk, 'uit

Colnora in Warrick. Ik heb ze gevraagd ons te helpen. Dit is meneer Griffin, de stichter van het dorp.'

'Ik kwam hier met een bijl, een mes en niet veel meer. De rest van de luitjes waren gek genoeg om me te volgen, omdat ik had gezegd dat het leven alleen maar beter kon worden, en ze waren stom genoeg om dat te geloven.' Hij stak een hand uit. 'Noem me maar Vin.'

'Ik ben Ditmar Deernstra,' stelde de man met ontblote borst zich voor. 'Ik ben de smid in dit gebied. Dacht dat jelui dat wel wilden weten. Jullie hebben paarden, niet? Mijn jongens zeiden dat ze er twee naar het huis op de heuvel hebben gebracht.'

'En dit is Maai,' zei Vin en hij stelde de oude vrouw voor. Ze knikte ernstig. Nu het duidelijk was dat er met Trees niets aan de hand was, kromde ze haar rug weer en de blik in haar ogen werd vaag en afwezig, terwijl ze zich omdraaide met haar bundeltje twijgjes.

'Let maar niet op haar. Ze is... nou ja, Maai heeft het nogal voor haar kiezen gekregen de laatste tijd.' Vin keek naar Ditmar, die knikte.

De jongen die was weggestuurd kwam terug met een andere man. Hij was ouder dan Deernstra, jonger dan Griffin, slanker dan beide en hij sleepte met zijn ene voet. Hij hield zijn ogen dichtgeknepen ondanks het schimmige licht. Hij hield een biggetje onder de arm, dat enorm zijn best deed om te ontsnappen.

'Waarom heb je je big meegebracht, Rumold?' vroeg Griffin.

'De knaap zei dat je me nodig had – zei dat het een noodgeval was.'

Griffin keek scheef naar Ditmar die terugkeek en zijn schouders ophaalde. 'En bij een noodgeval hoort dus een big, vind je?'

Rumold keek hem kwaad aan. 'Ik had het beest net te pakken. Ze is helemaal over de rooie als ze de hele dag met Parel op pad is geweest, dus het is moeilijk zat om haar te pakken te krijgen. En ik pieker er niet over om haar buiten te laten rondrennen als de avond gaat vallen. Wat is er? Wat is het noodgeval?'

'Dat valt mee. Het was vals alarm,' zei Griffin.

Rumold Beidewikke schudde het hoofd. 'Bij Mar, Vin, ik schrok me rot. Dadelijk laat je de klok nog luiden om te zien hoe de mensen flauwvallen.'

'Was niet met opzet.' Hij wees met zijn hoofd naar Rolf en Hadriaan. 'We dachten dat deze kerels iets van plan waren.'

Rumold keek ze aan. 'Bezoekers, hm? Waar komen jullie vandaan?'

'Colnora,' antwoordde Trees. 'Ik heb ze uitgenodigd. Esra zei dat ze mijn vader konden helpen. Ik hoopte dat jullie ze een poosje onder zouden kunnen brengen.'

Rumold keek naar haar en zuchtte, en diepe rimpels trokken zijn mond naar beneden.

'O nou, ook goed,' zei Trees en keek gegeneerd naar de grond. 'Ik zal Vader Tomas wel vragen of...'

'Natuurlijk kunnen ze bij ons slapen, Trees. Je weet best dat je dat niet hoeft te vragen.' Hij duwde de big stevig onder zijn arm en wreef met de andere hand over zijn wang. 'Alleen, nou ja, Lena en ik... we waren er zeker van dat je voorgoed was vertrokken. Dachten dat je een nieuw huis gevonden had, of zo.'

'Ik zou mijn vader nooit in de steek laten.'

'Nee. Nee, dat zou je nooit doen. Jij en je pa, jullie lijken op elkaar op die manier. Koppig als een blok graniet, jullie allebei, en Maribor moge de ploeg helpen die jullie op zijn pad vindt.'

De big probeerde weer gillend los te komen door te kronkelen en te trappelen met zijn achterpootjes. Rumold had hem net op tijd weer klem. 'Ik moet terug, anders krijg ik op mijn kop. Kom Trees, en neem je vrienden mee.' Hij leidde hen naar het groepje van kleine huisjes. 'Bij Mar, meid, hoe kom je aan die jurk?'

Rolf bleef staan waar hij stond terwijl de rest zich opmaakte om weer verder te gaan. Hadriaan keek hem nieuwsgierig aan, maar ging mee met de anderen. Rolf keek de dorpsbewoners na, die zich haastten om voor het donker niet alleen binnen te zijn, maar ook om water te hebben gehaald, kleren te hebben opgehangen en de dieren verzameld te hebben. Parel wandelde langs de bron, haar varkenskudde bevatte nu nog maar twee dieren. Maai Drundel kwam haar huisje uit met haar hoofddoek af, haar grijze haar hing los. In tegenstelling tot de rest kwam zij maar langzaam vooruit. Ze liep naar de zijkant van haar huis, waar Rolf drie latjes in de grond zag staan, net als die van de meisjes Kaasstra. Ze stond daar een tijdje, knielde erbij neer en slofte toen weer haar huisje in. Ze was de laatste dorpsbewoner die binnen was.

Nu waren alleen Rolf en de man bij de bron nog buiten.

Hij was geen boer.

Rolf had hem meteen opgemerkt toen ze terug waren op de open plek; zijn lange slanke gestalte leunde rustig tegen de zijkant van de put, een beetje in de schaduw zodat hij bijna opging in de achtergrond. Zijn haar hing los over zijn schouders, het was donker met wat grijze strengen. Hij had scherpe jukbeenderen en diepliggende, broeierige ogen. Zijn lange gewaad dat om hem heen was geslagen, glansde in de laatste zonnestralen. Hij zat daar doodstil. Dit was een man die geen probleem had met wachten en een goede training in geduld had gehad.

Hij zag er niet oud uit, maar Rolf wist wel beter. Hij was niet veel veranderd sinds Rolf, Hadriaan, de jonge prins Alric en een monnik met de naam Michiel hem twee jaar geleden hadden geholpen te ontsnappen uit de Gutariagevangenis. De kleur van zijn gewaad was anders, maar het was nauwelijks waarneembaar. Deze keer leek het Rolf dat de kleur ergens tussen turkoois en donkergroen zweefde. Zoals gewoonlijk hingen de mouwen los naar beneden, zodat niet te zien was dat de man geen handen had. Nieuw was wel dat hij een baard droeg.

Ze keken elkaar aan over het groene veld. Rolf liep naar

voren en verkleinde zwijgend de afstand tussen hen. Twee geesten die elkaar op een kruispunt ontmoeten.

'Dat is alweer een tijd geleden, Esra. Of moet ik je meneer Haddon noemen?'

De man hield zijn hoofd iets scheef en sloeg de ogen op. 'Het is me bijzonder aangenaam jou ook weer te zien, Rolf.'

'Hoe weet je hoe ik heet?'

'Ik ben een magiër, of was je dat tijdens onze laatste ontmoeting misschien ontgaan?'

Rolf zweeg even en glimlachte. 'Daar zou je wel eens gelijk in kunnen hebben, misschien was ik het vergeten. Misschien moet je het maar even opschrijven voordat ik het weer vergeet.'

Esrahaddon trok een wenkbrauw op. 'Welk een hardvochtig grapje.'

'Hoe weet je echt wie ik ben?'

'Wel, ik heb *Het Koningscomplot* in het DeLeur-theater in Colnora gezien. Ik vond de decors wanstaltig en de orkestratie niet om aan te horen, maar het verhaal was goed. Ik vond vooral de gewaagde ontsnapping uit de toren erg geslaagd, en de kleine monnik was dolkomisch – beslist mijn favoriete personage. Het deed me ook deugd dat er geen magiër in het stuk voorkwam. Ik vraag me af wie ik daarvoor moet bedanken: jou niet, in elk geval.'

'Ze gebruikten ook onze echte namen niet. Dus nogmaals, hoe weet je dat?'

'Hoe zou jij achter jouw naam komen, als je mij was?'

'Ik zou het aan mensen vragen die het zouden kunnen weten. Dus aan wie vroeg je het?'

'Zou jij het me vertellen?'

Rolf fronste zijn voorhoofd. 'Beantwoord je ooit een vraag met een antwoord?'

'Mijn verontschuldigingen: beroepsdeformatie. Het grootste deel van mijn vrije leven was ik leraar.'

'Je uitspraak en woordkeus zijn veranderd,' merkte Rolf op.

'Goed dat je dat opmerkt. Ik heb er hard aan gewerkt. De afgelopen twee jaar heb ik vooral met luisteren in taveernes doorgebracht. Ik heb een talenknobbel; ik spreek er een paar vrij vloeiend. Ik ken nog niet al het idioom, maar de basisgrammatica was niet zo ingewikkeld. Het is uiteindelijk dezelfde taal; het dialect dat je spreekt is... minder voornaam dan ik gewend was. Het is gewoon praten met een grof accent.'

'Dus je kwam erachter wie we waren door een beetje rond te vragen en naar slechte toneelstukken te kijken en je hebt de taal opgepikt door naar een stelletje zatlappen te luisteren. Zeg me nou maar eens waarom je hier bent en waarom je wilt dat wij hier zijn.'

Esrahaddon stond op en liep langzaam om de put heen. Hij keek naar de grond, waar het laatste licht van de zon door de bladeren van een populier op viel.

'Ik zou kunnen zeggen dat ik me hier verschuil en dat zou best plausibel klinken. Ik zou ook kunnen zeggen dat ik van de benarde toestand van dit dorp had gehoord en dat ik ze kwam helpen, want dat doen magiërs nu eenmaal. Uiteraard weten we allebei dat je geen van die antwoorden gelooft. Dus laten we het op de snelle manier doen. Waarom vertel jij me niet waarom ik hier ben? Dan zie je wel aan mijn reactie of je het bij het rechte eind hebt of niet, want dat was je natuurlijk toch al van plan.'

'Zijn alle magiërs zo irritant als jij?'

'Nog veel irritanter, ben ik bang. Ik was een van de jongste en een van de vriendelijkste.'

Een jongen – Rolf dacht dat hij Tad heette – kwam naar hem toe met een emmer. 'Het wordt al laat,' zei hij met een bezorgde blik terwijl hij de emmer met water vulde. Een eindje verderop zag Rolf een vrouw die een onwillige geit in huis probeerde te trekken, terwijl een jochie het beest van achteren duwde.

'Tad!' riep een man, en de jongen bij de put draaide zich direct om.

'Ik kom!'

Hij glimlachte en knikte naar de twee mannen, greep zijn emmer water en rende terug naar waar hij vandaan kwam, waarbij de helft van de inhoud over de rand klotste.

Ze waren weer alleen.

'Ik denk dat je hier bent omdat je iets van Avempartha nodig hebt,' zei Rolf tegen de magiër. 'En ik denk niet dat het je om een zwaard dat demonen verslaat te doen is. Je misbruikt dat arme kind en haar gekwelde vader om mij en Hadriaan hier te krijgen om een deurknop om te draaien, omdat je dat blijkbaar zelf niet kunt.'

Esrahaddon zuchtte. 'Wat teleurstellend nu. Ik dacht echt dat je slimmer was, en deze onophoudelijke verwijzingen naar mijn handicap worden hoogst vermoeiend. Ik misbruik helemaal niemand.'

'Dus je bedoelt dat er wel een wapen in die toren ligt?'

'Dat is nu precies wat ik bedoel.'

Rolf bekeek hem even met een norse blik.

'Je weet niet zeker of ik lieg of niet, nietwaar?' zei Esrahaddon grijnzend.

'Ik denk niet dat je liegt, maar ik denk dat je ook de hele waarheid niet vertelt.'

De magiër trok zijn wenkbrauwen op. 'Kijk, dat is een stuk beter. Misschien is er nog hoop voor je.'

'Misschien ligt er een wapen in de toren. Misschien kan het helpen dit... wat het ook is te verslaan, maar misschien heb je dat monster uitgerekend hier laten huishouden om ons hierheen te lokken.'

'Heel logisch,' vond Esrahaddon en knikte. 'Ziekelijk manipulatief, maar ik kan je redenering volgen. Alleen ben je vergeten dat de aanvallen op dit dorp begonnen toen ik nog in de gevangenis zat.'

Weer keek Rolf hem wrevelig aan. 'En waarom ben je dan hier?'

Esrahaddon glimlachte. 'Je moet goed begrijpen, m'n jongen, dat magiërs geen bronnen van informatie zijn. Maar dit wil ik je wel vertellen: die boer Theron en zijn dochter zouden nu niet meer leven als ik hier niet was aangekomen en haar had weggestuurd om jullie te halen.'

'Oké. Wat je hier wilt zijn mijn zaken niet, daar kan ik inkomen. Maar waarom moest ik hier komen? Dat kun je me toch ook wel vertellen, ja toch? Waarom doe je al die moeite om onze namen te achterhalen en ons te vinden – nogal indrukwekkend, trouwens – als je elke willekeurige dief had kunnen vinden om dat slot te kraken en de toren voor je te openen?'

'Omdat niet elke willekeurige dief goed genoeg is. Jij bent de enige die ik ken die Avempartha open kan krijgen.'

'Zeg je nou dat ik de enige dief ben die je kent?'

'Het zou helpen als je goed luistert naar wat ik zeg. Je bent de enige die ik ken die Avempartha open kan krijgen.'

Rolf keek hem strak aan.

'Er loopt hier een monster rond dat moordt zonder aanzien des persoons,' zei Esrahaddon diep en onverwacht ernstig. 'Geen wapen dat door mensen is gemaakt doet het beest kwaad. Hij komt 's nachts en er sterven mensen. Er is niets wat het wezen kan doden, op dat zwaard in die toren na. Je moet een weg naar binnen vinden en dat zwaard te pakken krijgen.'

Rolf bleef hem aanstaren.

'Je hebt gelijk. Dat is niet de hele waarheid, maar het is toch waar en bovendien alles wat ik uit kan leggen... voorlopig. Om er meer over aan de weet te komen, zul je naar binnen moeten.'

'Zwaarden stelen,' mompelde Rolf voornamelijk tegen zichzelf. 'Goed dan, laten we dan maar een kijkje nemen bij die toren. Hoe sneller ik hem zie, hoe sneller ik hem kan vervloeken.'

'Nee,' antwoordde de magiër. Hij keek weer naar de grond, waar de zonnevlekken verdwenen waren. Hij keek naar de hemel die donkerder was geworden. 'De avond valt en we moeten echt ergens naar binnen. Morgenochtend vroeg kunnen we gaan, maar vanavond verschuilen we ons met de anderen.'

Rolf overwoog de woorden van de magiër. 'Weet je, toen ik je de eerste keer ontmoette, deden er allerlei praatjes de ronde over dat je zo'n griezelige magiër was die het kon laten bliksemen en bergen kon optillen en nu blijkt dat je niet eens tegen een monstertje op kunt, of een oude toren open kunt maken. Ik dacht echt dat je wel wat machtiger was dan dit.'

'Dat was ik ook,' zei Esrahaddon en voor het eerst stak de magiër zijn armen de lucht in, waardoor de mouwen teruggleden en de stompjes te zien waren waar zijn handen hadden moeten zitten. 'Magie is zoiets als vioolspelen. Verdomd lastig zonder handen.'

De maaltijd bestond die avond uit groentesoep, een weinig krachtig brouwsel van prei, knolselderij, uien en aardappels in een dunne bouillon. Hadriaan nam maar een kleine portie die de honger nauwelijks stilde, maar hij vond hem verrassend smakelijk, door de mengeling van ongewone kruiden die een intense sensatie in zijn mond opleverden.

Lena en Rumold Beidewikke hielden zich aan hun belofte om ze die nacht onderdak te geven, een gebaar dat nog vrijgeviger was dan het leek toen ze ontdekten hoe propvol het huis al was. De Beidewikkes hadden drie kinderen, vier varkens, twee schapen en een geit die ze Nannie noemden, en sliepen allemaal in die ene grote kamer. Muggen waren er ook, die nachtdienst draaiden zodat de vliegen even vrijaf hadden. Het was moeizaam ademhalen in een huis dat vergeven was van rook, de lucht van de dieren en de damp uit de soepketel. Rolf en Hadriaan kozen een plekje uit dat zo dicht mogelijk bij de deur lag en gingen daar op de vloer zitten.

'Ik wist helemaal niets van het boerenbedrijf,' vertelde Rumold Beidewikke. Zoals de meeste mannen van het dorp was hij gekleed in een gerafelde, dunne tuniek die tot zijn knieën hing, met een eind touw dat dienstdeed als riem. Hij had grote, donkere kringen om zijn ogen, ook iets wat de inwoners van

Dahlgren gemeen hadden. 'Ik was kaarsenmaker toen we nog in Drismeer woonden. Ik werkte als gezel in een winkel in Hitheuvelstraat. Maar tijdens ons eerste jaar hier was het Theron die ons in leven hield. We zouden van honger of kou zijn omgekomen als Theron en Addie Bosch ons niet hadden geholpen. Ze namen ons onder hun vleugels en hielpen dit huis te bouwen. En Theron leerde me een veld om te ploegen.'

'Addie was mijn vroedvrouw toen ik de tweeling kreeg,' vertelde Lena terwijl ze de houten kommen uitdeelde, die Trees weer aan de kinderen gaf. De meisjestweeling en Tad waren naar de vliering verbannen, en keken met nieuwsgierige ogen, en hun kin in de hand, op hen neer. 'En Trees was onze oppas.'

'Daar hoefden we geen seconde over na te denken, om haar bij ons te laten wonen,' zei Rumold. 'Ik zou alleen willen dat Theron hier ook bij kwam, maar die man is zo halsstarrig.'

'Ik kan er maar niet over uit wat een mooie jurk dat toch is,' zei Lena weer hoofdschuddend, met een blik op Trees. Rumold gromde wat, maar aangezien hij zijn mond vol had, kon niemand hem verstaan.

Lena keek hem een beetje boos aan. 'Nou, het is toch zo.'

Ze hield er verder haar mond over maar bleef hem aankijken. Lena was een broodmagere vrouw met lichtbruin kort piekhaar, wat haar een jongensachtig uiterlijk gaf. Haar neus was zo puntig en scherp dat je er perkament mee zou kunnen snijden, zo leek het. Ze zat onder de sproeten en had nauwelijks wenkbrauwen. De kinderen leken allemaal precies op haar, met allemaal hetzelfde piekhaar, zowel de zoon als de dochters, terwijl Rumold helemaal geen haar had.

Trees vermaakte ze met haar verhalen over haar avontuur in de grote stad, over de bezienswaardigheden en alle mensen die ze daar had ontmoet. Ze legde uit dat Hadriaan en Rolf haar naar een weelderig hotel hadden gebracht. Daarop keek Lena een beetje bezorgd, maar ze ontspande toen er meer details werden onthuld. Trees was nog steeds vol van haar bad in heet water met geparfumeerde zeep en hoe ze de nacht in een enorm veren bed had doorgebracht onder een stevig dak met dikke balken. Over de Groothandelspoort of wat eronder was gebeurd, repte ze echter met geen woord.

Lena ging helemaal in het verhaal op en liet haast het restje van de dikke soep aanbranden. Rumold bleef maar grommen en brommen gedurende de maaltijd. Esra zat met zijn rug tegen de muur tussen Lena's spinnewiel en de boterkarn. Zijn gewaad leek nu donkergrijs. Hij was zo stil dat hij nog het meest op een schaduw leek. Tijdens het eten voerde Trees de magiër.

Hoe zou dat voelen? dacht Hadriaan terwijl hij ze bekeek. *Hoe moet het zijn om zoveel macht te hebben gehad en nu niet eens meer een lepel te kunnen vasthouden?*

Toen Trees na het eten Lena hielp de omgespoelde kommen af te drogen en weer op een plank te zetten, riep ze uit: 'Ik herinner me dit bord.' Er verscheen een glimlach op haar gezicht toen ze het enige porseleinen bord in huis zag. Het haast doorschijnend witte ovaal met fijne blauwe lijntjes lag goed verborgen in het achterste hoekje van de kast, met alle andere dierbare familie-erfstukken. 'Ik herinner me nog dat Jessie en ik toen we klein waren...' Ze zweeg en het werd stil in huis. Zelfs de kinderen stopten met kibbelen.

Lena haalde haar handen uit het sop, sloeg haar armen om Trees heen en drukte haar dicht tegen zich aan. Hadriaan merkte lijnen in het gezicht van de vrouw op die hij niet eerder had gezien. Ze stonden voor de emmer afwaswater en huilden zachtjes. 'Je had niet terug moeten komen,' fluisterde Lena. 'Je had in dat hotel moeten blijven, bij die mensen.'

'Ik kan hem niet in de steek laten.' Hadriaan hoorde Trees' zachte stem gedempt tegen Lena's schouder. 'Hij is de enige die ik nog heb.'

Trees deed een stap terug en Lena deed haar best te glimlachen.

Buiten was het aardedonker geworden. Vanaf zijn plek bij de deurpost kon Hadriaan nauwelijks meer iets onderscheiden: hier en daar een door maanlicht beschenen plek. Vuurvliegjes knipperden en lieten een spoortje licht na. De rest was verdwenen in het uitgestrekte zwart van het woud.

Rumold trok een stoeltje bij Rolf en Hadriaan. Toen hij zat, stak hij een lange meerschuimen pijp met een gloeiende houtspaander aan en begon: 'Zo, jullie komen Theron dus helpen om het monster te verslaan?'

'We doen wat we kunnen,' antwoordde Hadriaan.

Rumold zoog hard aan zijn pijp om er zeker van te zijn dat hij goed brandde, en trapte toen de houtsplinter uit op de aarden vloer. 'Theron is over de vijftig. Hij kent het verschil tussen het scherpe eind van een mestvork en de steel ervan, maar ik denk niet dat hij ooit een zwaard heeft vastgehouden. Jullie lijken me echter het soort knapen dat wel eens een gevecht van dichtbij heeft gezien, en Hadriaan heeft niet alleen één zwaard, hij heeft er drie. Een man met drie zwaarden weet volgens mij ook wel hoe hij ze moet gebruiken. Als je het mij vraagt kan een stelletje als jullie ook wel meer doen dan een oude man te helpen die hier ongetwijfeld aan onderdoor gaat.'

'Rumold!' onderbrak Lena hem. 'Het zijn onze gasten. Waarom zet je niet wat heet water voor ze klaar?'

'Ik wil alleen niet dat die idioot zich doodvecht. Als de markgraaf en zijn ridders geen enkele kans hadden, hoe moet Theron het dan redden? Een oude man met een zeis. Wat wil hij toch bewijzen? Hoe dapper hij is?'

'Hij wil helemaal niets bewijzen,' zei Esrahaddon opeens en door zijn stem werd het op slag doodstil in de kamer. 'Hij probeert zichzelf om te brengen.'

'Wát?' zei Rumold.

'Hij heeft gelijk,' zei Hadriaan. 'Dat heb ik vaker gezien. Soldaten, moedige soldaten die een punt bereikt hebben waarop het ze allemaal te veel wordt. Het kan van alles zijn waardoor ze het niet meer zien zitten: net een dode te veel, een stervende vriend, of zelfs zoiets simpels als het weer dat omslaat. Ik kende iemand die in tientallen veldslagen de aanval leidde. Maar toen de hond die hij ooit ergens liefdevol had opgepikt en verzorgde, in stukken werd gehakt om als maaltijd te dienen, gaf hij het op. Natuurlijk kan een vakman als hij zich niet zomaar overgeven of zelfmoord plegen. Hij moet gaan zoals hij heeft geleefd. Dus rennen ze op een onbewaakt ogenblik een veldslag tegemoet die ze niet kunnen winnen.'

'Dan had ik jullie tijd niet hoeven verspillen,' zei Trees. 'Als mijn vader niet meer wil leven, kan wat er dan ook in die toren ligt hem niet meer redden.'

Hadriaan had spijt dat hij gesproken had en voegde eraan toe: 'Elke dag dat je vader nog leeft, is er een kans dat hij toch weer wat hoop krijgt.'

'Het komt wel goed met die vader van je,' zei Lena tegen haar. 'Die man is niet kapot te krijgen. Zul je zien.'

'Mam,' zei een van de kinderen van de vliering.

Lena negeerde het kind. 'Je moet gewoon niet luisteren naar mensen die zo over je vader praten. Ze kennen hem tenslotte niet.'

'Mamma.'

'Echt, wat halen jullie je in je hoofd een kind met zulke verhalen op te zadelen als ze net haar familie heeft verloren.'

'Mámma!'

'Wat is er nou, Tad?' snauwde Lena.

'De schapen. Kijk naar de schapen.'

Toen zag iedereen het. In de hoek van de kamer waren de dieren tijdens de maaltijd rustig gebleven. Hadriaan was dat tevreden wollige hoopje gewoonweg vergeten. Nu drongen ze zich nerveus tegen de plaat hout aan die de ingang van hun stalletje vormde. Het belletje aan Nannies nek klingelde onophoudelijk terwijl de geit onrustig heen en weer liep. Een van de biggen spurtte opeens naar het gat van de deur, maar Trees en Lena konden hem nog net te pakken krijgen.

'Kinderen. Kom eraf!' fluisterde Lena dringend.

De drie kinderen stapten snel en behendig het laddertje af, zoals ze al zo vaak hadden gedaan. Hun moeder trok ze tegen zich aan in het middelpunt van het huis. Rumold stond op en doofde het vuur met de emmer vuil water.

Het duister omhulde hen. Niemand zei wat. Buiten stopten

de krekels met tsjirpen. Een paar tellen later zwegen de kikkers ook. De dieren bleven draaien en bonken. Een tweede varken sprong over het schot; Hadriaan hoorde zijn hoefjes over de aangestampte vloer in de richting van de deur schieten. Naast hem voelde hij Rolf bewegen; toen was het stil.

'Kan iemand dit aannemen,' fluisterde Rolf. Tad kroop naar het geluid en nam de big van hem over.

Ze wachtten.

Het geluid begon zwak en hol. Een soort gepuf, vond Hadriaan, als een blaasbalg in een smidse. Het kwam naderbij, werd luider, minder ijl, maar laag en krachtig. Het geluid steeg op en Hadriaan keek instinctief omhoog, maar zag alleen de duisternis van de vliering. Zijn handen bewogen naar de knoppen van zijn zwaarden.

Doemp. Doemp. Doemp.

Ze zaten in elkaar gedoken in de duisternis en luisterden naar het geluid dat zich eerst verwijderde, maar plotseling weer krachtiger werd. Het stopte; het was doodstil. Binnen het huis hield iedereen de adem in.

Krak!

Hadriaan schrok op van de uitbarsting die klonk alsof er een boom aan de andere kant van de open plek ontplofte. Het knalde en knapte en scheurde en versplinterde; buiten steeg een chaos van woest geluid op. En toen een kreet. De stem van een vrouw. Het gegil sneed door het dorp, hysterisch en in totale paniek.

'O goeie Maribor! Dat is Maai!' riep Lena.

Hadriaan sprong overeind. Rolf stond al.

'Doe geen moeite,' zei Esrahaddon tegen hen. 'Ze is dood, en er is niets wat je ertegen kunt doen. Jullie wapens hebben geen enkel effect op het monster. Het...'

De twee dieven stonden al buiten.

Rolf was sneller en rende over het erf naar het kleine huis van Maai Drundel. Hadriaan kon geen hand voor ogen zien en volgde blindelings de voetstappen van Rolf.

Het gegil stopte – het eindigde abrupt.

Rolf stond stil en Hadriaan botste haast tegen hem aan.

'Wat is er?'

'Dak weggerukt. Bloed op alle muren. En zij is weg. Dat ding ook.'

'Ding? Zag je dan wat?'

'Door een gat in het bladerdak – één tel maar, maar dat was genoeg.'

5

DE CITADEL

Rolf en Esrahaddon vertrokken bij het ochtendgloren en volgden een smal voetpad het dorp uit. Sinds Rolf Dahlgren had bereikt, had hij een ver vreemd geluid bespeurd, een dof maar onophoudelijk rumoer. Toen ze de rivier bereikten was het geluid aangezwollen tot gebrul. De Nidwalden was breed, een grote hoeveelheid woelig groen water dat in een snelle stroom voorbij raasde, hier en daar opspattend tegen rotsen. Even stond Rolf ernaar te staren. Hij ontdekte een tak die in het midden van de rivier dreef, een zwartgrijze vuist van bladeren die overgeleverd was aan de stroom. De tak werd meegesleurd, tussen de enorme rotsblokken door, schurend over stenen tot hij door een wolk van wit verzwolgen werd. In het midden van de mist zag hij iets oprijzen, maar het grootste deel werd verborgen door de nevel en de boomtakken die over het water heen staken.

'We moeten stroomafwaarts gaan,' zei Esrahaddon, terwijl hij Rolf naar een nog smaller paadje leidde dat langs de oever liep. Riviergras groeide vlak aan de rand, glinsterend van dauw; vogeltjes zongen schrille melodietjes in de zachte ochtendbries. Ondanks de donderende rivier en de levendige herinnering aan een huis zonder dak en met bloed besmeurde muren, deed het hier vredig aan.

'Daar is ze,' zei Esrahaddon eerbiedig terwijl ze een rotsachtige open plek bereikten die hun een weids uitzicht over de rivier gunde. Die verbreedde zich hier weer en het water stroomde hier nog onstuimiger, voor het over de rand van een onverwachte waterval verdween.

Ze waren de waterval dichter genaderd en konden de witte mist zien opstijgen van de plek waar het water omlaag stortte. In het midden van de rivier, waar het water over de rand tuimelde, stak een enorme plaat van hard gesteente omhoog als de voorsteven van een machtig schip dat aan de grond was gelopen vlak voor het de afgrond in zou storten. Op deze angstwekkende piëdestal verrees de citadel van Avempartha. Het fort, dat geheel van steen was, leek loodrecht uit de rotsplaat op te rijzen. Een verzameling lange ranke spitsen stak omhoog als splinters kristal of scherven van ijs, waarvan de onderkant verborgen lag in de opstijgende wolken van mist en schuim. Op het eerste gezicht leek het een natuurlijke rotsformatie, maar wie beter keek zag raampjes, paadjes en trappen die nauwkeurig in de architectuur waren opgenomen.

'En hoe zou ik daar moeten komen?' schreeuwde Rolf boven het bulderende water uit, terwijl zijn mantel kronkelde en klapperde als een slang.

'Dat is het eerste probleem nog maar,' schreeuwde Esrahaddon terug, maar hij gaf verder geen uitleg.

Is dit een of andere test, of weet hij het werkelijk niet?

Rolf volgde de rivier via de rotsen iets verder van de oever, naar de plek waar het water van de klif stortte. Hier daalde ook het land meer dan tweeduizend voet naar de vallei beneden. Een beeld van ongeëvenaarde schoonheid ontvouwde zich voor hem. De waterval was adembenemend. Alleen al de kracht van de kolossale stortvloed was hypnotiserend. De reusachtige woelige stroom van blauwgroen water viel en fonkelde in de opbollende wolken nevel waarin piepkleine edelstenen leken te schitteren; de stem van de rivier donderde in zijn oren, en echode na in zijn borst. En verder naar het zuiden was een even spectaculair schouwspel te zien. Mijlenver kon Rolf zien hoe de rivier door het weelderige groene landschap verder kronkelde als een lange glimmende slang, om uit te komen in de Koboldzee.

Esrahaddon begaf zich naar een talud iets verder van de oever achter de beschutting van wat granieten rotsblokken, waar hij beschermd werd tegen windvlagen en opspattend water. Rolf klom naar hem toe toen hij een rij bomen opmerkte die veel lager dan de andere waren, waardoor er een soort geul in het bladerdak ontstond. Hij klauterde het talud weer af naar de voet van de bomen en zag dat het niet ging om een groep jongere, lagere bomen, maar dat ze in een diepe voor stonden. En opvallend genoeg een kaarsrechte voor. Oude klimranken en braamstruiken maskeerden de onnatuurlijk vlakke ondergrond. Hij groef onder wat ranken en schepte aarde en dood blad weg tot hij platte stenen raakte.

'Het lijkt wel of hier ooit een weg is geweest,' riep hij naar de magiër.

'Was er ook! Ooit lag er ook een grote brug over de rivier naar Avempartha.'

'Wat is ermee gebeurd?'

'De rivier,' legde de magiër uit. 'De Nidwalden duldt mensenwerk niet al te lang. Het grootste deel is waarschijnlijk weggespoeld, en de restanten zijn ingestort.'

Rolf volgde de overgroeide weg naar de rand van de rivier, waar hij naar de toren halverwege de woeste stroom bleef staren. Een uitgestrekte grijze massa joeg langs hem heen, hoewel de snelheid door de breedte gemaskeerd werd. Het donkergrijs veranderde in wervelend doorzichtig groen toen het de oever bereikte. Het steeg op en zodra het weer viel was alleen wild wit schuim zichtbaar, miljarden minieme druppeltjes, terwijl de stroom onophoudelijk doorraasde.

'Onmogelijk,' mompelde hij.

Hij klom terug naar waar de magiër zat en nam plaats op een zondoorstoofd rotsblok, zijn blik rustend op de verre toren die oprees in de nevel, waarin regenbogen dartelden.

'En jij wilt dat ik daar inbreek?' zei de dief in alle ernst. 'Of is dit een of ander spelletje?'

'Een spel is het niet,' antwoordde Esrahaddon leunend tegen een rots, terwijl hij zijn armen over elkaar sloeg en zijn ogen sloot.

Rolf ergerde zich aan zijn ontspannen houding. 'Dan zou ik maar eens wat meer vertellen dan je tot nu toe hebt gedaan.'

'Wat zou je willen weten?'

'Alles, alles wat je ervan weet.'

'Wel, laat me eens kijken. Ik ben hier een keer eerder geweest. Het zag er natuurlijk anders uit. Om te beginnen was Novrons brug er nog, en je kon zo naar de toren toe wandelen.'

'Dus die brug was de enige manier om er te komen?'

'O nee, dat denk ik niet. Het zou tenminste niets uitmaken als dat zo was. Kijk, de elfen hebben Avempartha gebouwd voordat de eerste mens de bodem van Elan betrad. Niemand – nou ja, geen mens – weet waarom of waarvoor. Die plaatsing hier op de waterval, gericht naar het zuiden naar wat wij de Koboldzee noemen, zou erop kunnen duiden dat de elfen het gebruikten als verdedigingswerk tegen de Kinderen van Uberlin – ik geloof dat jullie ze bij hun dwergennaam noemen: Ba Ran Ghazel, oftewel de *kobolden van de zee*. Maar erg overtuigend is dat niet, omdat de toren er ook al was voordat zíj bestonden. Er zou hier zelfs een hele stad hebben gestaan, lang geleden. Er is maar zo weinig over van hun verrichtingen in Apeladorn, maar de elfen hadden een fabelachtige cultuur, met een rijkdom aan schoonheid, muziek en de Kunst.'

'En met de Kunst bedoel je toverkunst?'

De tovenaar opende één oog en keek hem fronsend aan. 'Ja, en kijk me nu maar niet zo aan, alsof magie smerig of verachtelijk is. Dat heb ik net iets te vaak gezien sinds mijn ontsnapping.'

'Nou ja, de meeste mensen beschouwen tovenarij niet als een goede zaak.'

Esrahaddon zuchtte en schudde zijn hoofd met een ernstige blik. 'Het is demoraliserend te zien wat er met de wereld is gebeurd tijdens de jaren dat ik gevangenzat. Ik bleef leven en werd niet gek omdat ik wist dat ik op een dag weer in staat zou zijn een aandeel te hebben in de bescherming van de mensheid, maar zo langzamerhand begrijp ik dat het nauwelijks de moeite waard is. Toen ik jong was, was de wereld een fantastische plek. Steden waren luisterrijk. Dat Colnora van jou zou nog niet als een sloppenwijk gekenschetst worden in de kleinste stad van mijn tijd. We hadden systemen van aan- en afvoerbuizen in de huizen; via tapkranen hadden de mensen stromend water in huis. Er waren uitgestrekte, goed onderhouden rioleringen die ervoor zorgden dat de straten niet stonken als een gierput. Gebouwen waren acht tot negen verdiepingen hoog, hoewel twaalf hoog ook voorkwam. We hadden ziekenhuizen waar de zieken werden behandeld en zelfs weer beter werden. We hadden bibliotheken, musea, tempels en scholen voor hoog tot laag onderwijs.

De mensheid heeft zijn erfenis van Novron te grabbel gegooid. Het lijkt wel of iedereen als rijk man is gaan slapen en als bedelaar is opgestaan.' Hij zweeg even. 'En dan is er wat jij zo spottend tovenarij noemt. De Kunst scheidde ons van de dieren. Het was de grootste prestatie van onze beschaving. Niet alleen is die in het vergeetboek geraakt, er wordt nog slechts smalend over gesproken. In mijn tijd werden zij die de Kunst beheersten en de natuurkrachten van de wereld met hun wil konden oproepen als tussenpersoon van de goden beschouwd, als heilig en onaantastbaar. Vandaag de dag word je op de brandstapel gezet als je per ongeluk een vermoeden over het weer van morgen laat vallen.

Destijds was het allemaal zo anders. Mensen waren gelukkig. Je zag geen gezinnen die op straat leefden. Geen noodlijdende keuterboertjes die zonder hoop worstelden om een karig maal bijeen te schrapen, of gedwongen waren met drie kinderen, vier varkens, twee schapen en een geit in een kot te leven waar de zwerm vliegen 's middags dikker is dan de stoofpot voor het hele gezin.'

Esrahaddon keek melancholiek om zich heen. 'Als magiër

wijdde ik mijn leven aan de studie van de waarheid en de toepassing daarvan in dienst van de keizer. Nooit had ik meer waarheid kunnen ontdekken of hem beter kunnen dienen dan voor ik hier belandde. En toch betreur ik het ook. Ach, was ik maar thuisgebleven. Ik zou allang gestorven zijn na een lang en gelukkig leven, een prachtig leven.'

Rolf keek hem glimlachend aan. 'Ik dacht dat magiërs een bron van wijsheid waren.'

Esrahaddon gromde wat terug.

'Nou, hoe zit het met die toren?'

De magiër keek weer naar de sierlijke spitsen die boven de mist oprezen. 'Avempartha was de plek waar de laatste veldslag van de Grote Elfenoorlogen plaatsvond. Novron dreef de elfen terug naar de Nidwalden, maar ze hielden stand door hun positie in de toren te verdedigen. Novron was niet tegen te houden door een beetje water en beval een brug te bouwen. Het nam acht jaar in beslag en kostte honderden levens, de meesten werden door de waterval meegesleurd, maar ten slotte werd de brug voltooid. Novron had er toen nog eens vijf jaar voor nodig om de citadel in te nemen. Die daad was net zo symbolisch als strategisch en dwong de elfen zich erbij neer te leggen dat niets Novron ervan kon weerhouden ze van Elan weg te vagen. En toen gebeurde er iets bijzonder vreemds, iets wat nog steeds niet is opgehelderd. Men zegt dat Novron de Hoorn van Gylindora in handen kreeg en daarmee de onvoorwaardelijke overgave van de elfen afdwong. Hij beval hun al hun strijdmiddelen en machinerieën te vernietigen en zich aan de overzijde van de rivier terug te trekken – en hem nimmermeer over te steken.'

'Dus er was geen brug tot Novron hem bouwde? Ook niet aan de andere kant?'

'Nee, dat was het probleem. Er was geen manier om de toren te bereiken.'

'Hoe kwam de elfen er dan?'

'Goede vraag.' De magiër knikte.

'Dus je weet het niet?'

'Ik ben oud, maar niet zó oud. Novron ligt voor mij verder terug in het verleden dan mijn tijd voor jou.'

'Er bestaat dus een antwoord op dit raadsel. Het is alleen niet voor de hand liggend.'

'Denk je nu heus dat Novron acht jaar aan het bouwen van een brug had besteed als de oplossing voor de hand lag?'

'En hoezo denk je dat ik het antwoord kan vinden?'

'Noem het een inkeping.'

Rolf keek hem vragend aan. 'Je bedoelt "ingeving"?'

De magiër keek geërgerd. 'Mijn woordenschat is nog niet helemaal perfect, geloof ik.'

Rolf tuurde weer naar de toren in het midden van de rivier en piekerde erover waarom klussen die met het stelen van zwaarden te maken hadden nou nooit eens een fluitje van een cent waren.

De dienst die voor Maai Drundel werd gehouden was somber en respectvol, al leek het allemaal goed gerepeteerd, vond Hadriaan. Er waren geen ongemakkelijke momenten, niemand struikelde over zijn woorden, alles ging van een leien dakje. Iedereen kende zijn of haar rol onberispelijk. De laatste inwoners van Dahlgren leken even professioneel om te gaan met begrafenissen als professionele rouwklaagsters die gratis hun werk deden.

Diaken Tomas sprak de op Maai aangepaste standaarduitvoering van de dienst, toen hij haar toewijding aan haar overleden familie en de kerk noemde. Maai was de laatste van de Drundels die stierf. Haar zonen waren al voor hun zesde jaar aan ziektes overleden en haar man was vijf maanden eerder aan het beest ten prooi gevallen. Tomas sprak in zijn grafrede de woorden uit die iedereen alleen durfde te denken – dat al was Maais dood gruwelijk, voor haar was het misschien nog niet eens zo erg geweest. Sommigen zeiden dat ze de afgelopen twee nachten een uitnodigend kaarsje voor het raam had gezet.

Zoals gebruikelijk was er geen lijk om te begraven, dus staken ze alleen een witgewassen latje in de grond waarin haar naam was gebrand. Het stond naast de latjes met DAAN, FRIT en WENT DRUNDEL.

Iedereen kwam opdagen voor de rouwdienst, behalve Rolf en Esrahaddon. Zelfs Theron Bosch kwam de laatste eer bewijzen. De oude boer zag er zo mogelijk nog afgetobder en ellendiger uit dan de dag ervoor en Hadriaan vermoedde dat hij de hele nacht niet geslapen had.

Na de dienst deelden de dorpelingen het middagmaal. De mannen zetten een rij tafels tegen elkaar in het midden van het dorp en elk gezin bracht een gerecht mee. Gerookte vis, bloedworst (van varkensbloed, melk, vet, uien en havermeel) en schapenvlees waren het populairst.

Hadriaan leunde tegen een ceder, terwijl de anderen een voor een opschepten.

'Help jezelf,' zei Lena.

'Het lijkt me niet al te veel. Ik heb nog proviand in mijn zadeltas,' verzekerde hij haar.

'Nonsens, daar willen we niet van horen, iedereen eet op een wake. Maai zou dat gewild hebben, en waar is een begrafenis anders voor dan de doden eer te bewijzen?'

Ze keek hem strak aan tot hij knikte en de tafel afspeurde naar een bordje.

'Dus dat zijn jullie paarden die ik in de stallen van het kasteel heb staan?' klonk een stem, waarop Hadriaan zich omdraaide en een mollig mannetje in het gewaad van een geestelijke zag. Hij was de eerste inwoner die er niet uitzag alsof hij wanhopig aan een goede maaltijd toe was. Zijn wangen waren rozig en gevuld, en wanneer hij lachte knepen zijn ogen zich samen. Hij zag er niet erg oud uit, maar zijn haar was spierwit, net als zijn korte baardje.

'Als u diaken Tomas bent, dan is het antwoord ja,' antwoordde Hadriaan.

'Dat ben ik inderdaad, maar stel je er niet te veel van voor. Ik voel me er nogal eenzaam, daar 's nachts op die top in mijn eentje met al die lege kamers. 's Nachts hoor je daar elk geluid, weet je. De wind die een luik laat klapperen, het gekraak van de hanenbalken – je krijgt er de zenuwen van. Nu kan ik de schuld van de geluiden die ik hoor tenminste aan jullie paarden geven. Ze staan dan wel ver onder me in de stallen, en ik betwijfel of ik ze ooit echt kan horen, maar ik kan toch doen alsof, niet?' De diaken grinnikte in zichzelf. 'Maar eerlijk, het is wel eens stomvervelend op de heuvel. Ik ben gewend onder de mensen te zijn, en dat het huis van de heer zo afgelegen ligt, vind ik maar niks,' zei hij, terwijl hij zijn bord volschepte met schapenvlees.

'Dat lijkt me ontzettend naar voor u. Maar ik neem aan dat er goed gegeten wordt. Die edelen weten wel hoe je de voorraadkamer moet vullen, nietwaar?'

'Nou, ja, natuurlijk,' gaf de diaken toe. 'Om precies te zijn had de markgraaf een opmerkelijke hoeveelheid gerookt vlees opgeslagen, om maar te zwijgen van al het bier en de wijn, waarvan ik alleen maar neem wat ik nodig heb, vanzelfsprekend.'

'Vanzelfsprekend,' beaamde Hadriaan. 'Als ik u zo zie, weet ik zeker dat u er niet de man naar bent om misbruik van de situatie te maken. Hebt u het bier voor de begrafenis soms ook geleverd?'

'O nee,' antwoordde de diaken ontzet. 'Ik zou niet dúrven het huis van de heer voor zoiets te plunderen. Zoals je net zei, ik ben er niet de man naar om misbruik van de situatie te maken, en het is tenslotte niet mijn voorraad...'

'Juist ja.'

'O goeie grutjes, kijk tets eens naar die kaas,' zei de diaken terwijl hij een homp in zijn mond propte. 'Eén ding moet ik ze nageven,' zei hij met de mond vol, 'die luitjes uit Dahlgren weten wel hoe ze een begrafenis moeten houden.'

Toen ze bij het eind van de tafels waren aangekomen zocht Hadriaan een plaatsje. De paar banken waren gevuld met dorpelingen die met een bord op schoot zaten te eten.

'Opstaan, jongens!' riep de diaken tegen Tad en Parel. 'Jullie hoeven geen zitplaats te hebben. Ga maar in het gras zitten.'

Ze fronsten hun voorhoofd maar stonden op. 'Jij daar, Hadriaan is het niet? Kom eens naast me zitten en vertel me eens wat een man met een paard en drie zwaarden hier in Dahlgren te zoeken heeft. Ik schat zo dat je geen edelman bent, anders had je gisteravond wel bij me aangeklopt.'

'Nee, ik ben geen edelman, maar daar wilde ik wat over vragen. Hoe hebt u dat grote huis geërfd?'

'Hm? Geërfd? O, ik heb niets geërfd. Het is slechts mijn taak als publiek persoon om hulp te bieden in een crisis als deze. Toen de markgraaf en zijn manschappen stierven, begreep ik dat ik het bestuur van deze geteisterde kudde waar moest nemen en de belangen van de koning moest behartigen. Dus ik probeer de ontberingen te verdragen en doe wat ik kan.'

'Zoals wat?'

'Wat bedoel je?' vroeg de diaken, die met zijn tanden aan een stuk schapenvlees trok, waardoor zijn lippen en wangen glommen van het vet.

'Wat hebt u gedaan om te helpen?'

'O, nou, laat eens zien... Ik houd het huis schoon, het erf op orde, en ik geef de plantjes water. Je moet echt elke dag dat onkruid uittrekken, want anders wordt die hele tuin overwoekerd en dan zou er geen groente meer overleven. Maar dat vraagt wel wat van mijn rug. Ik heb nooit een goeie rug gehad, dus dat merk ik dezer dagen zoals nooit tevoren.'

'Ik bedoelde wat de aanvallen betreft. Welke stappen hebt u ondernomen om het dorp te beveiligen?'

'Ja zeg,' zei de diaken grinnikend. 'Ik ben een geestelijke, geen ridder. Ik weet niet eens hoe ik een zwaard zou moeten vasthouden en ik heb geen leger ridders onder me, wel? Dus behalve vlijtig bidden, ben ik niet in de positie om er werkelijk iets aan te doen.'

'Hebt u niet overwogen om de dorpelingen in het huis van de heer te laten overnachten? Wat voor monster het ook is, met strodaken heeft het weinig moeite, maar het herenhuis heeft zo te zien een stevig dak en dikke muren.'

De diaken schudde het hoofd, en glimlachte nog steeds naar Hadriaan zoals een volwassene naar een kind lacht, dat vraagt waarom er arme mensen in de wereld zijn. 'Nee, nee, dat is een hele verkeerde aanpak. Ik weet vrij zeker dat de volgende markgraaf het beslist zou afkeuren dat een heel dorp zijn kasteel overneemt.'

'Maar u bent zich ervan bewust dat het de verantwoordelijkheid van de heer is om zijn pachters te beschermen? Daarom betalen zijn pachters hem belasting. Als de heer niet genegen is ze te helpen, waarom zouden ze hem dan voorzien van geld, een deel van de oogst of zelfs maar respect?'

'Het is misschien nog niet tot je doorgedrongen,' antwoordde de diaken, 'dat we momenteel tussen twee heren zitten.'

'Dus dan hebt u waarschijnlijk het betalen van belasting opgeschort voor de tijd dat ze zonder bescherming zitten?'

'Nou, ik wil niet zeggen dat...'

'Dus u neemt dan ook de verantwoordelijkheid van een beheerder aan?'

'Wel, ik...'

'Ja, ik kan uw aarzeling om buiten uw boekje te gaan wel begrijpen, als het gaat om het huis open te stellen voor de gemeenschap, dus ik weet zeker dat u dan voor de andere optie hebt gekozen.'

'Andere optie?' De geestelijke hield een volgend stuk vlees in de buurt van zijn mond, maar was te zeer afgeleid om er een hap van te nemen.

'Ja, als beheerder en zaakwaarnemer van de heer, is het aan u om het dorp in zijn naam te beschermen, en aangezien het uitgesloten is dat u de bevolking in het kasteel laat overnachten, neem ik aan dat u toch spoedig het veld in gaat om met het monster te vechten.'

'Vechten?' Hij liet het vlees in zijn schoot vallen. 'Ik denk niet...'

Voor hij zijn zin kon afmaken, ging Hadriaan verder. 'Het goede nieuws is dat ik u daarbij kan helpen. Ik heb een extra zwaard als u er geen hebt, en aangezien u zo vriendelijk bent geweest om mijn paard in de stal te laten overnachten, denk ik dat het minste wat ik kan doen is haar aan u te lenen bij het gevecht. Verder heb ik vernomen dat een aantal lieden uitgezocht heeft waar het leger van het beest is, dus het lijkt me een simpele zaak als u...'

'Ik... ik kan me niet herinneren gezegd te hebben dat het onderbrengen van de bevolking uitgesloten is,' zei de diaken luid om Hadriaan te onderbreken. Een aantal mensen wendde het hoofd. Hij dempte zijn stem en voegde eraan toe: 'Ik wilde alleen maar zeggen dat het iets was waar ik zorgvuldig over na moet denken. Want zie je, de mantel van leiderschap drukt zwaar op de schouders, en ik moet de consequenties van alles wat ik doe afwegen, want het kan net zo goed fout als goed aflopen. Nee, nee, voor dat soort beslissingen moet altijd ruim de tijd worden genomen.'

'Dat is zeer begrijpelijk en zeer wijs, mag ik wel zeggen,' beaamde Hadriaan, die hard genoeg bleef spreken zodat iedereen hem kon horen. 'Maar de markgraaf is ruim twee weken geleden gestorven, dus ik neem aan dat u intussen tot een beslissing bent gekomen?'

De diaken zag de geïnteresseerde blikken van een groot aantal van de dorpelingen. Zij die klaar waren met eten kwamen naderbij.

Een van hen was Ditmar Deernstra, die een kop groter was dan de rest en hem goed in de gaten hield.

'Ik... tja...'

'Kom allemaal hier!' schreeuwde Hadriaan. 'Kom dichtbij, de diaken heeft iets met ons te bespreken over de verdediging van ons dorp.'

De groep nabestaanden draaide zich met het bord in de hand om en kwam in een kring om hen heen staan. Alle ogen waren gericht op diaken Tomas, die plotseling veel weg had van een konijn dat in een val was gelopen.

'Ik... eh...' begon de diaken. Toen liet hij zijn schouders hangen en sprak op luide toon: 'Gezien de aanvallen van de laatste tijd, nodig ik iedereen uit om de nacht door te brengen binnen de beschermende muren van het kasteel.'

Geroezemoes steeg op. Toen riep Rumold Beidewikke: 'Is er wel genoeg plaats voor iedereen?'

De diaken zag eruit alsof hij de zaak nog eens wilde over-denken toen Hadriaan opstond. 'Ik weet zeker dat er ruimte genoeg is voor alle vrouwen en kinderen en een groot deel van de getrouwde mannen. De mannen zonder gezin, van dertien jaar en ouder, kunnen in de stal, het rookhuis en andere bij-gebouwen slapen. Die hebben allemaal sterkere daken en mu-ren dan welk huis van jullie hier dan ook.'

De dorpelingen begonnen er nu serieus op gedempte toon over te praten.

'En ons vee? Moeten we dat achterlaten voor het monster?' vroeg een andere boer. Hadriaan kende hem niet. 'Zonder vee hebben we geen vlees, geen wol of trek- en lastdieren.'

'Ik kan Ammert en Lammert niet alleen laten,' zei Deern-stra. 'Het zou een trieste zaak voor Dahlgren zijn als die ossen iets zou overkomen.'

Hadriaan sprong op de rand van de put en keek over hen uit met één arm op de trekas. 'Er is ruimte zat voor alle dieren binnen de palissade op de binnenplaats; ze zullen daar veiliger zijn dan in jullie huizen. Denk eraan: met z'n allen zijn jullie sterker dan allemaal apart. Als je in je eentje in het donker zit, kan elk wezen je zonder moeite doden, maar dat wezen is heus niet zo roekeloos om een omheind kasteel binnen te drin-gen, terwijl het hele dorp toekijkt. We kunnen zelfs stapels hout in brand steken om meer licht te hebben.'

De mensen wisten niet wat ze hoorden. 'Maar licht trekt dat monster juist aan!'

'Nou, zoals ik het zie, schijnt hij ook geen moeite met duis-ternis te hebben.'

De dorpelingen keken van Hadriaan naar diaken Tomas en terug.

'Hoe weet je dat?' vroeg iemand uit de menigte. 'Wat weet je er nu eigenlijk van? Je bent niet van hier. Hoe kan je dat dan weten?'

'Het is een demon van Uberlin!' riep iemand die Hadriaan niet kende.

'Je kunt hem niet tegenhouden!' schreeuwde een vrouw. 'Als we samenscholen is het alleen makkelijker voor hem om meer slachtoffers te maken!'

'Hij wil jullie niet allemaal tegelijk doden en een demon is het ook niet,' verzekerde Hadriaan de dorpelingen.

'Hoe weet je dat nou weer?'

'Hij maakt er steeds maar een of twee dood, toch? Als het beest het huis van Theron Bosch, of het dak van Maai Drundels hut in een paar seconden kan verwoesten, zou hij makkelijk in één nacht dit hele dorp kunnen vernietigen – maar dat doet-ie niet. Het beest doet het niet omdat hij niet probeert jullie allemaal af te maken. Hij doodt om te eten. Dit beest is geen demon: het is een roofdier.'

De dorpelingen dachten hierover na, maar na een paar seconden ging Hadriaan weer verder. 'Alles wat ik over dit wezen heb gehoord is dat niemand van jullie hem ooit heeft gezien en dat geen slachtoffer het er levend heeft afgebracht. Wel, dat verbaast me niets. Hoe kan je er nu op hopen het te overleven als je in je eentje in het donker gaat zitten wachten tot hij komt? Niemand heeft hem ooit gezien, want hij wil niet gezien worden. Zoals elk roofdier maakt hij zichzelf onzichtbaar tot het toeslaat en zoals elk roofdier pikt hij het zwakste exemplaar eruit; hij zoekt naar degene die los van de groep staat, en wie jong, oud of ziek is. Jullie hebben jezelf opgedeeld in hapklare brokjes. Jullie hebben het zo eenvoudig voor hem gemaakt dat hij er geen weerstand aan kan bieden. Als we allemaal een grote groep vormen, neemt hij die nacht misschien liever een hert of een wolf in plaats van ons.'

'En als je het nu eens fout hebt? Als niemand het gezien heeft omdat het tóch een demon is? Het kan wel een onzichtbare geest zijn die leeft van onze angst. Dat kan toch, diaken?'

'Ach, nou...' begon de diaken.

'Het zou kunnen, maar het is niet zo,' verzekerde Hadriaan hun.

'Hoe weet je dat zo zeker?'

'Omdat mijn partner hem gisternacht gezien heeft.'

Dat kwam als verrassing voor de groep dorpelingen en iedereen begon druk door elkaar te praten. Hadriaan zag Parel op het gras zitten terwijl ze hem met grote ogen aankeek. Een aantal vragen werd tegelijk op hem afgevuurd en Hadriaan probeerde ze al gebarend stil te krijgen.

'Hoe zag-ie eruit?' vroeg een vrouw met een door de zon verbrand gezicht en een witte doek over haar hoofd.

'Aangezien ik hem niet zag, lijkt het me beter dat Rolf het jullie zelf vertelt. Hij is voor donker terug.'

'Hoe kan hij nu iets gezien hebben? Het was pikdonker,' merkte een van de oudere boeren sceptisch op. 'Ik keek naar buiten toen ik die gil hoorde en het was zo donker als de bodem van die put waar je op staat. Schier onmogelijk dat hij iets heeft gezien.'

'Hij zag de big ook!' schreeuwde Tad Beidewikke toen.

'Wat zeg je, knul?' vroeg Ditmar Deernstra.

'Die big, gisteravond in ons huis,' zei Tad opgewonden. 'Het was hartstikke donker en de big die wou ontsnappen, maar hij zag 'm en ving 'm.'

'Dat klopt,' herinnerde zijn vader zich. 'We hadden net het vuur gedoofd en ik kon geen hand voor ogen zien, maar die vent ving een rennende big in het pikkedonker. Misschien heeft hij toch iets gezien.'

'Waar het om draait,' ging Hadriaan verder, 'we hebben allemaal meer kans dit te overleven als we bij elkaar blijven. Wel, de diaken heeft ons allemaal vriendelijk uitgenodigd om de bescherming van de dikke muren en het sterke dak met hem te delen. Ik denk dat we naar zijn wijsheid moeten luisteren en plannen moeten maken en hout moeten sprokkelen voor de avond valt. We hebben nog tijd genoeg om flinke open vuren aan te leggen.'

Ze keken Hadriaan aan en knikten. Sommigen waren nog niet helemaal overtuigd, maar zelfs de sceptici leken wat hoop te koesteren. Er vormden zich kleine groepjes, die opgewonden plannen maakten.

Hadriaan ging zitten en at wat. Hij was geen liefhebber van bloedworst, maar de gerookte vis smaakte hem goed.

'Ik haal de ossen vast,' hoorde hij Deernstra zeggen. 'Brent, haal jij je wagen en neem die bijl van je ook maar mee.'

'We hebben schoppen nodig en die zaag van Went,' zei Vin Griffin. 'Die hield hij altijd vlijmscherp.'

'Ik vraag Tad wel of hij hem haalt,' zei Rumold.

'Is dat echt waar?' Hadriaan keek op van zijn bord en zag Parel vlak voor zich staan. Haar gezichtje was nog net zo vies als de vorige dag. 'Heeft jouw vriend... heeft-ie echt een big in het donker gevangen?'

'Als je me niet gelooft, kun je het hem straks zelf vragen.'

Hij wierp een blik over het hoofd van het kind heen en zag Trees. Ze zat in haar eentje op de grond naast het pad van de grafjes van de Kaasstra's. Hij zag dat ze haar wangen afveegde. Hij zette zijn lege bord op tafel, knipoogde naar Parel en liep naar haar toe. Trees keek niet op, dus hurkte hij naast haar. 'Wat is er?'

'Niets.' Ze schudde haar hoofd en verborg haar gezicht in haar haar.

Hadriaan keek het pad langs en toen naar de dorpelingen. De vrouwen borgen restanten van het eten in manden op, terwijl de mannen gereedschap verzamelden, terwijl ze allemaal opgewonden praatten.

'Waar is je vader? Ik dacht dat ik hem daarnet nog zag.'

'Hij is weer naar huis gegaan,' zei ze en ze haalde haar neus op.

'Heeft hij nog wat gezegd?'

'Ik zei toch, er is niets.' Ze stond op, veegde haar jurk af en droogde haar ogen. 'Ik ga helpen met opruimen. Neem me niet kwalijk.'

Hadriaan ging de open plek op en liep via het pad naar de treurige resten van Bosch' boerderij. De balken die het dak op moesten houden waren opzij geknakt. Het houtskelet was versplinterd; het stro van het dak lag overal in de rondte. *Zo zien wreed verstoorde dromen eruit.* De boerderij leek vervloekt, het was een spookhuis geworden, maar een van de spoken was niet thuis. De oude boer was nergens te zien en de zeis stond verlaten tegen een verbrijzelde muur. Hadriaan nam de kans waar om een blik te werpen op het rondslingerende meubilair, kapotte kastjes, verscheurde kleren met bloedvlekken. Te midden van het puin stond een stoeltje naast een houten wieg.

Even later kwam Theron Bosch tevoorschijn uit de richting van de rivier. Hij droeg een juk met twee emmers water aan de uiteinden. Hij bleef gewoon doorlopen toen hij Hadriaan voor de ruïne van zijn huis zag staan en liep zonder een woord langs hem heen.

Hij zette de emmers neer en goot het water in een van drie grote kruiken.

'Ben je d'r nou al weer?' vroeg hij zonder op te kijken. 'Ze heeft me verteld dat ze jullie zilverstukken heeft gegeven om hier te komen. Is dat wat jullie doen? Misbruik maken van eenvoudige meiden? Hun zuurverdiende centen afpakken en dan hier het eten van de dorpelingen naar binnen werken? Als je bent gekomen om me nog meer geld af te troggelen, kom je bedrogen uit.'

'Ik ben hier niet voor geld.'

'Nee? Waarvoor dan wel?' vroeg de man en hij goot de tweede emmer leeg in een kruik. 'Als jullie echt hier zijn voor die knuppel of dat zwaard of wat er volgens die idioot zonder handen ook in die toren ligt, moet je dan niet eens snel de rivier in springen om hem te halen?'

'Daar is mijn maat op dit moment mee bezig.'

'O, dat is de zwemmer van jullie twee, hè? Maar wat ben jij dan? Degene die het geld van arme keuterboertjes afpakt? Ik ken jouw soort, struikrovers en oplichters – jullie maken mensen zo bang dat ze betalen om in leven te blijven! Nou, dat zal je deze keer niet glad zitten, vriend.'

'Ik zei toch dat ik niet voor geld kwam.'

Theron liet de emmer voor zijn voeten vallen en draaide

zich om. 'Wat doe je hier dan?'

'U bent vroeg van de wake vertrokken en ik was bang dat u niet had opgevangen dat iedereen in het dorp de nacht binnen de muren van het kasteel gaat doorbrengen.'

'Bedankt voor de boodschap.' Hij draaide zich om en deed een kurk op elke kruik. Toen hij klaar was keek hij geërgerd op. 'Nou, wat moet je nou nog?'

'Wat weet u precies van het gevecht?' vroeg Hadriaan.

De boer keek hem misprijzend aan. 'Wat heb jij ermee te maken?'

'Zoals u vertelde heeft uw dochter mijn partner en mij goed betaald om dat monster te doden. Hij is bezig om een passend wapen voor u te pakken te krijgen. Ik ben hier om u te vertellen hoe u het moet gebruiken wanneer u het in handen hebt.'

Theron Bosch liet nadenkend zijn tong langs zijn tanden gaan. 'Je wilt me dus iets leren, niet?'

'Zoiets.'

'Ik heb geen lessen nodig.' Hij pakte zijn emmers en juk en liep ermee weg.

'U hebt geen enkele ervaring met vechten. Hebt u ooit een zwaard vastgehouden?'

Theron draaide zich met een ruk om. 'Nee, maar ik kan vijf hectare op een dag ploegen. Ik kan een halve vaam hout hakken vóór de middag. Ik wist te overleven toen ik door een wervelstorm werd overvallen en ik acht mijl van huis was en ik ben mijn hele verdomde gezin kwijtgeraakt in één enkele nacht! Doe je mij dat na?'

'Niet uw hele gezin,' bracht Hadriaan hem in herinnering.

'De belangrijkste dan.'

Hadriaan trok zijn zwaard en kwam op Theron af. De oude boer bleef er onverschillig onder.

'Dit is een bastaardzwaard,' zei Hadriaan tegen hem en gooide het de boer voor de voeten. Toen liep hij een pas of zes naar achteren. 'Volgens mij past het wel bij u. Pak het op en val me maar aan.'

'Ik heb wel wat belangrijkers te doen dan spelletjes met je te spelen,' zei Theron.

'Net zoals toen u die nacht iets belangrijkers te doen had dan uw eigen familie te verdedigen?'

'Let op je woorden, knul...'

'Net zoals u moest aanzien wat er met uw arme hulpeloze kleinzoontje gebeurde? Wat was er nu echt aan de hand, Theron? Waarom werkte u nu echt zo lang door die nacht? En kom nou niet aan met die onzin dat u het allemaal voor uw zoon deed. U wilde wat extra geld verdienen voor iets wat ú wilde hebben. Iets wat u moest en zou hebben, en waarvoor u uw gezin in de steek liet, zodat ze stierven.'

De boer raapte het zwaard op en blazend van woede, zijn schouders naar achteren, siste hij: 'Ik liet ze niet sterven. Het kwam niet door mij!'

'Waarvoor heb je ze ingeruild, Theron? Voor de droom van een waanzinnige? Je gaf geen moer om je zoon; het was je allemaal om jezelf te doen. Je wilde de grootvader van een magistraat worden. Je wilde zélf de grote man zijn, nietwaar? En je zou er alles voor doen om die droom uit te laten komen. Je werkte tot laat in de avond. Je was niet thuis. Je was op het veld toen het kwam, vanwege die droom, vanwege je verlangen. Liet je daarom je zoon sterven? Je hebt nooit om ze gegeven. Nee toch? Je geeft alleen maar om jezelf.'

Met het zwaard in beide handen zwaaide de boer het zwaard naar Hadriaan. Hadriaan deed een stap opzij en de wilde zwaai miste hem, maar de boer kon de kracht waarmee hij zwaaide niet meer stoppen, struikelde en viel voorover in het zand.

'Je hebt ze laten sterven, Theron. Je was er niet, als de man voor wie iedereen je aanzag. Een man zou zijn gezin toch moeten beschermen, maar wat deed jij? Je was op de akker om ervoor te zorgen dat je kreeg wat je wilde. Wat je moest en zou krijgen!'

Theron stond op en deed een tweede aanval. En ook nu weer deed Hadriaan een stap opzij. Deze keer lukte het Theron op de been te blijven en de ongecontroleerde zwaaien volgden elkaar op. Hadriaan trok zijn korte zwaard en weerde de slagen af. De oude boer werd steeds razender; hij gebruikte het zwaard als een bijl en hakte als een wildeman om zich heen, zodat zijn evenwicht volledig zoek was. Al snel hoefde Hadriaan niet meer te blokken en deed hij weer alleen stapjes opzij. Therons gezicht werd roder na elke misslag. De tranen stonden in zijn ogen. Ten slotte viel de oude man neer in het stof, gefrustreerd en uitgeput.

'Het is niet mijn schuld dat ze dood zijn!' riep hij uit. 'Het kwam door háár! Ze liet het licht aan. Zij liet de deur open!'

'Nee, Theron.' Hadriaan nam het zwaard uit de krachteloze handen van de boer. 'Trees heeft je gezin niet vermoord, maar jij ook niet – het beest deed het.' Hij liet zijn zwaard weer in de schede glijden. 'Je kunt het haar niet kwalijk nemen dat ze een deur open liet staan. Ze wist niet wat er zou gebeuren. Dat wist niemand van jullie. Als jij het had geweten, was je thuisgebleven. Als je gezin het had geweten, hadden ze het licht gedoofd. Hoe eerder je stopt met onschuldige mensen de schuld te geven en probeert het probleem aan te pakken, hoe beter het met iedereen zal gaan.

Theron, dat wapen van jou kan dan wel bijzonder scherp zijn, maar wat is een scherp wapen waard wanneer je er niets mee kunt raken of, erger nog, het verkeerde doel raakt? Met haat kun je geen enkel gevecht winnen. Woede en haat kunnen je moedig maken, sterk maken, maar je doet er ook stomme dingen door. Uiteindelijk struikel je over je eigen voeten.' Hadriaan keek naar de oude man. 'Ik denk dat dat genoeg is voor de les van vandaag.'

Rolf en Esrahaddon keerden nog geen uur voor zonsondergang terug en kwamen achter een optocht terecht van allerlei vee dat de weg blokkeerde. Het leek wel of alle beesten uit het dorp gingen verhuizen; de meeste mensen liepen aan de zijkanten met stokken en bellen, potten en pannen, waarop ze met lepels sloegen om het vee de heuvel op naar het grote landhuis te drijven. Schapen en koeien liepen braaf achter elkaar, maar de varkens en biggen vormden een probleem. Gelukkig liep Parel vlak voor Rolf en Esrahaddon in de achterhoede, en zij was een meesterlijke varkenshoedster.

Roos Deernstra, de vrouw van de smid, zag hen het eerst en opeens hoorde Rolf hier en daar opgewonden geroep van: 'Hij is terug!'

'Wat is er aan de hand?' vroeg Rolf aan Parel, omdat hij haar liever aansprak dan de volwassenen.

'Brengen de beesten naar het kasteel. Gaan daar allemaal slapen, zeggen ze.'

'Weet je waar Hadriaan is? Die man die bij me was toen we aankwamen? Met Trees achterop?'

'Kasteel,' zei Parel en kneep haar ogen tot spleetjes toen ze hem scherp aankeek. 'Heb jij echt een big in het donker gevangen?'

Rolf keek haar niet-begrijpend aan. Op dat moment rende er een varken uit de rij en Parel schoot erachteraan, wuivend met haar lange tak.

Het kasteel van de heer van de Westeroever was een typisch fort, waarvan het hoge woonhuis op een steile, door mensen opgeworpen motte stond, omgeven door een muur van scherpgepunte houten palen die ook de bijgebouwen beschermde. Een zware poort vormde de ingang. Daaromheen was een halfslachtige poging gedaan een slotgracht aan te leggen, maar meer dan een ondiepe geul kon je het niet noemen. Van omgehakte bomen stonden scherpe boomstronken tot veertig meter vanaf het kasteel over de heuvel verspreid.

Daaronder stonden mannen nog meer dennenbomen om te hakken. Rolf kende de namen nog niet zo goed, maar hij herkende Vin Griffin en Rumold Beidewikke die met een tweehandige zaag aan het werk waren. Tad en een paar andere jongens renden rond om grote takken met bijlen en hakmessen te lijf te gaan. Drie meiden bonden takken tot bundels bij elkaar en gooiden ze op een wagen. Ditmar en zijn zonen gebruikten de ossen om de stammen naar het kasteel te slepen, waar nog meer mannen het hout spleten en in stukken zaagden.

Hadriaan was houtblokken aan het splijten bij de poort in de palissade, toen Rolf hem ontdekte. Hij was naakt tot het middel op het zilveren medaillon na, dat aan een kettinkje rond zijn nek bungelde, terwijl hij vooroverboog om een nieuw blok op het hakblok te plaatsen.

'Je hebt je aardig met hun zaken bemoeid, zie ik?' vroeg Rolf, om zich heen kijkend naar alle drukte.

'Je moet toegeven dat ze niet echt een verdedigingsplan hadden,' zei Hadriaan die rechtop ging staan om het zweet van zijn voorhoofd te vegen.

Rolf lachte. 'Je kunt het ook nooit laten, hè?'

'En jij dan? Heb je de deurknop gevonden?'

Hadriaan pakte een kruik op en nam een paar teugen, zo gulzig dat het water langs zijn kin droop. Hij plensde wat water over zijn handen, maakte zijn gezicht schoon en kamde met zijn vingers zijn haar naar achteren.

'Ik ben niet eens in de buurt van een voordeur geweest.'

'Nou ja, bekijk het van de positieve kant,' zei Hadriaan met een glimlach. 'Je bent deze keer tenminste niet gevangengenomen en ter dood veroordeeld.'

'O, noem je dat de positieve kant?'

'Wat moet ik anders zeggen? Voor mij is het glas altijd halfvol.'

'Daar is-ie!' riep Rumold en wees. 'Daar is Rolf, daarboven!'

'Wat gaan we nou krijgen' vroeg Rolf, terwijl massa's mensen opeens vanuit het veld en vanuit het kasteel op hem af kwamen hollen.

'O, ik liet vallen dat jij het beest hebt gezien en nu willen ze weten hoe het er eigenlijk uitziet,' legde Hadriaan uit. 'Wat dacht je dan? Dat ze je kwamen lynchen?'

Rolf haalde zijn schouders op. 'Tja, wat moet ik zeggen? Voor mij is het glas altijd halfleeg.'

'Halfleeg?' grinnikte Hadriaan. 'Weet je zeker dat er überhaupt drank in jouw glas zat?'

Rolf bleef nog even op Hadriaan mopperen tot de dorpelingen allemaal dicht rondom hen heen stonden. De vrouwen droegen hoofddoekjes die vochtig waren waar ze het voorhoofd raakten, ze hadden hun mouwen opgestroopt en ze hadden vuile strepen op hun gezicht. De meeste mannen hadden net als Hadriaan hun hemd uitgedaan; zaagsel en dennennaalden plakten tegen hun huid.

'Heb je hem gezien?' vroeg Ditmar. 'Heb je hem echt kunnen bekijken?'

'Ja,' antwoordde Rolf en een aantal mensen mompelden.

'Hoe zag-ie eruit?' vroeg diaken Tomas. De priester stond op enige afstand van het volk, en hij zag er opmerkelijk schoon, fris en uitgerust uit.

'Had-ie vleugels?' vroeg Rumold.

'Had-ie klauwen?' vroeg Tad.

'Hoe groot was-ie?' vroeg Vin.

'Laat die man toch antwoorden!' bulderde Ditmar en de rest zweeg bedremmeld.

'Hij heeft vleugels en klauwen. Ik zag hem maar even omdat hij boven de bomen vloog. Ik zag hem door een opening in het bladerdek, maar wat ik zag was lang, als een slang of een hagedis, met vleugels dus en twee poten waarin... waarmee hij Maai Drundel vasthad.'

'Een hagedis met vleugels?' herhaalde Ditmar.

'Een draak!' riep een vrouw uit. 'Dat is het, vast en zeker. Het is een draak!'

'Dat klopt,' zei Rumold. 'Zo'n hagedis met vleugels is een draak.'

'Ze schijnen een zwakke plek tussen hun schubben te hebben, bij hun oksel, of wat een draak dan ook heeft onder zijn poten,' zei een vrouw met een onwaarschijnlijk smerige neus. 'Ze zeggen dat een boogschutter eens een draak in volle vlucht gedood heeft door hem onder zijn poot te raken.'

'En ze zeggen ook dat je een draak zijn kracht ontneemt door zijn schat te stelen,' zei een kale man vol overtuiging. 'Er

is zo'n verhaal waarin een prins in het leger van een draak gevangenzat en hij gooide alle schatten van de draak in de zee
en dat beest werd zo zwak dat de prins hem makkelijk dood
kon maken door een dolk in zijn oog te steken.'

'Maar ik heb gehoord dat draken onsterfelijk zijn en dat je
ze nooit dood kunt maken,' zei Roos.

'Het is geen draak,' zei Esrahaddon, met afgrijzen over zoveel domheid. Hij stapte uit de menigte naar achteren en iedereen draaide zich om.

'Hoezo niet?' vroeg Vin.

'Daarom niet,' antwoordde Esrahaddon. 'Als het namelijk
een draak was wiens woede jullie hadden opgewekt, zou jullie
dorp al maanden geleden van het oppervlak van Elan zijn weg-
gevaagd. Draken zijn zeer intelligente wezens, veel wijzer dan
jullie of zelfs dan ik, en machtiger dan we ons ook maar kunnen voorstellen. Nee, vrouw Brokker, geen enkele boogschutter heeft ooit een draak gedood door een pijl in zijn zwakke
plek te schieten. En nee, meneer De Goede, een draak verliest
niet op slag zijn kracht wanneer je zijn schat steelt. Trouwens,
draken hebben geen schat. Wat zou een draak nu moeten met
goud of edelstenen? Denken jullie soms dat er een winkel voor
draken is of zo? Draken geloven niet in bezittingen, tenzij je
herinneringen, kracht en eer als bezit wilt zien.'

'Maar hij zei dat hij hem heeft gezien,' wierp Vin tegen.

De magiër zuchtte. 'Hij zei dat hij een slang dan wel een
hagedis met vleugels en twee poten heeft gezien. Dat had je
al genoeg moeten zeggen.' De magiër wendde zich tot Parel,
die eindelijk alle varkens op de binnenplaats van het kasteel
had gekregen en teruggerend was om alles te horen. 'Zeg eens,
Parel, hoeveel poten heeft een draak?'

'Vier,' zei het kind zonder een moment te aarzelen.

'Precies. Dit is geen draak.'

'Maar wat is het dan?' vroeg Rumold.

'Een Gilarabriwin,' antwoordde Esrahaddon luchtig.

'Een... een wát?'

'Gi-la-ra-bri-win,' sprak de magiër langzaam, lettergreep

voor lettergreep. 'Gilarabriwin, een magisch wezen.'

'Wat betekent dat? Kan hij je vervloeken, zoals een heks?'

'Nee, het betekent dat het niet natuurlijk is. Hij is niet geboren, hij is gemaakt... of tevoorschijn getoverd, als je wilt.'

'Dat is onzin,' zei Rumold. 'Hoe goedgelovig denk je dat we zijn? Deze giladinges, hoe het ook heet, heeft zeker tien mensen doodgemaakt. Het is niet met houtjes in elkaar geknutseld.'

'Nee, wacht eens,' kwam diaken Tomas tussenbeide, wuivend te midden van de drom mensen. Ze gingen uiteen en daar stond de geestelijke met zijn handen nog steeds in de lucht en een bedachtzame blik. 'Er is inderdaad een beest geweest dat Gilarabriwin heet. Dat heb ik op het seminarie geleerd. In de Grote Elfenoorlogen waren ze wapens van het Erivaanse Rijk – oorlogsbeesten, vreselijke gevaartes die landschappen vernietigden en duizenden slachtoffers maakten. Er zijn verslagen van hoe ze hele steden in de as hebben gelegd en hele legers verpletterd hebben. Ze waren tegen elk wapen bestand.'

'Je hebt goed opgelet op school, diaken,' zei Esrahaddon. 'Gilarabriwins waren verwoestende oorlogsapparaten – intelligente, krachtige, geruisloze moordenaars vanuit de lucht.'

'Hoe kan er dan nog eentje leven na zo'n lange tijd?' vroeg Rumold.

'Het zijn geen levende wezens. Ze kunnen geen natuurlijke dood sterven, omdat ze niet echt levend zijn zoals wij levende wezens kennen.'

'Ik denk dat we nog meer hout nodig gaan hebben,' mompelde Hadriaan.

Terwijl de zon onderging, richtten de boeren het kasteel voor de nacht in. De kinderen en vrouwen verzamelden zich in de grote, hoge zaal van het hoofdgebouw, terwijl de mannen tot in de schemering bezig bleven met het maken van enorme houtstapels. Hadriaan had teams samengesteld voor het hakken, slepen en opbouwen, zodat tegen de avond zes grote brandstapels rond de palissade en een op de binnenhof waren verrezen. Ze overgoten de stapels met olie en dierlijk vet om het ontsteken sneller te laten verlopen. Het zou een lange nacht worden en ze wilden niet dat de vuren uit zouden gaan, noch dat ze te laat zouden gaan branden.

'Hadriaan!' riep Trees terwijl ze in paniek de binnenplaats op rende.

'Trees,' zei Hadriaan die tot op het laatst met de houtstapel op de hof bezig bleef. 'Het is bijna donker. Blijf nou binnen.'

'Mijn vader is er niet!' riep ze. 'Ik heb overal rond en in het kasteel gezocht. Niemand heeft hem gezien. Hij is vast thuisgebleven. Daar zit hij helemaal alleen, en als hij de enige is vannacht...'

'Rolf!' riep Hadriaan, maar dat was niet nodig want Rolf kwam de stallen al uit met de twee gezadelde paarden.

'Ze zei het al tegen mij,' zei de dief en overhandigde hem Millies teugels.

'Dat eigenwijze stuk vreten,' zei Hadriaan, die zijn hemd en wapens greep en zich op het paard hees. 'Ik heb hem nog zo gezegd naar het kasteel te komen!'

'Ik ook,' zei ze met een bleek gezicht van angst.

'Maak je geen zorgen, Trees. We brengen hem veilig hier.'

Ze spoorden hun paarden aan en reden in galop de poort uit.

Theron zat te midden van de puinhopen van zijn huis op een houten stoeltje. Net over de drempel brandde een klein vuurtje in een ondiepe kuil.

De hemel was eindelijk donker geworden en hij zag de sterren verschijnen. Hij luisterde naar de nachtelijke muziek van krekels en kikkers. Een uil vloog in de verte uit om te jagen. Het vuur knetterde en als achtergrond van dat alles ruiste onophoudelijk de waterval. Muggen vlogen het onbeschermde huis binnen. Ze dansten, landden en beten. De oude man liet ze begaan. Hij zat daar zoals hij elke nacht had gezeten, alleen met zijn herinneringen en starend in het niets.

Zijn blik viel op de wieg. Theron herinnerde zich de tijd dat hij hem voor zijn eerste zoon had gemaakt. Hij en Addie hadden besloten hun eerstgeborene Braam te noemen – een taaie, buigzame plant met zoete vruchten. Theron had het hele bos uitgekamd om het beste beukenhout te vinden en op een dag trof hij de perfecte boom aan op een heuveltje, badend in zonlicht alsof de goden hem aanwezen. Elke avond had Theron aan het wiegje geschaafd en het hout gebogen zodat het kon schommelen, en het afgelakt zodat het lang mee zou gaan. Alle vijf zijn kinderen hadden erin geslapen. Braam stierf nog voor zijn eerste verjaardag aan een ziekte waarvoor geen naam was. Al zijn zonen waren jong gestorven, op Thim na, die een sterke jongeman was geworden. Hij was met Emma getrouwd, een lief kind, en toen Therons eerste kleinkindje geboren was, hadden ze hem Braam genoemd. Theron wist nog dat het toen leek of de wereld alle zware tijden in zijn leven goed wilde maken, dat op de een of andere manier de onrechtvaardige straf van de vroegtijdige dood van zijn eerstgeborene gewist werd door het leven van zijn kleinzoon. Maar dat was nu allemaal voorbij. Alles wat hem restte was het met bloed besmeurde bedje van vijf dode kinderen.

Achter de wieg lag een van Addies twee jurken. Het was een afzichtelijk vod, vol vlekken en scheuren, maar in zijn waterige ogen was het wondermooi. Ze was een goede vrouw geweest. Meer dan dertig jaar was ze hem van het ene naar het andere troosteloze stadje gevolgd, terwijl hij op zoek was naar een huis dat hij het zijne kon noemen. Ze bezaten niet veel en ze hadden vaak honger geleden, en meerdere keren waren ze bijna doodgegaan van de kou. In al die jaren had hij haar niet één keer horen klagen. Ze had zijn kleren versteld en zijn gebroken botten gezet, zijn maaltijden gekookt en hem verzorgd als hij ziek was. Ze was altijd broodmager geweest, omdat ze de grootste porties van hun sobere maaltijd aan hem en de kinderen gaf. Haar kleren waren het oudst van allemaal. Ze had nooit tijd gehad om haar eigen goed te verstellen. Ja, ze was een goede vrouw geweest en Theron kon zich niet herinneren ooit gezegd te hebben dat hij van haar hield. Daar had hij nooit de noodzaak van ingezien. Het beest had ook haar meegenomen, had haar zo van het pad tussen het dorp en de boerderij geplukt. Thims Emma had de leegte opgevuld, had het makkelijker gemaakt verder te gaan. Hij had geprobeerd haar uit zijn gedachten te bannen door zich te blijven richten op het doel, maar nu was het doel dood, en zijn huis was ingestort.

Hoe moet het voor hen zijn geweest toen het beest kwam? Leefden ze nog toen hij zijn klauwen uitsloeg? Hebben ze geleden? De gedachten kwelden de boer terwijl het gezang van de krekels wegstierf.

Hij stond op, met zijn zeis in de hand, en maakte zich op om de duisternis in te gaan, toen hij de reden van het wegsterven van de nachtelijke geluiden begreep. Paarden kwamen met donderende hoeven het pad op gegaloppeerd en even later zag hij in het licht van het kampvuur de twee mannen die Trees had gehuurd.

'Theron!' schreeuwde Hadriaan, terwijl hij en Rolf het erf van de Boschhoeve op kwamen. De zon was ondergegaan, het was donker maar de oude man had een welkomstvuur laten branden – al was het niet voor hen bedoeld. 'Kom, we gaan. We moeten snel terug naar het kasteel.'

'Ga jij maar terug,' gromde de oude man. 'Ik heb jullie niet gevraagd hier te komen. Dit is mijn huis en hier blijf ik.'

'Je dochter heeft je nodig. Zo, klim nu maar op dit paard. Veel tijd hebben we niet.'

'Ik ga helemaal nergens naartoe. Ze overleeft het wel. Ze woont bij de Beidewikkes. Die zorgen prima voor haar. En nu: van mijn land af!'

Hadriaan steeg af en beende naar de boer, die als een diepgewortelde eik op zijn erf stond.

'Goden, je bent ook zo koppig als een ezel. Nu stap je zelf op dat paard of ik zet je erop.'

'Probeer dan maar eens me erop te krijgen,' zei de oude boer. Hij legde zijn zeis neer en sloeg zijn armen over elkaar.

Hadriaan keek over zijn schouder naar Rolf, die zwijgend

op Muis zat. 'Waarom help je niet even?'

'Dit is niet echt mijn sterkste kant. Maar als je hem dood wilt hebben, kan ik het wel voor je regelen.'

Hadriaan zuchtte. 'Klim nou alsjeblieft op dat paard. Als je hier blijft gaan we alle drie dood.'

'Zoals ik zei, ik heb jullie niet gevraagd te komen.'

'Verdomme,' vloekte Hadriaan terwijl hij zijn wapens afdeed en ze aan het zadel bond.

'Voorzichtig,' zei Rolf, geamuseerd vooroverleunend. 'Hij is oud, maar hij ziet eruit als een keiharde.'

Hadriaan rende op volle snelheid naar de oude boer en tackelde hem. Theron, die nu op de grond lag, was groter dan Hadriaan en had krachtige handen en armen dankzij die tientallen jaren vol onophoudelijk zwaar werk, maar Hadriaan was snel en lenig. De twee begonnen een worstelwedstrijd waarbij ze door het stof rolden en gromden in een poging in het voordeel te komen.

'Dit is bespottelijk,' bracht Hadriaan uit en hij stond weer op. 'Als je nou alleen even op dat paard ging zitten...'

'Ga d'r zelf op zitten. En donder dan op en laat me met rust!' schreeuwde Theron, terwijl hij hijgend op adem kwam, voorovergebogen met de handen op de knieën.

'Misschien kun je me nu even helpen?' vroeg Hadriaan aan Rolf.

Rolf rolde met zijn ogen en steeg af. 'Ik had niet gedacht dat het je zoveel moeite zou kosten.'

'Het is niet eenvoudig om iemand die groter is dan jij in bedwang te houden en hem geen pijn te doen.'

'Nou, dan denk ik dat we je probleem gevonden hebben. Waarom zouden we niet proberen hem pijn te doen? Dat helpt vaak uitstekend.'

Toen ze zich omdraaiden om Theron beet te pakken, had de boer een flinke stok in zijn handen en een standvastige blik in de ogen.

Hadriaan zuchtte weer. 'Ik denk dat we geen keus hebben.'

'Papa!' gilde Trees, die hijgend de kring van licht kwam

binnenrennen, terwijl de tranen over haar wangen biggelden. 'Papa!' riep ze huilend en sloeg haar armen om hem heen toen ze bij hem was.

'Trees, wat doe jij nou weer hier?' riep Theron uit. 'Het is hier niet veilig.'

'Ik kwam jou halen.'

'Ik blijf hier.' Hij duwde zijn dochter van zich af. 'Neem die huurlingen van je nu maar mee en ga als de gesmeerde bliksem naar de Beidewikkes. Hoor je me?'

'Nee,' schreeuwde Trees en probeerde hem weer vast te pakken. 'Ik laat je niet alleen.'

'Trees,' bulderde hij met zijn grote lijf boven haar uittorenend. 'Ik ben je vader en je doet wat ik zeg!'

'Nee!' schreeuwde ze net zo hard terug, en het licht van het vuur weerkaatste op haar natte wangen. 'Ik laat je hier niet in je eentje doodgaan. Je kunt me slaan zoveel je wilt, maar dan moet je wel naar het kasteel komen om het uit te voeren.'

'Krankzinnig kind dat je d'r bent,' schold hij. 'Je maakt jezelf nog van kant. Weet je dat dan niet?'

'Maakt me niet uit!' gilde ze schril, met gebalde vuisten stevig tegen zich aangedrukt. 'Waarom zou ik in leven blijven als mijn eigen vader – de enige familie die ik nog heb in de wereld – me zo erg haat dat hij liever zou sterven dan naar me te kijken?'

Theron was even van slag.

'Eerst,' begon ze met trillende stem, 'dacht ik dat je er zeker van wilde zijn dat er geen anderen waren gedood, en toen dacht ik dat je misschien – ik weet niet – hun zielen rust wilde schenken. Toen dacht ik dat je gewoon wraak wilde nemen. Misschien vrat de haat aan je. Misschien had je aan moeten zien hoe ze gedood werden. Maar daar klopte allemaal niets van. Je wilt alleen maar dood. Je haat jezelf, en je haat mij. Er is niets meer om voor te leven voor jou, niets waarom je nog geeft.'

'Ik haat je niet,' zei Theron.

'Jawel. Je haat me omdat het mijn schuld was. Ik weet wat ze voor je betekenden – en ik word er elke morgen mee wakker.' Ze veegde haar tranen weg zodat ze beter kon zien. 'Als ik het was geweest, dan was het net zo geweest als toen met ma: je had een lat in de Steenheuvel geslagen met mijn naam erop en daarna hup: meteen weer aan het werk. Je zou de ploeg gepakt hebben en Maribor danken voor zijn goedheid dat hij je zoon had gespaard. Ík had moeten sterven, maar ik kan niet veranderen wat er is gebeurd, en jouw dood kan hem niet terugbrengen. Niets kan hem terugbrengen. En toch, als hier te sterven met jou het enige is wat ik kan doen, of wat me te doen staat, dan doe ik dat. Ik laat je niet in de steek, papa. Ik kan het niet. Ik kan het echt niet.' Ze viel op haar knieën, uitgeput, en met een zwak stemmetje zei ze: 'Dan zijn we tenminste weer allemaal bij elkaar.'

Toen, alsof het bos zijn adem inhield, werd het doodstil om hen heen. Deze keer stopten de krekels en kikkers zo abrupt dat de stilte oorverdovend leek te worden.

'Nee,' zei Theron hoofdschuddend. Hij keek op naar de nachtelijke hemel. '*Nee!*'

De boer greep zijn dochter bij de hand en trok haar omhoog. 'We gaan.' Hij draaide zich om. 'Help ons.'

Hadriaan trok Millie dichterbij. 'Opstappen, allebei.' Millie trappelde en begon te trekken en te draaien, met opengesperde neusgaten en nerveus bewegende oren. Hadriaan greep haar bij het bit en hield haar in bedwang.

Theron stapte op het paard en trok Trees voor zich in het zadel. Toen stuurde hij Millie met een flinke tik van zijn hak het pad op naar het dorp. Rolf sprong op Muis en stak een hand uit naar Hadriaan om hem op te trekken, terwijl hij zijn paard aanspoorde om de nacht in te galopperen.

De paarden hadden verder geen aansporing nodig terwijl ze in volle vaart voort renden, met het angstzweet op hun huid. Hun hoeven roffelden op de grond als donderende trommelslagen. Het pad dat voor hen lag was slechts iets lichter dan de rest van het woud en Hadriaan zag het als door een waas, vanwege zijn tranende ogen die de tegenwind hem bezorgde.

'Boven ons!' schreeuwde Rolf. Boven hun hoofden hoorden ze geratel van het bladerdak.

De paarden renden in een scherpe hoek het woud in. Onzichtbare takken, bladeren en uitsteeksels vol naalden klapten tegen hen aan, geselden hen, sloegen hen. Ze reden door het kreupelhout, rakelings langs boomstammen, door de lage takken heen. Hadriaan voelde Rolf duiken en deed hem precies na.

Doemp. Doemp. Doemp.

Hadriaan kon een trage slag in de lucht horen, een dof pompend geluid. Een enorme windvlaag vanboven veroorzaakte een neerwaartse stroom lucht. Tegelijkertijd was daar het angstwekkende geluid van knappen, breken, versplintering. De boomtoppen schudden hevig en leken uiteen te spatten.

'Lage tak!' schreeuwde Rolf, terwijl de paarden over een boomstam heen sprongen.

Hadriaan dreigde te vallen, maar bleef zitten omdat Rolf hem snel vastgreep. In het duister hoorde hij Trees gillen, gegrom en het geluid alsof een bijl in een blok hout sloeg. De dief trok hard aan Muis' teugels, en zo hard hij kon trok hij het hoofd van het dier naar opzij, terwijl het steigerde en snoof. Hadriaan hoorde Millie als een dolle verder galopperen.

'Wat is er aan de hand?' vroeg Hadriaan.

'Ze zijn gevallen,' gromde Rolf.

'Ik zie ze nergens.'

'In dat bosje, rechts van je,' zei Rolf die afsteeg van Muis, die paniekerig haar hoofd op en neer bewoog.

'Hier,' zei Theron, met zwoegende stem, 'hier zijn we.'

De boer stond over zijn dochter gebogen. Bewusteloos lag ze op de grond, haar lichaam in een vreemde kronkel. Bloed drupte uit haar neus en mond.

'Ze raakte die tak,' zei Theron met angstige, bevende stem. 'Ik zag... ik zag hem niet.'

'Zet haar op mijn paard,' beval Rolf. 'Theron, neem haar mee en rijd naar het kasteel. We zijn er vlakbij. Je kunt het licht van het vreugdevuur al zien.'

De oude boer protesteerde niet. Hij steeg op Muis, die nog steeds met haar hoeven op de grond tikte en luid snoof. Hadriaan tilde Trees op. Een straaltje maanlicht bescheen een donkere vlek op haar gezicht, een lange gapende streep. Hij nam haar op en haar hoofd viel slap achterover; haar armen en benen bungelden mee. Ze leek wel dood. Hij gaf haar over aan Theron, die zijn dochter stevig tegen zijn borst aan gedrukt hield. Rolf liet het bit los en het paard ging er weer vandoor, rennend naar het open veld, de heuvel op. Rolf en Hadriaan bleven achter.

'Zou Millie nog in de buurt zijn?' fluisterde Hadriaan.

'Ik denk dat Millie het voorgerecht is.'

'Dan zal het goede nieuws wel zijn dat Trees en Theron een vrije aftocht hebben.'

Langzaam liepen ze naar de rand van het woud. Ze waren vlak bij de plek waar Ditmar en zijn jongens eerder die dag bomen hadden gekapt. Ze konden nu drie vuren zien loeien; ze beschenen de heuvel en het veld.

'En wij?' vroeg Rolf.

'Denk je dat de Gilarabriwin weet dat we hier verscholen zitten?'

'Esrahaddon zei dat ze intelligent waren, dus neem ik aan dat ze kunnen tellen.'

'Dan zal hij terugkomen om ons te zoeken. We moeten het kasteel zien te bereiken. De afstand over open veld is... hoeveel? Een meter of honderd?'

'Zo ongeveer,' zei Rolf.

'Ik hoop dat hij nog met Millie bezig is. Klaar?'

'We moeten ons verspreiden zodat hij er maar een van ons te pakken kan krijgen. Ren.' Het gras was glad van de dauw en zat vol stronken en kuilen. Hadriaan was pas een meter of tien gevorderd toen hij struikelde en vooroverklapte.

'Blijf achter me,' zei Rolf.

'Ik dacht dat we ons moesten verspreiden?'

'Dat was voor ik me herinnerde dat je praktisch blind bent.'

Ze sprintten weer weg, zigzaggend en springend, toen Rolf het pad de heuvel op bereikte. Ze waren bijna halverwege toen ze een angstaanjagend gekrijs hoorden.

Doemp. Doemp. Doemp.

Het doffe geklapper ging rakelings langs hen heen. Toen Hadriaan omhoogkeek, zag hij een duistere vorm voor de rijzende maan langsvliegen; het silhouet van een slang met vleermuisvleugels gleed cirkelend als een valk op muizenjacht door de lucht.

Het gekrijs stopte.

'Hij gaat duiken!' gilde Rolf.

Een enorme windvlaag drukte hen tegen de grond. De vuren waren in één klap uitgeblazen. Een seconde later klonk er een dof gerommel uit de aarde en een kolossale muur van groen vuur steeg vlak achter hen op en verspreidde zich als een ring om de heuveltop. Angstwekkende vlammen van tien meter hoog flitsten op als bomen van licht die een intense hitte verspreidden.

Nu hij niet langer moeite had te zien waar hij liep, sprong Hadriaan overeind en rende zo hard als hij kon naar de poort, met Rolf op zijn hielen. Achter zich hoorde hij het vuur loeien. Boven zich hoorde hij het ijzingwekkende gekrijs.

Ditmar, Vin en Rumold sloegen de poort dicht zodra ze binnen waren. Het vuur op de binnenplaats dat ze tot nog toe niet hadden aangestoken, deed iedereen achteruitdeinzen van schrik toen het explodeerde in een schitterende blauwgroene vlam, die zich als een zuil in de lucht verhief. En nogmaals klonk vanuit de duisternis de kreet van de Gilarabriwin.

Het smaragdgroene hellevuur doofde langzaam. De vlammen verloren hun groene kleur en zakten in tot het gewone vlammen waren geworden. Het vuur knapte en siste, een vonkenregen spoot de lucht in. De mensen op de binnenplaats staarden naar boven, maar er kwam geen nieuw teken van leven van het beest. In de verte begonnen de krekels weer te tsjirpen.

6

DE KRACHTMETING

'Ik kan u verzekeren, majesteit,' zei Arista met haar inne-mendste stem, 'dat er geen enkele verandering zal zijn in het buitenlandse en binnenlandse beleid onder koning Alrics bewind. Hij zal dezelfde agenda als wijlen onze vader nastre-ven – de waardigheid en eer van het huis Essendon hoog te houden. Melengar zal voortgaan met uw vriendschappelijke buurman aan de westkant te zijn.'

Arista stond voor de koning van Dunmoer in haar moeders mooiste japon – het adembenemende gewaad van zilverzijde. Veertig knoopjes sloten de mouwen. Meters krinkelfluweel vormden de zomen van het geborduurde lijfje en de wijde rok. De boothals liet het grootste deel van haar schouders vrij. Ze stond kaarsrecht, kin geheven, ogen recht naar voren en met de handen zedig gevouwen.

Koning Roswort, die op zijn troon zat in een bontmantel die uit wolvenstaarten scheen te bestaan, leegde zijn bokaal en boerde. Hij was klein en wanstaltig dik. Zijn ronde, vlezige gelaat hing slap onder zijn eigen gewicht, en verzamelde zich beneden in de vorm van drie onderkinnen. Zijn ogen waren halfgesloten, zijn lippen vochtig, en ze kon zweren dat er een sliertje spuug door de plooien van zijn hals naar beneden droop. Zijn vrouw, Freda, zat naast hem. Ook zij was aan de forse kant, maar mager in vergelijking tot haar echtgenoot. Terwijl de koning een overvloed aan vocht scheen te bezitten was zij zo droog als een woestijn, zowel in uiterlijk als gedrag.

De troonzaal was klein met een houten vloer en balken die het hoge kathedraalachtige plafond torsten. Uit de muur staken de koppen van herten en elanden, die zo onder het stof zaten dat alle dieren een grijze vacht schenen te dragen. Naast de deur stond de befaamde, bijna twee meter hoge beer die Oswald heette, met zijn klauwen in de lucht en de bek open; je hoorde hem nog net niet grommen. Volgens een beroemde legende in Dunmoer had Oswald vijf ridders en een onbekend aantal boeren en pachters gedood voordat koning Ogden, Rosworts grootvader, hem versloeg met niets anders dan een dolk. Dat was zeventig jaar eerder gebeurd, toen Glamrendor nog maar een grensfort was en Dunmoer weinig meer dan een bos met wat paadjes. Roswort zelf kon niet bogen op roem van die orde. Hij had de jachttradities van de hoge heren van het hof gelaten voor wat ze waren en dat was hem aan te zien.

De koning hield zijn bokaal omhoog en schudde ermee.

Arista wachtte en de koningin geeuwde. Ergens achter haar liepen snelle voeten de troonzaal door. Er was gemompel, toen die voeten weer, gevolgd door het knippen van vingers. Uiteindelijk naderde een tengere en broze gestalte de verhoging – een elf. Hij was gekleed in een saai bruin uniform van ruwe wol. Rond zijn hals zat een zware ijzeren band die met klinknagels gesloten was. Hij droeg een schenkkan, waarmee hij de bokaal van de koning bijvulde, en liep achterwaarts weer terug. De koning dronk, hield de bokaal te schuin zodat de wijn een dun roze lijntje rond zijn mond vormde en er druppels aan zijn borstelige bakkebaarden bleven hangen. Hij boerde nogmaals, deze keer wat luider en zuchtte tevreden. Hij richtte zijn blik weer op Arista.

'Maar hoe zit dat met die kwestie van Braga's dood?' vroeg Roswort. 'Heb je bewijzen om aan te tonen dat hij bij die zogenaamde samenzwering betrokken was?'

'Hij heeft geprobeerd me te vermoorden.'

'Ja, dat zeg jij, maar al deed hij dat, hij had er een goede reden voor, naar het schijnt. Braga was een goed en vroom

Nyphron en jij bent uiteindelijk een heks.'

Arista kneep haar handen samen. Het was niet de eerste keer en haar vingers gingen er pijn van doen. 'Vergeeft u me, majesteit, maar ik vrees dat u niet goed bent ingelicht over dat onderwerp.'

'Niet goed ingelicht? Ik heb...' Hij hoestte, en hoestte nogmaals en spuugde toen een flinke fluim op de vloer naast zijn troon. Freda keek ijzig naar de elfdienaar die voren kwam en het wegpoetste met de zoom van zijn tuniek.

'Ik heb uitstekende informatievergaarders,' ging de koning verder, 'die me hebben weten te vertellen dat Braga en bisschop Saldur je een proces hebben aangedaan om antwoord te geven op de beschuldigingen van hekserij en de moord op je vader. Direct daarna was Braga dood, onthoofd en beschuldigd van dezelfde misdaden die hij jou ten laste legde. En nou kom je hier als ambassadeur van Melengar – een vrouw! Ik ben bang dat ik dit wel een erg gemakkelijke oplossing vind.'

'Braga beschuldigde me ook van de moord op zijne majesteit koning Alric, die me aanstelde in dit ambt, of ontkent u zijn bestaan ook?'

De koninklijke wenkbrauwen gingen omhoog. 'Je bent jong,' zei hij koel. 'Dit is je eerste audiëntie als ambassadeur. Ik zal deze brutaliteit negeren – ditmaal. Als je me nog een keer beledigt, laat ik je mijn koninkrijk uitzetten.'

Arista boog zwijgend haar hoofd.

'Het is geen goed voorteken voor ons dat de troon van Melengar ingenomen is door bloedvergieten. Noch dat het huis Essendon slechts lippendienst aan de kerk bewijst. Bovendien is de tolerantie van jouw koninkrijk ten opzichte van elfen weerzinwekkend. Jullie laten die smerige beesten vrij rondlopen. Dat heeft Novron nooit zo bedoeld. De kerk leert ons dat de elf een ziekte is. Ze moeten als laagste bediende worden gehouden of geheel van de aardbodem verdwijnen. Het zijn ratten en Melengar is de houtstapel waarin ze zich voortplanten, naast onze deur. Nee, ik twijfel er niet aan dat Alric zijn vaders beleid zal voortzetten. Ze zijn allebei met oogkleppen op geboren. Er zijn veranderingen op til en ik voorzie nu al dat Melengar te onnozel is om mee te waaien op die winden. Des te beter voor Dunmoer, denk ik.'

Arista deed haar mond open, maar de koning stak waarschuwend een vinger op.

'Dit onderhoud is voorbij. Ga maar terug naar je broer en zeg hem dat wij je de gunst hebben verleend met ons te spreken en dat we niet onder de indruk waren.'

De koning en koningin stonden tegelijk op en vertrokken door de achteruitgang, Arista achterlatend met het uitzicht op twee lege houten zetels. De elf, die vlakbij stond, hield haar nauwlettend in het oog, maar zei niets. Ze speelde even met het idee om de rest van haar toespraak op te zeggen. De nutteloosheid zou die van net evenaren; lege tronen konden niet minder ontvankelijk zijn, maar zouden zich beslist beleefder gedragen.

Ze zuchtte en liet haar schouders hangen. *Had het erger kunnen aflopen?* Ze draaide zich om en liep naar buiten, met het ruisende geluid van haar prachtige jurk in de oren.

Ze liep de poort van het kasteel uit en keek neer op de stad. Diepe geulen lagen als littekens op de ongelijke zandweg, zo hobbelig en bezaaid met keien dat het een droge rivierbedding leek. De zon bleekte de rijtjeshuisjes van gelijke grootte tot een bleekgrijs. De meeste inwoners droegen kleding van ongebleekte wol of linnen in vale kleuren. Tientallen mensen met vermoeide gezichten zaten op hoeken of liepen doelloos rond, met een hand uitgestoken. De voorbijgangers deden of ze onzichtbaar waren. Het was Arista's eerste bezoek aan Glamrendor, de hoofdstad van Dunmoer. Ze schudde haar hoofd en mompelde zacht: 'Jullie zijn niet ongezien gebleven.'

Ondanks het povere uiterlijk was het een drukte van belang in de stad, maar ze vermoedde dat er maar enkele van de bedrijvige lieden uit Glamrendor zelf kwamen. Het was makkelijk vast te stellen. Zij van buiten de stad droegen schoenen. Wagens, rijtuigen, koetsjes en paarden haastten zich door de hoofdstad deze ochtend, allemaal in oostelijke richting. De kerk had de krachtmeting voor ieder die eraan mee wilde doen opengesteld, van hoog tot laag. Voor de gewone man was het hun kans op roem, rijkdom en glorie.

Haar eigen koets stond te wachten, met het vaantje van de valk van Melengar in top; Hilfred hield de deur voor haar open. Binnenin zat Berthe met een schaal lekkernijen op haar schoot en een glimlach rond de lippen. 'En hoe ging het, hoogheid? Maakte u geen geweldige indruk?'

'Nee, ik maakte totaal geen indruk, maar er is net geen oorlog uitgebroken, dus mag ik Maribor wel danken voor zijn goedheid.' Ze ging tegenover Berthe zitten, en trok behoedzaam de volle lengte van haar rok naar binnen voordat Hilfred de deur sloot.

'Wilt u een gembermannetje?' vroeg Berthe en hield haar de schaal voor met een medelijdende blik waarbij ook haar onderlip pruilde. 'Ze zeggen dat die het leed verzachten.'

'Waar is Sally?' vroeg ze, terwijl ze de mannetjes van koek wantrouwig bekeek.

'Hij zei dat hij een paar dingen met de aartsbisschop te bespreken had en in het rijtuig van zijne eminentie mee zou rijden. Hij hoopte dat u dat niet erg zou vinden.'

Arista vond het niet erg en wenste alleen dat Berthe met hen mee zou zijn gegaan. Ze was er doodmoe van altijd maar gezelschap te hebben en miste de eenzaamheid van haar toren. Ze nam een koekmannetje en voelde de koets wiebelen toen Hilfred naast de koetsier op de bok klom. De koets slingerde even en ze vertrokken, met de wielen in de onregelmatige voren in de weg.

'Deze zijn oud,' zei Arista met een mondvol gemberkoek, die hard en korrelig was.

Berthe keek ontzet. 'Het spijt me verschrikkelijk.'

'Waar heb je ze gehaald?'

'Een klein bakkertje bij de...' Ze wilde het aanwijzen door het raam maar het schokken van de koets bracht haar van haar stuk. Ze keek om zich heen, gaf het op en liet haar hand zakken. 'O, ik weet het niet meer, maar het was echt een schattig winkeltje en ik dacht dat u wel behoefte zou hebben aan, je weet wel, iets waardoor u zou opfleuren na het gesprek.'

'Behoefte zou hebben? Hieraan?'

Berthe knikte en met een geforceerd lachje klopte ze de prinses op haar hand en zei: 'Het is uw schuld niet, liefje. Het is zo oneerlijk van zijne majesteit om u in deze positie te brengen.'

'Je vindt dat ik in Midvoorde had moeten blijven om mijn vrijers te ontvangen,' schatte Arista in.

'Precies. Dit is niet goed.'

'Net als dit koekje.' Ze legde het gembermannetje met zijn geamputeerde been terug op de schaal. Toen begon ze haar voortanden schoon te maken met haar tong als een kat die donsveertjes in zijn bekje heeft.

'Maar zijne hoogheid moet toch tenminste onder de indruk zijn geweest van hoe u eruitzag,' zei Berthe die haar trots opnam. 'U bent zo mooi.'

Arista keek haar scheef aan. 'De jurk is mooi.'

'Natuurlijk, maar...'

'O goeie Maribor!' Arista onderbrak haar terwijl ze uit het raampje keek. 'Hoeveel zijn er wel niet op weg? Het lijkt wel alsof we met een heel leger optrekken.'

Toen de koets de rand van de stad bereikte, zag Arista de enorme menigte pas goed. Ongeveer driehonderd mannen stonden achter de banieren van de Kerk van Nyphron geschaard. Ze wachtten in één enkele rij, maar ze hadden onderling niet verschillender kunnen zijn: er waren gespierde, schriele, lange en korte kerels. En alle rangen en standen waren vertegenwoordigd: ridders, soldaten, edelen en boeren. Sommigen droegen wapenrusting, sommigen zijde, anderen linnen en wol. Ze zaten op strijdrossen, trekpaarden, pony's en muilezels, of in rijtuigen, open koetsjes, wagens en bokkenwagentjes. Het was een vreemde en onwaarschijnlijke verzameling, maar iedereen vertoonde dezelfde glimlach van verwachting en opwinding, en alle ogen waren op het oosten gericht.

Arista's eerste officiële gesprek als ambassadeur was voorbij. Hoe slecht het ook verlopen was, het was achter de rug. Nu Sally niet bij haar was, kon ze haar gedachten over kerk en staat, schuld en beschuldiging op een rijtje zetten. De spanning die haar dagen had verstikt, loste op en eindelijk was ze in staat op te gaan in de toenemende opwinding die overal rondom haar opborrelde.

Vanuit alle hoeken dromden mensen samen om zich aan te sluiten bij de groeiende stoet. Sommigen hadden niets anders bij zich dan een kleine linnen tas onder een arm, terwijl anderen hun persoonlijke karavaan van pakezels hadden.

Er waren lieden die verschillende wagens volgeladen met tenten, proviand en kleren aanvoerden. Een uiterst goed geklede koopman kwam met een wagen vol met fluweel beklede stoelen en met een grote wagen met een hemelbed erop.

Plotseling werd er hard op de bovenkant van de koets gebonkt, waardoor ze opveerden van schrik. Gembermannetjes vlogen door de koets. 'O jeetje!' zei Berthe, naar adem happend. Even later verscheen Mauvin Piekerings hoofd voor het raampje, ondersteboven vanaf de rug van zijn paard, zodat zijn haar verward om zijn gezicht hing.

'En, hoe ging het?' Hij grijnsde plagerig. 'Moet ik me al voorbereiden op oorlog?'

Arista keek stuurs voor zich uit.

'Zo goed dus, mm?' Mauvin, die geen acht sloeg op de commotie die hij teweeg had gebracht, moest weer verder. 'We praten later nog wel. Ik moet Fanen vinden voor hij nu al met iemand begint te duelleren. Ha, die Hilfred! Dit wordt hartstikke gaaf. Wanneer was de laatste keer dat we met z'n allen hebben gekampeerd? Ik zie jullie straks!'

Berthe waaierde zichzelf met beide handen koelte toe, terwijl ze naar het dak van de koets staarde, met open mond. Toen Arista haar zag, te midden van haar leger van gembermannetjes die over de banken, tegen de gordijntjes, op de vloer en in haar schoot verspreid lagen, barstte ze in lachen uit.

'Je had gelijk, Berthe. Die koekjes hebben me inderdaad opgefleurd!'

'Zie je 'm?' Fanen wees op de man in het bruin suède wambuis. 'Dat is heer Enden, waarschijnlijk de grootste levende ridder na heer Breekton.'

Na nog een dag reizen die haar behoorlijk slaperig had gemaakt, was Arista eindelijk aangekomen in het kampement van de Piekerings, waar ze zich snel voor Berthe verborg. De twee jongens deelden een elegante, eenpuntige, groen-met-goud gestreepte tent, die ze hadden opgeslagen aan de oost-zijde van het centrale kamp. De drie zaten buiten onder de luifel met schulprand, die door twee lange houten palen omhoog werd gehouden. Aan de linkerkant vloog de gouden valk op het rode veld van het huis Essendon, aan de rechterkant het gouden zwaard op het groene veld van het huis Piekering. Het was een bescheiden kamp in vergelijking met het grootste deel van de edelen. Sommige tenten leken op kleine kastelen waar een heel team van bedienden uren mee bezig was om ze omhoog te krijgen. De Piekerings reisden altijd licht; alles wat ze nodig hadden werd gedragen door hun hengsten en twee pakpaarden. Ze hadden geen tafels of stoelen en Arista lag in een eenvoudige zomerjurk op een lap canvas. Als Berthe het zag, zou ze een hartaanval krijgen.

Arista vond het best. Ze vond het heerlijk om achterover te liggen, zo onder de blote hemel. Het deed haar denken aan Zomersbewind van toen ze nog kinderen waren. 's Avonds, als de volwassenen dansten, lagen de kinderen vallende sterren en vuurvliegjes te tellen op de zuidelijke heuvel bij het huis van Piekering, Velden van Drondil. Ze waren er allemaal bij in die tijd: Mauvin, Fanen, Alric, zelfs Lenare, voordat dat zusje van de broers te veel een dametje werd. Ze herinnerde zich hoe de koele nachtelijke bries over haar lichaam gleed, het gevoel van gras onder haar blote voeten, de weidse ster-renhemel boven haar hoofd en de zwakke melodie van de muzikanten die 'Calide Pormare' speelden, een volksliedje uit Galilin.

'En daar, zie je die grote man in die groene tuniek? Dat is heer Gavin; hij is een spoorzoeker. Meestal werkt hij voor de

Kerk van Nyphron. Je weet wel: artefacten opgraven, monsters verslaan, dat soort dingen. Hij staat bekend als een van de grootste avonturiers van onze tijd. Hij komt uit Vernes; dat ligt diep in het zuiden, bij Delgos.'

'Ik weet wel waar Vernes ligt, Fanen,' antwoordde Arista.

'Klopt, al dat soort dingen moet je nu allemaal weten, toch?' zei Mauvin. 'Uwe Hoogtriomferende Opperambassadeur.' De oudste Piekering maakte zittend een ingewikkelde maar sierlijke buiging.

'Lach maar,' zei ze. 'Jouw tijd komt nog wel; eens word je toch echt markies. Dan is het uit met de pret. Dan zijn er alleen nog maar verantwoordelijkheden, meneertje.'

'Niet voor mij,' zei Fanen treurig.

Als hij niet drie jaar jonger was geweest, had Fanen Mauvins tweelingbroer kunnen zijn. Ze hadden allebei de razendknappe Piekering-kenmerken: scherpe, hoekige gezichten, dik donker haar, stralend witte tanden, en brede schouders die toeliepen in smalle, atletische tailles. Fanen was net een beetje slanker en wat korter, en in tegenstelling tot Mauvin, wiens haar altijd hopeloos in de war zat, was zijn haar altijd netjes in model gekamd.

'En daarom moet je dit gedoe winnen,' zei Mauvin tegen zijn broer. 'En dat doe je natuurlijk ook, want je bent een Piekering, en Piekerings falen nooit. Moet je die gozer daar zien. Die maakt geen schijn van kans.'

Arista deed geen moeite rechtop te gaan zitten. Hij had dit al de hele avond gedaan: mensen aanwijzen en uitleggen hoe hij aan de manier waarop ze liepen of hun zwaard droegen kon zien dat Fanen ze aankon. Ze twijfelde er niet aan dat hij gelijk had; ze had er alleen een beetje genoeg van.

'Wat is de hoofdprijs bij deze krachtmeting eigenlijk?' vroeg ze.

'Hebben ze nog niet verteld,' mompelde Fanen.

'Goud, waarschijnlijk,' antwoordde Mauvin, 'in de vorm van een onderscheiding, maar dat bepaalt de waarde niet. Het is de status. Als Fanen die trofee eenmaal heeft, heeft hij een naam; nou ja, hij heeft de naam als Piekering al, maar hij heeft nog geen titel. Als hij die eenmaal heeft, ligt de wereld voor hem open. Maar het kan natuurlijk ook een stuk land zijn. Dan is zijn kostje gekocht.'

'Ik hoop het maar; het laatste wat ik wil is in een klooster eindigen.'

'Schrijf je nog steeds gedichten, Fanen?' vroeg Arista.

'De laatste tijd niet.'

'Ze waren best goed, wat ik me ervan kan herinneren dan. Je schreef ze aan de lopende band. Wat is er gebeurd?'

'Hij leerde de poëzie van het zwaard kennen. Daar heeft hij veel meer aan dan aan een pen,' antwoordde Mauvin voor hem.

'Wie is dat?' vroeg Fanen en hij wees naar het westen.

'Dat is Tobis Rentinual,' antwoordde Mauvin, 'die zichzelf een technisch genie vindt. Moet je horen... hij heeft iets meegebracht, een enorm apparaat.'

'Waarom?'

'Hij zegt dat het voor de krachtmeting is.'

'Wat is het dan?'

Mauvin haalde zijn schouders op. 'Weet ik veel, maar het is gigantisch. Hij houdt het onder een stuk zeildoek verborgen en hij jammert als een meid als de wagenmenners door een kuil rijden.'

'Hé, is dat prins Rudolf niet?'

'Waar?' Arista stak verschrikt haar hoofd omhoog en leunde op haar ellebogen. Mauvin grinnikte. 'Geintje. Alric vertelde ons over je... misverstandje.'

'Heb je Rudolf wel eens ontmoet?'

'Jazeker,' zei Mauvin. 'Die vent zorgt ervoor dat ezels zich afvragen wat ze hebben misdaan dat hij als hun soortgenoot wordt gezien.' Het duurde even, maar toen barstten Fanen en Arista in lachen uit, waarop Mauvin niet achterbleef. 'Hij is een hoogstaande sukkel, dat staat vast. En ik zou ook compleet van streek raken als ik dacht dat ik een leven tegemoet moest zien waarbij ik die ezel zou moeten zoenen. Echt, Arista, het verbaast me nog steeds dat je Alric niet meteen in een kikker of zo veranderde.'

Arista's gelach stopte abrupt. 'Wat?'

'Je weet wel, hem vervloeken of zo. Een week als een kikker zou... Wat is er?'

'Niks,' zei ze. Ze ging weer liggen en draaide zich op haar buik.

'Hé, wacht... Ik bedoelde er niks mee.'

'Het is al goed,' loog ze.

'Het was maar een grapje.'

'Je eerste grap was beter.'

'Arista, ik weet toch dat je geen heks bent.'

Er volgde een lange, ongemakkelijke stilte.

'Het spijt me,' bood Mauvin aan.

'Dat kostte je behoorlijk wat tijd,' zei ze.

'Het had erger kunnen wezen,' zei Fanen. 'Alric had je kunnen dwingen om met Mauvin te trouwen!'

'Dat zou pas echt een nachtmerrie zijn, ja,' zei Arista terwijl ze omrolde en overeind kwam. Mauvin keek haar verbaasd en een beetje gekrenkt aan. Ze schudde haar hoofd. 'Ik bedoelde dat het net zoiets zou zijn als met mijn broer trouwen. Ik heb jullie altijd als familie beschouwd.'

'Zeg dat maar niet tegen Denek,' antwoordde Mauvin. 'Hij is al jaren smoorverliefd op je.'

'Eerlijk?'

'O, en zeg alsjeblieft niet dat je het van mij hebt. Eh... nog beter, vergeet maar wat ik net zei.'

'En wat denk je van die twee?' vroeg Fanen opeens, en wees naar een grote rood-zwart gestreepte tent, waaruit net twee mannen tevoorschijn kwamen. De ene was een beer van een vent met een woeste rode snor en baard. Hij had een mouwloze, bloedrode tuniek aan met een groene sjerp en een metalen helm waarin een aantal deuken zat. De andere man was lang en mager, met lang zwart haar en een kort getrimd baardje. Hij was gekleed in een rode wambuis en broek, met een zwarte mantel waarop het teken van een gebroken kroon geborduurd was.

'Met die twee zou ik maar geen geintjes uithalen,' zei Mauvin uiteindelijk. 'Dat is heer Rufus van Trent, krijgsheer van Lingaarde; een clanleider en veteraan van tientallen gevechten tegen de wildemannen van Estrendor, en niet te vergeten de held van de slag van de Villaanse Heuvelrug.'

'Is dat nou Rufus?' mompelde Fanen. 'Ik heb gehoord dat hij het temperament van een feeks heeft en de kracht van een beer.'

'Wie is die andere dan, met het wapen van de gebroken kroon?' vroeg Fanen en hij gebaarde naar de zwartharige man.

'Dat, lief broertje, is een sentinel, een soort gardist, en laten we hopen dat we nooit oog in oog met hem komen te staan.'

Terwijl Arista de twee mannen nakeek, zag ze een silhouet oprijzen tegen het licht van een kampvuur verderop – het was klein en gedrongen, met een lange baard en pofmouwen.

'Trouwens, ik wil morgen vroeg opstaan, Fanen,' zei zijn broer. 'Ik wil op weg zijn voor de hele optocht uit. Ik heb genoeg stof gehapt.'

'Weet iemand eigenlijk waar we heen moeten?' vroeg Fanen. 'Het lijkt wel alsof we naar het eind van de wereld gaan.'

Arista knikte. 'Ik hoorde Sally erover praten met de aartsbisschop. Ik geloof dat het een klein dorp met de naam Dahlgren is.'

Ze keek weer om of ze de gestalte nog kon zien, maar die was in rook opgegaan.

7

VAN ELFEN EN MENSEN

Trees lag op het bed van de markgraaf in het landhuis, haar hoofd zorgvuldig verbonden in repen linnen. Haar haar zat in een wilde bos vol klitten, hier en daar piepte een pluk onder het verband uit. Paarse en gele zwellingen zaten rond haar ogen en neus. Haar bovenlip was twee keer zo dik en een streep donker gestold bloed liep erlangs. Trees kuchte en mompelde maar ze sprak niet, en sloeg haar ogen niet open.

En Theron was niet bij haar weg te slaan.

Esrahaddon had Lena opgedragen het blad van moederkruid in een grote ketel ciderazijn te koken. Ze deed wat hij vroeg, net als iedereen. Na de voorgaande nacht behandelden de inwoners van Dahlgren de verminkte man met hernieuwd respect en keken met ontzag en een beetje angst naar hem op. Tad Beidewikke en Roos Deernstra hadden gezien hoe hij de groene vuurkolom liet verschijnen die het beest had verjaagd. Niemand nam het woord heksenmeester of tovenaar in de mond. Dat hoefde niet. Spoedig vulde de stoom uit de ketel de kamer met een scherpe, kruidige geur.

'Het spijt me zo,' fluisterde Theron tegen zijn dochter.

Het gekuch en gemompel waren gestopt en ze lag nu doodstil. Hij drukte haar slappe hand tegen zijn wang, hij wist niet of ze hem kon horen. Hij had het al uren achtereen herhaald, en smeekte haar wakker te worden. 'Ik meende het niet. Ik was alleen zo kwaad. Het spijt me. Laat me niet alleen. Kom alsjeblieft terug.'

Steeds hoorde hij weer de kreet van zijn dochter in het donkere bos, die verstomde na het geluid van een gedempt gekraak. Als het een dikkere tak was geweest, dacht Theron, dan zou ze ter plekke gestorven zijn. Zoals het nu was, zou ze alsnog kunnen sterven.

Niemand behalve Lena en Esrahaddon durfde de kamer binnen te komen die Theron vulde met zijn verdriet. Iedereen verwachtte er het ergste van. Het gezicht van het meisje en haar vaders hemd zaten onder het bloed toen ze het huis betraden. Ze was doodsbleek, haar lippen waren vreemd blauwgekleurd en Trees had geen spier bewogen, noch haar ogen geopend. Esrahaddon had iets in haar oor gefluisterd en had hun gezegd haar in bed te leggen en haar warm toe te dekken. Het was het soort dingen dat je voor stervenden deed: het hun zo gemakkelijk mogelijk maken. Diaken Tomas had voor haar gebeden en bleef in de buurt voor het geval dat hij haar de ziekenzalving moest toedienen.

In het afgelopen jaar had het dorp veel mensen zien doodgaan. Dat kwam niet alleen door het beest. Ook de gewone sterfgevallen door ongeluk en ziekte kwamen veel voor, en in de winter hadden er wolven door het gebied gezworven. Daarnaast waren er diverse raadselachtige verdwijningen geweest. Ze werden vaak aan het beest toegeschreven, maar ze konden net zo goed in de Nidwalden gevallen zijn, of verdwaald in het bos. In minder dan een jaar was meer dan de helft van de bevolking van het dorp heengegaan of verdwenen. Iedereen kende wel iemand die gestorven was, en bijna elke familie had een of meer gezinsleden verloren. De mensen van Dahlgren waren gewend geraakt aan de dood. Hij was een nachtelijke bezoeker, een gast aan elke ontbijttafel. Ze kenden zijn gezicht, de klank van zijn stem. Zijn manier van lopen, zijn vreemde gewoonten. Hij was altijd aanwezig. Als hij niet elke keer zo'n ellende veroorzaakte, hadden ze hem op een bepaald moment niet meer opgemerkt. Niemand verwachtte dan ook dat Trees het zou redden.

De zon kwam op en wierp een dof licht in de kamer waar Theron weende om zijn dochter. De laatste van zijn familie zou hem verlaten. Pas nu drong het tot hem door hoeveel ze voor hem betekende. Ongewild dreven gedachten zijn geest binnen. Elke keer weer was zij het die naar hem toe gekomen was. Hij dacht terug aan de nacht dat het beest zijn boerderij had aangevallen, die nacht dat hij tot laat op het veld was gebleven. Alleen zij had de moed gehad hem te zoeken in het duister. Alleen zij, een jonge meid, net geen kind meer, was in haar eentje door half Avryn gereisd om met haar eigen spaargeld hulp te zoeken, voor hem. En de nacht hiervoor nog, toen hij in al zijn koppigheid op de hoeve gebleven was, was ze uit de duisternis bij hem gekomen, te voet door het bos, zonder oog voor gevaar. Het was haar gelukt. Ze had het beest zijn vlees ontzegd, maar meer nog, ze had hem het land der levenden weer binnen gesleurd. Ze had de zwarte sluier voor zijn ogen weggerukt en zijn hart bevrijd van het gewicht van de schuld. Maar ze had de prijs betaald met haar leven.

Tranen biggelden over zijn wangen. Ze bleven hangen aan zijn bovenlip. Hij kuste de hand van zijn dochter, en er bleef een vochtige plek op achter, een zoenoffer, een verontschuldiging.

Hoe heb ik zo blind kunnen zijn?

De gelijkmatige ademhaling van zijn dochter vertraagde bij elke ademtocht, en werd minder diep dan de vorige. Hij luisterde hoe elke ademhaling vervaagde, als voetstappen die zich verwijderen en zwakker worden.

Hij kneep in haar hand, kuste hem keer op keer en wreef hem tegen zijn vochtige wang. Hij had het gevoel dat zijn hart uit zijn borst werd gerukt.

Uiteindelijk stopte het regelmatige ritme van haar adem. Theron snikte het uit. 'O god!'

'Papa?' Met een ruk hief hij zijn hoofd. De ogen van zijn dochter waren open. Ze keek hem aan. 'Is alles goed met je?' fluisterde ze.

Zonder iets te kunnen zeggen opende hij zijn mond. De tranen bleven vloeien en als een uitgedroogd stuk land dat voor het eerst in jaren weer water krijgt, groeide een glimlach van vreugde op zijn gezicht.

Snel gleden de wolken langs de grillige hemel, terwijl de wind toenam en de tekenen van de naderende storm de nieuwe dag inluidden. Rolf zat op de rand van de rots waar de rivier zich van de klif stortte en de opspattende druppels van de waterval maakten de stenen vochtig. Zijn benen en voeten waren kletsnat van de hele ochtend banjeren over de vochtige bosgrond en langs nat kreupelhout. Hij staarde langs de rand van de waterval naar het uitstekende rotsplateau en de hoog oprijzende citadel die er aanlokkelijk bovenop stond. Misschien bestond er een tunnel onder de rivier door, dacht hij. Hij zocht naar een ingang via de bomen maar vond niets. Al het zoeken had niets opgeleverd.

Na twee dagen was hij geen stap verder gekomen. De toren lag nog steeds buiten zijn bereik. Tenzij hij tegen de machtige stroom op leerde zwemmen, over water leerde lopen of vliegen, zag hij geen mogelijkheid om de rivier tussen hem en het fort te overbruggen.

'Ze zitten daar naar ons te kijken, weet je,' zei Esrahaddon. Rolf was de magiër glad vergeten. Hij was een poosje geleden aangekomen, had alleen gezegd dat Trees het zou overleven en wakker was. Het zag ernaar uit dat ze geheel zou herstellen. Daarna was hij op de rots gaan zitten en had een uur over de rivier zitten staren, zoals Rolf al de hele ochtend had gedaan.

'Wie?'

'De elfen. Ze zitten aan hun kant van de rivier en staren naar ons. Ze kunnen ons zien, neem ik aan, zelfs van deze afstand. Heel bijzonder eigenlijk. De meeste mensen beschouwen ze als minderwaardig – luie, smerige, onbeschaafde wezens – maar het is een feit dat ze superieur zijn aan mensen op vrijwel ieder terrein. Ik denk dat mensen ze daarom zo snel afkammen; ze willen natuurlijk niet toegeven dat ze misschien wel tweede garnituur zijn.

Elfen zijn werkelijk uitzonderlijk. Kijk nu eens naar die toren. Vloeiend en zonder een naad, alsof hij zo uit de rots is gegroeid. Zo elegant. Zo perfect. Het past in het landschap alsof het natuurlijk gegroeid is, een wonder der natuur, alleen is het niet zo. Ze hebben het gebouwd met vakmanschap en technieken die onze beste metselaars niet zouden kunnen bevatten. Denk je eens in hoe schitterend hun steden eruit moeten zien! Wat een wonderen die bossen aan de overzijde van de rivier wel niet kunnen herbergen!'

'Dus je bent nooit aan de overkant geweest?' vroeg Rolf.

'Dat heeft niemand ooit gedaan, en dat zal ook nooit iemand lukken. Zodra een mens die verre oever aanraakt, valt hij dood neer. De draad waaraan het lot van de mens hangt is daar wel bijzonder dun.'

'Hoe komt dat dan?'

Esrahaddon glimlachte slecht. 'Wist je dat geen enkel mensenleger ooit een slag tegen de elfen gewonnen heeft tot de komst van Novron? In die tijd waren elfen onze demonen. De Grote Bibliotheek van Percepliquis had er eindeloze stapels papier over. Eens dachten we zelfs dat ze goden waren. Ze leven zo lang dat niemand hen ooit ouder zag worden. Hun dodenriten zijn zo geheim dat niemand ooit een elfenlijk heeft gezien.

Ze waren de eerstgeborenen, de Kinderen van Ferrol, groot en machtig. In de strijd werden ze boven alles gevreesd. Ze konden zieken genezen, op beren en wolven jagen of ze in vallen vangen, ze bereidden zich voor op noodweer en droogte. Maar niets en niemand kon de elfen verslaan. Hun zwaarden braken de onze doormidden, hun pijlen drongen door onze wapenrusting, hun schilden hielden elk wapen tegen en uiteraard gebruikten ze de Kunst. Stel je eens een hemel voor die verduisterd wordt door een hele zwerm Gilarabriwins! En dit is nog maar één soort wapen. Zelfs zonder dat alles, zonder de Kunst, zijn hun snelheid, zicht, gehoor, evenwichtsgevoel en oude vaardigheden ver boven de onze verheven.'

'Als dat waar is, hoe komt het dan dat zij daar zitten, en wij hier?'

'Dat komt allemaal door Novron. Hij liet ons hun zwakke plekken zien. Hij leerde de mensheid te vechten, hij verbeterde onze verdedigingstechnieken en hij leerde ons de kunst der magie. Zonder dat zijn we naakt en hulpeloos vergeleken bij hen.'

'Ik begrijp nog steeds niet hoe we konden winnen,' zei Rolf uitdagend. 'Zelfs met al die kennis, lijken ze ons nog steeds de baas te zijn.'

'Klopt, en als er een gelijke strijd gevoerd was, hadden we zonder meer verloren. Maar de strijd was niet gelijk. Kijk, die elfen leven ontzettend lang. Ik denk dat geen mens weet hoe lang precies, maar op zijn minst een paar eeuwen. Er kunnen best elfen naar ons zitten te kijken die zich herinneren hoe Novron eruitzag. Maar geen enkel volk kan én zo lang leven, én zich snel voortplanten. Elfen hebben maar weinig kinderen en een geboorte is dan ook van veel betekenis. Geboorte en dood zijn zulke zeldzaamheden in de elfenwereld, dat ze heilig zijn.

Stel je dus eens voor hoe verwoestend en beroerd hun toestand was tijdens de oorlogen. Hoeveel veldslagen ze ook van ons wonnen, na elke slag waren ze qua aantal weer gedaald. En terwijl wij mensen onze verliezen compenseerden binnen één generatie, zou het de elfen duizenden jaren kosten. Ze werden bedolven – verdronken als het ware – door een zee van mensen, golf na golf.' Esrahaddon pauzeerde even en voegde er toen aan toe: 'Alleen is Novron nu verdwenen. Deze keer zal er geen verlosser zijn.'

'Deze keer?'

'Wat denk je dat ze daar houdt? Dit is hun gebied. Voor ons lijkt het een eeuwigheid geleden, maar voor hen is het pas gisteren dat ze ook aan deze kant van de rivier leefden. Hun aantallen zijn inmiddels wel weer hersteld.'

'Waarom blijven ze dan nu nog aan die kant van de rivier?'

'Waarom blijft iemand weg van wat hij wil? Angst. Angst voor vernietiging, angst dat we hen compleet zouden uitroeien, maar Novron is dood.'

'Dat zei je al,' merkte Rolf op.

'Ik heb je al eens verteld dat de mensheid de nalatenschap van Novron heeft opgesoupeerd, en het heeft dat op eigen risico gedaan. Novron heeft de mensen van magie voorzien, maar Novron is verdwenen en de magie is in het vergeetboek geraakt. We zitten hier als kinderen, zwak en ongewapend. De mensheid vraagt gewoonweg om de wraak van een volk dat zo ver boven ons verheven is dat ze onze kreten niet eens horen. Het feit dat de elfen onwetend zijn van onze zwakheden en de broze overeenkomst tussen het Erivaanse Rijk en een dode keizer is eigenlijk alles wat er over is van de verdediging van de mensheid.'

'Nou, mooi dat ze dat dan niet weten.'

'Dat is het nu juist,' zei de magiër. 'Ze leren.'

'Door de Gilarabriwin?'

Esrahaddon knikte. 'Volgens het decreet van Novron zijn de oevers van de rivier de Nidwalden *ryin contita*.'

'Verboden terrein voor iedereen,' vertaalde Rolf grofweg, wat de magiër een glimlachje ontlokte. 'Ik kan ook lezen en schrijven.'

'Ah, een beschaafd en ontwikkeld man. Dus zoals ik zei, de oevers van de Nidwalden zijn ryin contita.'

Langzaam drong het besef tot de dief door. 'Dahlgren is in strijd met dat verdrag.'

'Precies. Het decreet wijst er ook op dat de elfen geen mensen mogen doden, behalve wanneer ze de rivier oversteken. Er staat niets in over het doden van mensen door aangestuurde daden van anderen. Als ik een groot rotsblok loslaat, kan het alle kanten oprollen, maar je kunt er in elk geval van uitgaan dat hij heuvelafwaarts rolt. Als er huizen en mensen zijn aan de voet van de heuvel, kan de steen ze vernietigen, maar ik ben het niet die ze doodt – het is de steen en het ongelukkige toeval dat ze leven op de weg van de steen.'

'En ze kijken toe wat we doen, hoe we ermee omgaan. Ze schatten onze krachten en zwakheden in. Zo ongeveer als jij bij mij doet.'

Esrahaddon glimlachte weer. 'Misschien,' zei hij. 'Er is geen manier om te bewijzen dat zij verantwoordelijk zijn voor het beest, maar één ding is zeker: ze bestuderen wat er gebeurt. Wanneer zij zien dat we machteloos zijn tegen één Gilarabriwin, als ze vinden dat het verdrag is verbroken, of dat het niet meer geldt, dan zal angst ze er niet lang van weerhouden aan te vallen.'

'Is dat de ware reden van je aanwezigheid hier?'

'Nee.' De magiër schudde het hoofd. 'Het speelt wel een rol, maar de oorlog tussen elfen en mensen zal er toch komen, welke daad ik daar ook tegenover stel. Ik probeer slechts de klap te verzachten en de mensheid een eerlijke kans te geven.'

'Dan zou je kunnen beginnen door een stel anderen te leren wat je gisteren deed.'

De magiër keek de dief aan. 'Wat bedoel je?'

'Onschuld past je niet,' zei Rolf tegen hem.

'Nee, ik vrees van niet.'

'Ik dacht dat je de Kunst niet kon uitvoeren zonder je handen...'

'Het is onwaarschijnlijk moeilijk en vraagt behoorlijk wat tijd en erg nauwkeurig gaat het ook niet. Zo ongeveer als je probeert je naam te schijven met de pen tussen je tenen. Ik begon al voor jullie hier aankwamen met deze bezwering, omdat ik dacht dat het op zeker moment handig zou zijn. Maar zoals je weet kwam die ringmuur van vuur buiten het kasteel bijna boven op jullie terecht. Het was de bedoeling hem een aantal meter verderop neer te zetten, en dat hij uren zou duren in plaats van een paar minuten. Met mijn handen had ik...' Zijn stem stierf weg. 'Het heeft geen zin hierop in te gaan.'

'Was je werkelijk zo machtig vroeger?'

Er speelde een gemeen lachje rond Esrahaddons lippen. 'O, beste jongen, je zou eens moeten weten...'

Het bericht dat Trees beter zou worden ging als een lopend vuurtje door het dorp. Ze was nog wat zwakjes, maar opmerkelijk gezond. Ze kon weer goed zien, haar gebit was nog heel en ze had trek in eten. Halverwege de ochtend zat ze in bed haar soep te eten. Die dag was er een onmiskenbaar andere blik in de ogen van de dorpelingen. Iedereen had dezelfde onuitgesproken gedachte: het beest had aangevallen en er was niemand doodgegaan.

De meesten hadden het gevleugelde dier die nacht in silhouet tegen de felgroene vlammen gezien. Die ochtend werd iedereen vergezeld door een vriend die ze lang geleden uit het oog waren verloren en die onverwacht was teruggekeerd: hoop.

Bij zonsopkomst waren de meesten al in touw om nog meer houtstapels aan te leggen. Ze hadden inmiddels een systeem en waren in staat om de stapels in een paar uur tijd op te bouwen. Vin Griffin deed het voorstel om rookpotjes te gebruiken, omdat hij vermoedde dat het beest – dat in het donker goed kon zien – door dikke rookwolken heel wat meer moeite zou hebben zijn prooi te onderscheiden. Eeuwenlang hadden de boeren hier gebruikgemaakt van rookpotten tegen insecten die dreigden hun oogst te verwoesten, en Dahlgren was geen uitzondering. Oude potten werden snel verzameld en gevuld alsof er een zwerm sprinkhanen onderweg was. Rond hetzelfde tijdstip bekeken Hadriaan, Tad en Krijn de Goede de bijgebouwen op de binnenplaats om te zien welke de beste bescherming boden.

Hadriaan stelde kleine groepjes samen, waarvan de ene groep de kelder van het rookhok uitruimde en verder uithakte, en een andere aan het werk ging met het graven van een tunnel, met het idee het beest te kunnen vangen. Als het grote serpent een man achternazat, zou het hem de tunnel in volgen. Als die tunnel echter steeds nauwer werd, kon de man ontsnappen, maar kwam het beest klem te zitten, en voor het doorhad dat het een fout had gemaakt, waren de uitgangen al gebarricadeerd. Geen wapen door mensenhand gemaakt kon het beest verslaan, maar Hadriaan gokte dat er geen beperkingen waren wat gevangenneming van het beest betrof.

Diaken Tomas was bepaald niet verrukt van al dat gegraaf,

gehak en de vervaardiging van rookgordijnen op het kasteel-
terrein, maar het was inmiddels duidelijk geworden dat de
dorpelingen Hadriaan als nieuwe leider hadden gekozen. Tomas bleef dus maar binnen om voor Trees te zorgen.

'Hadriaan?'

Hij stond zich te wassen bij de put in het dorp, waar hij
even alleen kon zijn, toen hij opkeek en Theron zag staan.

'Je bent aan het graven geweest, zie ik,' zei de boer. 'Ditmar
zei al dat je ze een tunnel liet maken. Geen gek idee.'

'De kans dat het werkt is vrij klein,' zei Hadriaan, terwijl
hij handenvol water in zijn gezicht plensde. 'Maar niet geschoten is altijd mis.'

'Hoor eens,' begon de boer met een gepijnigde uitdrukking,
maar zweeg verder.

'Alles goed met Trees?' vroeg Hadriaan toen maar na een
minuutje.

'O ja, die is net zo'n taaie als haar ouwe heer,' zei hij trots,
en hij klopte zich op de borst. 'Er is meer nodig dan een boom
om haar te breken. Dat hebben wij van de familie Bosch nou
eenmaal. Je ziet het er niet aan af, maar we zijn een sterk stel.
Het duurt misschien even, maar we komen terug, en als we
dat doen, zijn we sterker dan ooit. Waar het om gaat, is dat
we er iets voor nodig hebben, je weet wel, een reden. Ik had
die niet meer, tenminste, dat dacht ik. Trees heeft me laten
zien dat dat onzin was.'

Zo stonden ze tegenover elkaar, in ongemakkelijk stilzwij-
gen.

'Hoor eens,' begon Theron nogmaals, en weer bleef hij
zwijgen. 'Ik ben niet gewend om iemand iets verschuldigd te
zijn, zie je. Ik heb altijd alles zelf betaald. Ik heb wat ik door
hard werken krijg. Ik vraag niemand om hulp en ik verontschuldig me niet voor wie ik ben, zie je?'

Hadriaan knikte.

'Maar... nou ja, een boel van wat je gisteren zei was wel
waar. Alleen vandaag zijn er een paar dingen anders, volg je

me? Trees en ik, we gaan hier weg zodra ze daartoe in staat is. Ik denk dat ze nog een dag of wat rust nodig heeft, dan zal ze wel fit genoeg zijn om te reizen. We trekken naar het zuiden, misschien naar Algewest of zelfs Calis; ik heb gehoord dat het daar langer warm is, beter voor de groei van het gewas. Afijn, we zitten dus nog een paar nachten hier. Een paar nachten onder die donkere schaduw. Ik ben niet van plan mijn meisje kwijt te raken zoals ik de anderen ben kwijtgeraakt. Nou weet ik wel dat een oude boer als ik van weinig nut voor haar ben als ik met mijn zeis of mestvork naar dat ding zwaai, dus als het ervan moet komen zou het goed zijn als ik iets van vechten af wist. Mocht hij nog een keer aanvallen voor we goed en wel weg zijn, dan maken we tenminste een kans. Ik heb niet veel, maar ik heb wat zilverlingen opzijgelegd, en ik vroeg me af of je aanbod me te leren vechten nog steeds geldt.'

'Laten we eerst eens iets rechtzetten,' zei Hadriaan streng. 'Je dochter heeft ons al goed betaald om alles te doen wat we kunnen hier, dus houd dat zilver maar voor je reis naar het zuiden, of ik leer je helemaal niets. Akkoord?'

Theron aarzelde en knikte toen.

'Mooi zo. Goed, dan zullen we maar meteen beginnen als je er klaar voor bent.'

'Moeten we je zwaarden halen?' vroeg Theron.

'Dat is nogal moeilijk, aangezien ik mijn zwaarden aan Millies zadel had vastgemaakt en niemand haar sinds die nacht heeft gezien, maar dat maakt nu even niet uit.'

'Moet ik dan wat stokken snijden?' vroeg de boer.

'Nee.'

'Wat dan?'

'Wat dacht je ervan even te gaan zitten en te luisteren? Er valt veel te leren voor je ook maar naar een zwaard mag wijzen.'

Theron keek Hadriaan teleurgesteld aan.

'Je wilt toch dat ik je wat leer? Als ik jou vroeg me in een paar uur te leren om boer te worden, wat zou je dan zeggen?'

Theron knikte dat hij het begreep en nam plaats op de

grond, niet ver van de plaats waar Hadriaan Parel had ontmoet. Hadriaan deed zijn hemd weer aan, nam een lege emmer, keerde hem om en ging voor de boer zitten.

'Zoals met alles zul je moeten oefenen om zwaardvechten te leren. Alles ziet er simpel uit als je naar iemand kijkt die alles wat hij doet perfect uitvoert, maar wat je niet ziet zijn die uren en jaren van inspanning die nodig zijn om iets te perfectioneren. Ik weet zeker dat je een veld kunt omploegen in een fractie van de tijd die ik nodig zou hebben. Met zwaardvechten is het niet anders. Oefening laat je reageren zonder zelfs te anticiperen op wat er gebeurt. Het wordt een soort helderziendheid, de kunst om in de toekomst te kijken en weten wat je tegenstander gaat doen, zelfs voor hij dat zelf weet. Zonder oefening moet je veel te veel denken. Wanneer je dan met een betere tegenstander vecht, kan zelfs de miniemste aarzeling je dood betekenen.'

'Mijn tegenstander is een reuzenslang met vleugels,' zei Theron.

'En die heeft meer dan twintig mensen afgemaakt. Dat is wat je noemt een ervaren tegenstander, vind je niet? Dus oefening is van het grootste belang. De vraag is, wat heb je nodig om te oefenen?'

'Een zwaard om mee te slaan, denk ik zo.'

'Zeker, maar dat is maar een klein onderdeel ervan. Als je alleen maar met je zwaard hoefde te zwaaien, zou iedereen met twee benen en minimaal één arm een expert zijn. Nee, er is meer voor nodig. Ten eerste is er concentratie voor nodig, en dat betekent meer dan je bezighouden met het gevecht. Het betekent dat je je geen zorgen om Trees mag maken of aan je familie, het verleden of de toekomst mag denken. Het gaat om focussen op wat je hier en nu doet. Los van al het andere. Klinkt makkelijk, maar dat is het niet. Daarna komt je ademhaling.'

'Ademhaling?' vroeg Theron fronsend.

'Ja, ik weet best dat we de hele tijd oefenen, maar soms stoppen we met ademhalen of ademen we niet zoals het moet.

Ooit geschrokken en gemerkt dat je je adem inhield? Ooit gemerkt dat je kort en snel ademhaalde als je zenuwachtig of bang was? Er zijn mensen die dan zelfs flauwvallen. Geloof me maar, in een echt gevecht zul je bang zijn, en tenzij je traint zul je oppervlakkig gaan ademhalen of adem je helemaal niet meer. Tekort aan lucht zuigt de energie uit je lijf en maakt het moeilijker om helder te denken. Je wordt sneller moe en reageert langzamer, iets wat je je in een gevecht niet kunt veroorloven.'

'Hoe moet je dan wel ademhalen?' vroeg Theron met een tikkeltje sarcasme.

'Je moet diep en langzaam ademhalen, al voor je lichaam erom vraagt. Eerst zul je er bewust aan moeten werken, steeds aan moeten denken en zal het juist averechts werken, want het leidt je af. Maar na een tijd wordt het een tweede natuur. Het is ook goed om te onthouden dat je de meeste kracht voor een slag hebt wanneer je uitademt. Het voegt kracht en focus toe. Soms helpt het om te schreeuwen. Dat zal ik dus van je vragen tijdens de training. Ik wil je horen wanneer je toeslaat. Later is dat niet meer nodig, al kan het soms helpen om je tegenstander af te schrikken.' Hadriaan zweeg even en Theron zag een zwak glimlachje in zijn mondhoeken.

'Vervolgens moeten we aan balans denken, en dat betekent meer dan niet omvallen. Helaas hebben mensen maar twee voeten. Dat zijn er maar twee om ons te ondersteunen. Til één voet op en je bent meteen kwetsbaar. Daarom moet je altijd je voeten stevig op de grond houden. Dat betekent niet dat je niet mag bewegen, maar als je je verplaatst, laat je je voeten eerder glijden dan ze op te tillen. Je gewicht moet aan de voorkant liggen, je zakt een klein beetje door je knieën, en je balanceert op de bal van je voet in plaats van op je hielen. Wie zijn voeten bij elkaar zet, heeft nog maar één evenwichtspunt in plaats van twee, dus houd je voeten uit elkaar, ongeveer op schouderbreedte.

Heel belangrijk is natuurlijk de timing. Ik waarschuw je vast, in het begin bak je er niets van, want timing wordt pas beter door ervaring. Je zag bij ons partijtje gisteren nog hoe frustrerend het is om het zwaard te zwaaien en dan te missen. Door goede timing kun je raken, en niet alleen raken, maar ook verwonden. Je zult patronen in bewegingen leren kennen. Je zult weten wanneer je een opening krijgt, of een zwakke plek in andermans verdediging. Vervolgens kun je op een aanval anticiperen door te kijken hoe je tegenstander zich beweegt – de plaatsing van zijn voeten, de blik in zijn ogen, een veelbetekenende schouderdraai, de aanspanning van een spier.'

'Maar ik vecht toch niet tegen een mens,' viel Theron hem in de rede. 'En volgens mij heeft-ie niet eens een schouder.'

'Zelfs dieren verraden vaak wat ze van plan zijn. Ze duiken ineen, verplaatsen hun gewicht, net als mensen. Dat soort signalen is niet altijd duidelijk. De meest ervaren zwaardvechters zullen hun bedoeling proberen te maskeren of erger nog, je proberen te misleiden. Ze willen je timing saboteren, je uit balans brengen en een opening voor zichzelf creëren. Natuurlijk is dat precies waar je op uit bent. Want als je net doet of je erin trapt, ziet de tegenstander wel de schijnbeweging, maar niet de aanval. Het resultaat is – in jouw geval – een vliegend serpent zonder hoofd.

Het laatste wat je moet leren is het moeilijkst. Het kan je niet geleerd worden. Ik kan het je ook nauwelijks uitleggen. Het is het idee dat het gevecht – de strijd – niet echt in je handen of je voeten zit, maar in je hoofd. Het echte gevecht zit in je eigen hoofd. Je moet weten dat je gaat winnen al voor je begint te vechten. Je moet het zien, ruiken en er onvoorwaardelijk in geloven. Het is een vorm van zelfvertrouwen, maar pas op voor overmoed. Je moet flexibel zijn – in staat je in een flits aan de situatie aan te passen en jezelf nooit toestaan op te geven. Zonder dat lukt niets. Tenzij je ervan overtuigd bent dat je wint, zullen angst en aarzeling je tegenstander de kans geven je te doden. Zo, laten we nu maar een paar stevige stokken pakken en zien hoe goed je hebt geluisterd.'

Die nacht staken ze de grote vuren weer aan en iedereen zocht de beschutting van het grote huis of de kelder van het rookhok op. Rolf en Hadriaan waren de enige twee die buiten waren, maar zelfs zij bleven bij de drempel van de rokerij, terwijl ze de nachtelijke hemel bij het licht van het vuur in de gaten hielden.

'Hoe gaat het met Trees?' vroeg Rolf.

'Prima, in aanmerking genomen dat ze een dikke tak met haar hoofd heeft gebroken,' antwoordde Hadriaan die op een tonnetje een schapenbot van het laatste vlees ontdeed. 'Ik heb zelfs gehoord dat ze alweer probeerde rond te lopen en vroeg of ze kon helpen met het avondeten.' Hij schudde zijn hoofd en glimlachte. 'Die Trees, die is me er eentje. Wie had dat kunnen denken als je haar zo onder die poort van Colnora zag liggen, maar het is een sterke tante. Maar wie echt is veranderd, is die oude man. Theron zei dat ze van plan zijn over een dag of twee te vertrekken, zodra Trees fit genoeg is om op reis te gaan.'

'Dus dan zijn we weer werkeloos?' zei Rolf, quasi teleurgesteld.

'Hoezo, ben je er dan al dichtbij gekomen?' vroeg Hadriaan. Hij wierp het botje naar een hond en veegde zijn handen aan zijn vest af.

'Niks ervan. Ik heb geen flauw idee hoe ik het moet bereiken.'

'Door een tunnel?'

'Heb ik ook al bedacht, maar ik heb elke centimeter van het bos en de rotsen en de oever onderzocht en er is niets: geen grot, geen valleitje, niets wat voor een tunnel kan worden aangezien. Ik ben echt aan het eind van mijn Latijn.'

'En die Esra dan? Heeft die magiër dan geen ideeën?'

'Misschien wel, maar hij doet er nogal ontwijkend over. Hij houdt iets achter. Hij wil die toren binnendringen, maar zegt niet waarom en hij gaat directe vragen erover uit de weg. Er is hem hier jaren geleden iets overkomen. Iets waarover hij niet wil praten. Maar misschien laat hij morgen meer los als ik vertel dat de familie Bosch onze hulp niet meer nodig heeft

en dat het dan geen zin heeft om nog bij die elfentoren te komen.'

'En je denkt dat hij daar niet doorheen kijkt?'

'Door wat?' vroeg Rolf. 'Heus, ik probeer het morgen nog
een keertje en als ik niets kan vinden, dan vind ik dat we mee
moeten gaan met Theron en Trees.'

Hadriaan reageerde niet.

'Wat?' vroeg Rolf.

'Je kunt het eigenlijk niet maken om zomaar weg te lopen
van die mensen. Ik bedoel, ze beginnen nu net een beetje bij
te komen.'

'Dat doe je nou altijd. Je bemoeit je met een verloren zaak
en dan...'

'Mag ik je er even aan herinneren dat het jouw idee was
om hierheen te gaan? Ik wilde het klusje niet eens aannemen.'

'Nou ja, er kan veel gebeuren in een dag; misschien kom ik
er morgen achter hoe het zit.'

Hadriaan stak zijn hoofd wat verder naar buiten. 'Het we-
melt van het geluid in het woud. Ziet ernaar uit dat onze
vriend ons vanavond niet met een bezoekje vereert. Misschien
hebben die vlammen van Esrahaddon zijn vleugels verschroeid en eet hij liever hertenvlees vannacht.'

'Die vuren houden hem niet voor eeuwig weg,' zei Rolf.
'Volgens de magiër heeft het vuur hem niets gedaan; ze brachten hem alleen in de war – hij is zeker niet gewend aan fel
licht. Alleen dat zwaard in de toren kan hem de das omdoen.
Hij komt wel terug.'

'Dan kunnen we het beste gebruikmaken van zijn afwezigheid en eens een nachtje goed slapen.'

Hadriaan liep de kelder in, terwijl Rolf naar de nachtelijke
hemel en de wolkenflarden voor de sterren bleef staren. Er
stond een stevige bries, de boomtoppen zwaaiden heen en
weer en het vuur brandde onrustig. Hij kon het bijna ruiken;
er was iets op til en het kwam hun kant op.

8

MYTHEN EN LEGENDEN

Rolf stond bij de oever van de rivier in het vroege morgen-
licht, en probeerde steentjes naar de toren te keilen. Geen
ervan maakte meer dan één sprongetje voor het woelige water
ze opslokte. Zijn laatste idee om naar de toren te komen draaide om het bouwen van een kleine boot, die hij met een vaart
zou lanceren in de hoop bij de stenen verhoging aan te komen,
voor hij door de stroming werd meegesleurd. Hoewel er geen
duidelijke plek was om de boot aan wal te slepen, zou het
toch kunnen lukken wanneer hij precies de juiste stroming
trof die hem tegen de rots in het midden van de rivier opduw-
de. De kracht van het water zou de boot waarschijnlijk ver-
splinteren of laten zinken als hij de rotswand bereikte, maar
hij zou wel in staat zijn om zich eraan vast te grijpen voor zijn
boot verdween. Het probleem was alleen dat, als hem lukte
dit huzarenstukje te volbrengen, hij met geen mogelijkheid terug kon komen.

Hij keek opzij en zag de magiër het pad langs de oever op
wandelen. Misschien om een oogje op hem te houden, maar
waarschijnlijker om in de buurt te zijn wanneer Rolf de ingang
ontdekte.

'Goeiemorgen,' zei de magiër. 'Nog opzienbarende openbaringen gehad vandaag?'

'Eentje maar. Er bestaat geen manier om die toren te bereiken.'

Esrahaddon keek teleurgesteld.

'Ik kan geen enkele mogelijkheid meer bedenken. Trouwens, Theron en Trees vertrekken binnenkort uit Dahlgren. Ik zie eigenlijk geen reden meer om mijn hoofd over die toren te breken.'

'Juist,' zei Esrahaddon en keek hem strak aan. 'En de toekomst van het dorpje dan?'

'Dat is niet mijn probleem. Dat dorp zou hier niet eens mogen liggen, weet je nog? Het is in strijd met het verdrag. Het beste zou zijn als al deze mensen hun biezen zouden pakken.'

'Als ze merken dat we ons terugtrekken uit het dorp, zouden de elfen het als zwaktebod kunnen zien en als uitnodiging om hier binnen te vallen.'

'Maar ervoor zorgen dat het dorp blijft bestaan is schending van het verdrag, en dat heeft hetzelfde gevolg. Wat een geluk dat ik geen kroon draag. Ik ben de keizer niet, of een koning, dus hoef ik me er ook niet druk over te maken.'

'Je vertrekt dus gewoon?'

'Is er een reden waarom ik zou moeten blijven?'

De magiër trok een wenkbrauw op en keek de dief lang aan. 'Wat wil je dan?' vroeg hij ten slotte.

'Stel je nou voor me te betalen?'

'Je weet best dat ik zo arm als een kerkrat ben, maar ik zie dat je iets van me wilt. Wat is het?'

'De waarheid. Waar ben je naar op zoek? Wat is hier negenhonderd jaar geleden gebeurd?'

De magiër bestudeerde Rolfs gezicht even en keek toen naar de grond. Na een paar minuten knikte hij. Hij liep naar een beukenstam die over een platte granietrots was gelegd, en ging zitten. Hij keek uit over het water en de opspattende druppels, alsof hij in de mist naar een antwoord zocht, iets wat er niet in aanwezig was.

'Ik was het jongste lid van de Cenzars. Dat was de raad van magiërs die direct onder de keizer werkte. De beste magiërs die de wereld ooit gezien had. Daarnaast bestonden de Teshlors, samengesteld uit de beste van alle ridders van de keizer.

Het was traditie dat een mentor uit elke raad moest dienen als onderwijzer en voltijdse beschermer van de zoon en Erfgenaam van de keizer. Omdat ik de jongste was, viel de keus op mij om Nevriks Cenzar-leraar te worden, terwijl Jerish Grelad de uitverkorene van de Teshlors werd. Jerish en ik konden niet met elkaar opschieten. Zoals de meeste Teshlors wantrouwde hij de magiërs, en ik had weinig op met zijn wreedheid en gewelddadigheid.'

'Maar Nevrik bracht ons nader tot elkaar. Nevrik was net zoals zijn vader Nareion een slag apart, en het was een eer hem te onderwijzen. Jerish en ik brachten vrijwel al onze tijd met Nevrik door. Ik onderwees hem in traditionele kennis, boeken en de Kunst, terwijl Jerish hem schoolde in zaken als gewapende strijd en oorlogsvoering. Hoewel ik nog steeds van mening was dat fysieke strijd beneden de waardigheid van de keizer en zijn zoon was, was het onmiskenbaar dat Jerish net zo toegewijd was aan Nevrik als ik. Op dat vlak waren we het volkomen eens. En toen de keizer besloot met de traditie te breken en met zijn zoon naar Avempartha te reizen, gingen wij mee.'

'Met de traditie te breken?'

'Het was eeuwen geleden dat een keizer direct met de elfen in gesprek was geweest.'

'Was er na de oorlog nooit eer betoond of iets dergelijks?'

'Nee, al het contact hield op bij de Nidwalden, dus het was een opwindende gebeurtenis. Niemand wist wat ze ervan konden verwachten. Ik persoonlijk wist maar weinig van Avempartha, op de geschiedkundige verslagen na die het als de plaats van de laatste veldslag van de Grote Elfenoorlogen betitelden. De keizer had een officiële ontmoeting met enige hoge figuren van het Erivaanse Rijk in de toren, terwijl Jerish en ik met weinig resultaat probeerden om Nevrik bij de les te houden. Maar voor een jongen van twaalf was de aanblik van de waterval en de architectuur van het schitterende elfengebouw natuurlijk veel interessanter.

Het schemerde en de avond zou spoedig vallen. Nevrik had

ons de hele dag allerlei dingen in de toren aangewezen, en genoot van het feit dat noch Jerish, noch ik de elfenvoorwerpen die hij vond kon thuisbrengen. Zo hingen er diverse kledingstukken te drogen in de zon, gemaakt van een glanzend materiaal dat we niet kenden. Dit was natuurlijk de eerste keer in eeuwen dat mensen in contact kwamen met elfen, dus waren we sterk in het nadeel. Nevrik vond het heerlijk zijn onderwijzers in het nauw te drijven, dus toen hij ons vroeg wat dat ding was dat hij naar de toren had zien vliegen, nam ik aan dat hij een vogel of een vleermuis had gezien, maar hij zei dat het daar veel te groot voor was en dat het er eerder uitzag als een slang. Hij zei dat het beest een van de hoogste ramen van de toren was binnengevlogen. Nevrik hield dit zo stellig vol dat we besloten de trap op te gaan en een kijkje te nemen. En toen hoorden we het gegil.

Het leek wel of er boven ons een oorlog was uitgebroken. De persoonlijke lijfwachten van de keizer – een detachement Teshlors – waren in gevecht verwikkeld met de Gilarabriwin terwijl ze de trappen afrenden, in een poging de keizer te beschermen. Ik zag groepen elfen die zich voor het monster stortten, en hun leven gaven om onze keizer te beschermen.'

'Deden de elfen dat?'

Esrahaddon knikte. 'Ik was verbijsterd door het schouwspel. Het hele gebeuren staat me nog levendig bij, al is het dan al bijna duizend jaar geleden. Hoe dan ook, noch de ridders, noch de elfen konden het aanvallende beest tegenhouden, dat er klaarblijkelijk op uit was de keizer te vermoorden. Het was een verschrikkelijke strijd, met ridders die de trappen af stortten en stierven op de vochtige treden, met elfen aan hun zijde. De keizer schreeuwde dat we Nevrik in veiligheid moesten brengen.

Jerish greep de jongen en sleepte hem schoppend en gillend de toren uit, maar ik aarzelde. Ik besefte dat als we eenmaal buiten waren, het beest alle ruimte had om op ons neer te duiken vanuit de lucht en kon doden wie hij wilde. De Kunst kon hem niet verslaan. Het was een magisch wezen en zonder de sleutel om de toverformule ongedaan te maken, kon ik er niets tegen doen. Er schoot me iets te binnen en terwijl de keizer de deur uitvluchtte, sprak ik een bindingsformule uit – niet op het beest, maar op de toren, zodat de Gilarabriwin in de val zat. De stervende ridders en elfen helaas ook, maar het beest kon ons tenminste niet achtervolgen.'

'Waar kwam het vandaan? Waarom viel het iedereen aan?'

Esrahaddon haalde zijn schouders op. 'De elfen hielden vol dat ze niets van de aanval wisten, en dat ze geen idee hadden waar het magische monster vandaan kwam, behalve dat er na de oorlog één Gilarabriwin ontbrak. Ze hadden aangenomen dat het beest vernietigd was. Ze hadden het over een militante gemeenschap, een groeiende beweging onder elfen binnen het Erivaanse Rijk, die plannen had om een nieuwe oorlog te ontketenen. Er werd gesuggereerd dat zij verantwoordelijk waren. De heersende elfen verontschuldigden zich en verzekerden ons dat ze de zaak tot op het bot zouden uitzoeken. De keizer, die begreep dat een vergelding of zelfs het bekendmaken van het incident niet verstandig was, koos ervoor geen aandacht te schenken aan de aanval en ging terug naar huis.'

'En hoe zit het nu met dat zwaard?'

'De Gilarabriwin is een wezen dat uit magische formules is opgebouwd, het is krachtige magie met een eigen leven, dus onafhankelijk van degene die hem creëerde. Het wezen is niet echt een levend iets: het kan zich niet voortplanten, oud worden of blij zijn dat het bestaat, maar het kan ook niet sterven. Het kan echter wel verdreven worden. Geen formule is perfect; elk soort spreuk heeft een naad waardoor het weefsel van de magie ontrafeld kan worden. In het geval van de Gilarabriwin is zijn naam de naad. Wanneer er een Gilarabriwin gecreëerd wordt en een naam krijgt, wordt tegelijkertijd een voorwerp gemaakt – een zwaard, waarop de naam van het beest geëtst is. Het wordt gebruikt om het beest te beheersen en indien nodig het te laten verdwijnen. Volgens de elfen bewaarden ze alle Gilarabriwin-zwaarden in de toren, op Novrons bevel. Daarop werd in alle zwaarden op één na een inkeping gemaakt, ten teken dat het bijbehorende beest vernietigd was.'

Rolf stond op om zijn benen te strekken. 'Goed, dus die elfenleiders hielden een van de monsters achter voor het geval dát, of dat militante groepje hield er een verborgen om rotzooi te schoppen. De elfenleiders zeggen dat alle zwaarden in de toren liggen. Misschien is dat zo, misschien ook niet, en willen ze...'

'Ze zijn er zeker,' viel Esrahaddon hem in de rede.

'Heb je ze gezien?'

'We kregen een rondleiding die keer dat we er waren. Bovenin bevindt zich een soort gedenkplaats voor de oorlog. Daar staan alle zwaarden uitgestald.'

'Oké, dus er is een zwaard,' zei Rolf. 'Maar dat is niet de reden dat je naar binnen wilt. Je bent hier niet gekomen om Dahlgren te redden. Wat is de echte reden?'

'Je liet me niet uitpraten,' antwoordde Esrahaddon en hij klonk precies als een wijze leraar die zijn student geduld bijbracht. 'De keizer dacht dat hij een oorlog met de elfen had afgewend en keerde terug naar huis, maar daar stond hem een executie te wachten. Terwijl wij weg waren, bereidde de kerk, onder leiding van patriarch Venlin, de moord op de keizer voor. Die zou plaatsvinden op de trappen van het paleis tijdens de festiviteiten in verband met de herdenking van het jaar dat het keizerrijk werd gesticht. Jerish en ik sloegen met Nevrik op de vlucht. Ik wist dat veel Cenzars en Teshlors bij het complot betrokken waren en dat ze ons zouden zoeken, dus bedachten Jerish en ik een plan: we verborgen Nevrik en ik maakte twee talismannen. De ene gaf ik aan Nevrik, de andere aan Jerish. Deze amuletten konden hen verborgen houden voor de helderzienden die de Cenzars zeker bij hun zoektocht zouden gebruiken, maar mij zouden ze vinden. Toen stuurde ik hen ver weg.'

'En jij?' vroeg Rolf.

'Ik bleef achter. Ik moest proberen de keizer te redden.' Hij zweeg en staarde in de verte. 'Dat mislukte.'

'En wat is er met de Erfgenaam gebeurd?'

'Hoe moet ik dat weten? Ik werd voor negenhonderd jaar in de gevangenis opgesloten. Dacht je dat hij me een prentbriefkaartje stuurde? Het was de bedoeling dat Jerish hem verborgen zou houden.' De magiër glimlachte bitter. 'We dachten allebei dat het maar voor een maand of wat zou zijn.'

'Dus je weet niet eens of er nog wel een Erfgenaam bestaat?'

'Ik ga ervan uit dat de kerk hem niet heeft vermoord, want dan hadden ze mij kort daarop wel omgebracht, maar wat er werkelijk van Jerish en Nevrik geworden is, dat weet ik niet. Als er iemand was die zou zorgen dat Nevrik zou overleven, zou het Jerish zijn. Ondanks zijn leeftijd was hij een van de beste ridders die de keizer ooit had gehad. Het feit dat hij zijn enige zoon aan hem toevertrouwde bewijst dat wel. Zoals alle Teshlorridders was Jerish een meester in alle vormen van gewapende en ongewapende strijd; geen mens ter wereld zou hem hebben kunnen verslaan en hij zou zich doodgevochten hebben om Nevrik te beschermen. Ze zullen nu natuurlijk allebei wel gestorven zijn, het is zo'n tijd geleden. Dat geldt ook voor hun achterachterkleinkinderen, mochten die er geweest zijn. Ik vermoed dat Jerish er de noodzaak van inzag om de keizerslijn voort te zetten, dus ik denk dat ze op een veilige plek neergestreken zijn, en dat hij Nevrik heeft aangemoedigd te trouwen en kinderen te krijgen.'

'En op jou te wachten?'

'Hoe bedoel je?'

'Dat was het plan toch? Zij zouden vluchten en zich verstoppen, en jij zou achterblijven en ze opzoeken wanneer het weer veilig was?'

'Zoiets, ja.'

'Dus je had een manier om ze op te sporen. Om de Erfgenaam te vinden. Door die amuletten of zo?'

'Negenhonderd jaar geleden zou ik hebben geantwoord met *ja*, maar hun nageslacht nu nog op die manier opsporen is waarschijnlijk uitgesloten. De tijd vernietigt zoveel zaken.'

'Maar je probeert het desondanks.'

'Wat moet een oude verminkte vogelvrije man anders?'

'Wil je me niet vertellen hoe je denkt ze te kunnen vinden?'

'Dat zal niet gaan. Ik heb je al veel meer verteld dan ik had moeten doen. De Erfgenaam heeft vijanden en hoezeer ik ook op je gesteld ben geraakt, dat soort geheimen moet ik niet delen. Dat ben ik Jerish en Nevrik wel verschuldigd.'

'Maar iets in die toren heeft ermee te maken. Daarom wil je binnen zien te komen.' Rolf dacht even na. 'Je hebt die toren vlak voor je naar de gevangenis werd gestuurd verzegeld, en aangezien de Gilarabriwin pas onlangs is vrijgelaten of ontsnapt is, kun je er vrij zeker van zijn dat de binnenkant van de toren al die eeuwen niet is aangeraakt. Het moet de enige plek zijn die er nog net zo bij ligt als de dag dat je eruit vluchtte. Er is iets wat je die dag opmerkte, of iets wat je daar achterliet – iets wat je nodig hebt om de Erfgenaam van de keizer te vinden.'

'Wat is het toch zonde dat je niet net zo goed bent in het uitvogelen hoe we in die toren kunnen komen.'

'Die weg naar de toren, ja,' zei Rolf. 'Je zei dat de keizer de elfen in de toren ontmoette. Ze zijn niet toegelaten op deze oever, hè?'

'Klopt.'

'En er was geen brug aan hun kant van de rivier, toch?'

'Klopt ook.'

'Maar je hebt nooit gezien hoe ze dán de toren in het midden van de rivier inkwamen?'

'Nee.'

Rolf dacht even na en vroeg toen: 'Waarom waren de treden vochtig?'

Esrahaddon keek hem vragend aan. 'Wat bedoel je?'

'Je vertelde me net dat toen de ridders de Gilarabriwin op afstand probeerden te houden, ze stierven op de vochtige trappen. Was het van het bloed?'

'Nee, gewoon water, denk ik. Ik weet nog dat de trappen kletsnat waren toen wij ze opliepen, want dat maakte de steen zo spekglad dat ik bijna viel. Een paar ridders gleden echt uit; daardoor herinner ik het me.'

'En je zei dat er elfenkleren in de zon te drogen waren gehangen?'

Esrahaddon schudde het hoofd. 'Ik zie wel waar je heen wilt, maar zelfs een elf kan niet naar die toren zwemmen.'

'Misschien niet, maar waarom waren ze dan nat? Was het een snikhete dag waarop ze wat afkoeling hadden gezocht?'

Esrahaddon trok zijn wenkbrauwen op. 'In die woeste rivier? Nee, het was vroeg in de lente en nog aardig fris.'

'Maar hoe zijn ze dan zo nat geworden?'

Rolf hoorde wat geritsel achter zich. Hij wilde zich omdraaien maar bedwong zichzelf.

'We zijn niet alleen,' fluisterde hij.

'Wanneer je een uitval doet, stap dan naar voren met het been aan de kant van je wapen; dan heb je meer bereik en een betere balans,' legde Hadriaan Theron uit.

De twee stonden weer bij de put. Ze waren vroeg opgestaan en Hadriaan bracht Theron wat basisbewegingen bij met twee nepzwaarden, die ze van de steel van twee harken hadden gemaakt. Tot zijn verrassing was Theron een stuk kwieker dan hij eruitzag, en ondanks zijn lengte bewoog de oude baas soepel. Hadriaan had de basisbewegingen als wering, nasteek, flèches, diverse stoten en de uitval laten doen, en nu begonnen ze aan een samengestelde aanval die uit een schijnsteek, wering en nasteek bestond.

'Houwen en steken moeten elkaar zonder pauze opvolgen. De nadruk ligt altijd op snelheid, agressie en misleiding. En alles moet altijd zo simpel mogelijk worden gehouden,' legde Hadriaan uit.

'Ik zou maar goed naar hem luisteren. Als iemand iets van stokvechten weet, is het Hadriaan wel.'

Hadriaan en Theron draaiden zich om en zagen twee ruiters de open plek oprijden, elk met een pakpaardje beladen met palen en bundels canvas. Het waren jonge mannen niet veel ouder dan Trees, maar ze waren als jonge prinsen uitgedost, in fraaie wambuizen en hozen, compleet met dubbel geplooide sierstroken en kanten ruches.

'Mauvin! Fanen?' riep Hadriaan verbijsterd uit.

'Kijk niet zo verrast.' Mauvin liet de teugels los zodat zijn paard wat kon grazen op het veldje.

'Nou, dat is nog niet zo makkelijk. Wat in Maribors naam doen jullie twee hier?'

Op dat moment kwam er een hele stoet van muzikanten, herauten, ridders, wagens en koetsen uit het bos tevoorschijn. Standaarddragers met lange banieren van rood en goud, die wapperden in het ochtendlicht, liepen uit voor de keizerlijke garde van de Kerk van Nyphron met hun gevederde helmen.

Hadriaan en Theron deden snel een stap achteruit onder de bomen, terwijl de grote parade van sierlijk opgetuigde hengsten en goudgerande witte rijtuigen langskwam. Ze zagen geestelijken in kostbare kledij en soldaten in maliënkolders, ridders met hun pages die pakpaarden leidden, bepakt met glimmende metalen harnasonderdelen. Er waren edelen, voorafgegaan door vaandels van verre landen als Calis en Trent, maar ook boeren en burgers, ruwe kerels met brede zwaarden en littekens op hun gezicht, monniken in gerafelde pijen en bosbewoners met lange bogen en groene hoofddeksels. Een dergelijke mengeling van soorten mensen deed Hadriaan denken aan een circus dat hij een keer had gezien, al was deze optocht van mannen en paarden veel te gedecideerd en serieus, zeker geen stoet van kermisklanten. Helemaal achteraan kwamen zes ruiters in zwart en rood, met het wapen van een gebroken kroon op de borst. Aan het hoofd ervan reed een lange, magere man met lang zwart haar en een kort getrimd baardje.

'Dus ze hebben eindelijk besloten om hier iets aan te doen,' zei Hadriaan. 'Ik moet zeggen, ik sta ervan te kijken dat de kerk er zoveel moeite voor doet een dorpje te redden dat zo ver afgelegen ligt dat zelfs de koning er geen aandacht aan schenkt. Maar dat verklaart nog niet waarom jullie hier zijn.'

'Je kwetst me wel.' Mauvin deed net of zijn hart brak. 'Oké, ik ben hier natuurlijk alleen maar om Fanen te helpen, maar misschien waag ik ook nog even een kansje. Hoewel, als jij een van de mededingers bent, vraag ik me af waarom we überhaupt de moeite genomen hebben.'

Theron fluisterde tegen Hadriaan: 'Wie zijn al deze mensen? En waar heeft hij het over?'

'Ach, sorry, dit zijn Mauvin en Fanen Piekering, zonen van graaf Piekering van Galilin in Melengar, die klaarblijkelijk behoorlijk verdwaald zijn. Mauvin, Fanen, dit is Theron Bosch; hij is boer.'

'En hij betaalt je voor zwaardlessen? Goed idee, maar hoe komt het eigenlijk dat jullie hier eerder waren dan wij? Ik heb je in geen van de kampementen gezien. O, maar waar zit ik met mijn hoofd! Jij en Rolf hadden natuurlijk geen enkele moeite om de plaats van de grote krachtmeting te vinden.'

'Krachtmeting?'

'Rolf had zich zeker verstopt onder het bureau van de aartsbisschop toen hij de regels opstelde. Dus wat wordt het? Een zwaardgevecht? Als het om zwaarden gaat, maakt Fanen een goeie kans om te winnen, maar als het een toernooi wordt, tja...' Hij keek naar zijn broer, die chagrijnig terugkeek. 'Daar is-ie eerlijk gezegd niet zo goed in. Weet je soms hoe het gaat met het opstellen van deelnemers? Ik kan me niet voorstellen dat ze adel tegen het volk laten vechten, wat betekent dat Fanen het niet tegen jou hoeft op te nemen, dus...'

'Zijn jullie dan niet hier om de Gilarabriwin te helpen verslaan? Bedoel je nou dat al deze mensen hier zijn voor een stomme krachtmeting?'

'Gilarabriwin? Wat is een Gilarabriwin? Is dat zoiets als Oswald de Beer? Daar hoorde ik over toen we door Dunmoer reden. Heeft jaren huisgehouden in dorpen tot de koning hem wist te verslaan, met enkel en alleen zijn dolk.'

De lange stoet trok langs hen verder, recht op het kasteel af. Een van de koetsen hield echter halt nadat ze de put gepasseerd waren. Het deurtje ging open en een jonge, fraai geklede vrouw stapte uit en vloog op hen af, met de zoom van

haar japon in de hand om hem tegen de modder te beschermen.

'Hadriaan!' riep ze met een brede glimlach.

Hadriaan maakte een buiging en Theron deed hetzelfde.

'Is dit je vader, Hadriaan?' vroeg ze.

'Nee, hoogheid. Mag ik je voorstellen aan Theron Bosch
van het dorp Dahlgren. Theron, dit is hare koninklijke hoogheid prinses Arista van Melengar.'

Theron staarde Hadriaan geschrokken aan. 'Jij komt ook
overal, hè?'

Hadriaan glimlachte wat ongemakkelijk en haalde zijn
schouders op.

'Hé, Arista,' zei Fanen. 'Moet je horen: Hadriaan zegt dat
we voor de krachtmeting een eng beest moeten doden!'

'Dat heb ik niet gezegd.'

'Maar dat komt ons wel uit, want als we het tegen Hadriaan
hadden moeten opnemen, denk ik dat ik me teruggetrokken
had. Dit is echter een heel ander verhaal. Iedereen weet dat geluk vaak de beslissende factor is bij dit soort zaken.'

'"Dit soort zaken?"' Arista lachte vrolijk. 'Heb je al zoveel
monsters verslagen dan, Fanen?'

'Ach!' zei Fanen lachend terug. 'Je weet best wat ik bedoel.
Soms ben je gewoon op de juiste tijd op de juiste plaats.'

Mauvin haalde zijn schouders op. 'Klinkt me niet echt als
een krachtmeting voor edelen in de oren. Als het waar blijkt
te zijn, stelt me dat wel teleur. Een arm beest afslachten, daar
wordt een zwaard van de Piekerings niet voor gebruikt.'

'Zeg, heb je soms ook gehoord wat de hoofdprijs is?' vroeg
Fanen. 'Ze hebben er zoveel werk van gemaakt door op elk
plein, in elke kerk en taveerne van Avryn de krachtmeting bekend te maken, dat het wel een grote prijs moet zijn. Is het
gewoon een gouden trofee, of bestaat-ie uit land? Ik hoop erg
dat ik er een landgoed uit kan slaan. Mauvin erft de titel van
vader, maar ik moet zelf mijn kostje bij elkaar scharrelen. Hoe
ziet dat beest eruit? Is het een beer? Is het groot? Heb je hem
gezien?'

Hadriaan en Theron wisselden verbaasde blikken uit.

'Wat is het dan?' vroeg Fanen. 'Hij is toch nog niet dood?'

'Nee,' zei Hadriaan. 'Hij is nog niet dood.'

'O, mooi zo.'

'Hoogheid!' Een paniekerige vrouwenstem klonk uit de koets die nog steeds stilstond naast het pad. 'We moeten gaan! De aartsbisschop zit op ons te wachten.'

'O, sorry,' zei ze tegen haar vrienden. 'Ik moet ervandoor. Leuk jullie gesproken te hebben.' Ze zwaaide en rende terug naar de wachtende koets.

'We moeten ook maar eens verdergaan,' zei Mauvin. 'We willen Fanens naam zo hoog mogelijk op de lijst van deelnemers zien te krijgen.'

'Wacht,' zei Hadriaan. 'Doe niet mee aan die krachtmeting.'

'Wát?' zeiden ze allebei.

'Maar we hebben dagen gereden om hier te komen!' riep Fanen uit.

'Luister naar me. Keer direct om en ga naar huis. Neem Arista ook met je mee en iedereen die je kunt overtuigen om terug te gaan. Als het een wedstrijd is om de Gilarabriwin te doden, schrijf je dan in geen geval in. Je wilt hier echt niet tegen vechten. Ik meen het. Je weet niet waar het om gaat. Als je toch probeert het beest te verslaan, vermoordt hij jou in een mum van tijd.'

'Maar jij denkt toch ook dat je dat beest kan doden?'

'Ik ben hier niet om ertegen te vechten. Rolf en ik deden een klusje voor Therons dochter en we staan op het punt te vertrekken.'

'Is Rolf hier ook?' vroeg Fanen en hij keek om zich heen.

'Doe je vader een lol en vertrek meteen.'

Mauvin fronste zijn voorhoofd. 'Als je iemand anders was, zou ik die toon van je behoorlijk onbeschaamd vinden. Ik zou je zelfs lafaard en leugenaar genoemd hebben, maar ik weet dat je dat geen van beide bent.' Mauvin zuchtte en wreef nadenkend over zijn kin. 'Hoe dan ook, we zijn van te ver gekomen om nu weer om te draaien. Je zei dat jij op het punt staat te vertrekken? Wanneer precies?'

Hadriaan keek Theron aan.

'Een dag of twee ongeveer,' zei de oude boer tegen Hadriaan. 'Ik ga niet weg voordat Trees weer helemaal in orde is.'

'Dan blijven we hier ook nog even om te zien hoe het zit. Als het ernaar uitziet dat je gelijk hebt, dan gaan we met jullie mee. Is dat redelijk, Fanen?'

'Ik zie niet in waarom jij niet kunt vertrekken, maar mij laat blijven. Ik ben immers degene die de krachtmeting aangaat.'

'Niemand kan dat ding verslaan, Fanen,' zei Hadriaan. 'Luister, ik heb hier drie nachten overnacht. Ik heb het gezien en ik weet wat het kan aanrichten. Het is geen kwestie van vaardigheid of moed. Je zwaard heeft gewoon geen enkel effect op hem; niemands zwaard. Wie vecht met dat wezen, pleegt zelfmoord.'

'Ik ga nog niet beslissen,' verklaarde Fanen. 'We weten nog niet eens zeker wat de krachtmeting inhoudt. Ik zal me niet meteen inschrijven, maar ik ga nu ook nog niet weg.'

'Beloof me dan één ding,' zei Hadriaan tegen hen. 'Blijf op zijn minst binnen vannacht.'

Iets of iemand zat in het struikgewas.

Rolf liet Esrahaddon zitten, maar liep zelf naar de oever van de rivier en paste op dat hij niet in de richting van het geluid keek. Via de rotsen daalde hij af naar de laaggelegen vroegere weg die op de rivier uitkwam, en hij glipte gebukt het aangrenzende bos in, om achterom, tussen de bomen door, weer terug te keren naar zijn uitgangsplaats. Er zat daar iets wat goed zijn best deed onopgemerkt te blijven.

Rolf zag eerst wat oranje en blauw tussen de bladeren door schemeren en dacht haast dat het een blauwborstje was, maar toen bewoog het. Het was veel te groot voor een vogel. Rolf sloop dichterbij en zag schuin van achteren een lichtbruine gevlochten baard, een brede platte neus, een blauwleren vest, grote zwarte laarzen en een feloranje hemd met pofmouwen.

'Magnus!' begroette Rolf de dwerg met luide stem, waardoor de bezoeker zo schrok dat hij struikelde toen hij zich omdraaide en door het struikgewas het met gras begroeide heuveltje af rolde en op zijn rug op het rotsplateau viel, niet ver van waar Esrahaddon zat. Door de klap werd alle lucht uit zijn longen geperst.

Met één sprong stond Rolf naast hem en hij plaatste zijn dolk op de keel van de dwerg.

'Er zijn een boel mensen naar jou op zoek,' liet Rolf hem dreigend weten. 'Ik moet bekennen dat ik je ook nog even wilde spreken om je te bedanken voor alle hulp die je ons in Kasteel Essendon gegeven hebt.'

'Je gaat me toch niet vertellen dat dit de dwerg is die koning Amrath van Melengar heeft vermoord?' vroeg Esrahaddon.

'Hij heet Magnus, tenminste, zo noemde Perrie Braga hem. Behalve een kei in het plaatsen van valstrikken is hij meester steenhouwer, ja toch?'

'Dat is mijn vak!' protesteerde de dwerg, die nog steeds moeite met ademhalen had. 'Ik ben een vakman. Ik neem opdrachten aan, net als jij. Je kunt iemand niet kwalijk nemen dat hij werkt.'

'Ik ben haast doodgegaan vanwege jouw werk,' zei Rolf tegen hem. 'En je hebt de koning vermoord. Alric zal zeer verheugd zijn te horen dat ik je eindelijk het zwijgen heb opgelegd. En als ik me goed herinner, staat er een prijs op je hoofd.'

'Wacht... wacht nou effe!' riep de dwerg. 'Het was niets persoonlijks! Durf jij te zweren dat je nooit iemand voor geld hebt vermoord, Rolf?'

Rolf aarzelde.

'Ja, ik weet heus wel wie je bent,' zei de dwerg. 'Ik wilde alleen uitzoeken wie er in mijn val was gelopen. Jij werkte ooit voor de Zwarte Diamant. En niet als loopjongen. Het was mijn werk, dat zweer ik. Politiek, of Braga, of Essendon zullen me allemaal worst wezen.'

'Ik vermoed dat hij de waarheid spreekt,' zei Esrahaddon. 'Ik heb nooit een dwerg ontmoet die zich ook maar iets interesseerde voor wat mensen drijft, op de centen na die hij aan hen kan verdienen.'

'Zie je wel, hij gelooft wat ik zeg. Je kunt me gewoon laten gaan.'

'Ik zei dat je de waarheid sprak, niet dat hij je niet moest doden. Want nu ik weet dat je ons gesprek hebt afgeluisterd, moet ik dat eigenlijk aanmoedigen. Ik weet immers niet hoeveel je hebt gehoord.'

'Wát?' schreeuwde de dwerg.

'Nadat je zijn hals hebt doorgesneden, kan je dat kleine lijfje gewoon van deze rand af laten rollen.' De magiër stond op en keek over de rand van de klif.

'Nee,' zei Rolf. 'Het lijkt me beter hem meteen in de waterval te gooien. Zo zwaar is-ie niet; waarschijnlijk drijft zijn lijk de hele weg mee naar de Koboldzee.'

'Heb je zijn hoofd dan niet nodig?' vroeg Esrahaddon. 'Om mee te nemen naar Alric?'

'Dat lijkt wel aardig, maar ik heb geen zin zo'n afgesneden kop een week lang op mijn tocht door het woud mee te nemen. Alle vliegen uit de wijde omtrek zouden erop afkomen en na een paar uur stinkt het een uur in de wind. Geloof me, ik heb er ervaring mee.'

De dwerg keek beiden vol afschuw aan.

'Nee! Nee!' schreeuwde hij in paniek, toen Rolf het mes wat harder tegen zijn keel zette. 'Ik kan jullie helpen. Ik kan jullie de weg naar de toren wijzen!'

Rolf keek de magiër aan, die een sceptische uitdrukking op zijn gezicht had.

'Op de liefde van Drome. Ik ben een dwerg! Ik weet alles van steen. Ik weet alles van rotsen. Ik weet waar de tunnel naar de toren is.'

Rolf liet zijn dolk zakken.

'Laat me leven en ik zal hem jullie laten zien.' Hij wendde zijn hoofd naar Esrahaddon. 'En voor zover ik iets heb gehoord, ik geef geen bal om zaken van magiërs en mensen. Ik zal er met geen woord over spreken. Als je dwergen werkelijk kent, nou, dan weet je ook dat we erg op steen lijken wanneer we dat willen.'

'Dus er is wél een tunnel,' zei Rolf.

'Natuurlijk is die er.'

'Voordat ik mijn beslissing neem,' vroeg Rolf, 'wat spook je hier eigenlijk uit?'

'Ik was een ander klusje aan het afmaken, dat is alles.'

'En wat was dat dan voor klusje?'

'Geen misdadige zaken, ik maakte alleen een zwaard voor iemand.'

'Helemaal hier? Voor wie is dat dan?'

'Heer Rufus Huppeldepup. Ik werd ingehuurd om het hier te maken. Hij zei dat hij me hier zou opwachten. Eerlijk waar, geen valstrik, geen moordpartijen.'

'En hoe komt het trouwens dat je nog steeds leeft? Hoe ben je Melengar uitgekomen? Waarom ben je nog niet opgepakt?'

'Mijn opdrachtgever is zeer machtig.'

'Die Rufus van je?'

'Nee. Ik maak het zwaard voor hem, maar Rufus is niet mijn opdrachtgever.'

'En wie is dat dan wel?'

Rolf hoorde snelle voetstappen. Iemand kwam aangerend over het pad. Omdat het mogelijk bekenden van de dwerg waren, verschool hij zich achter Magnus. Hij greep zijn haar, trok het hoofd achterover en maakte zich gereed om zijn keel door te snijden.

'Rolf!' Tad Beidewikke schreeuwde naar hen vanaf de oever.

'Wat is er, Tad?' vroeg hij voorzichtig, naar beneden kijkend.

'Hadriaan heeft me gestuurd. Hij zegt dat je onmiddellijk terug naar het dorp moet komen, maar dat Esra uit de buurt moest blijven.'

'Waarom?' vroeg de magiër.

'Hadriaan zei dat ik moest zeggen dat de Kerk van Nyphron zojuist is aangekomen.'

'De kerk?' mompelde Esrahaddon. 'Hier?'

'Zit er ene heer Rufus bij?' vroeg Rolf.

'Zou kunnen. Er is een hele horde chique heren en dames bij. Er zit geheid één heer tussen.'

'Enig idee waarom ze hier zijn, Tad?'

'Nee.'

'Ik zou mezelf maar uit de voeten maken,' zei Rolf tegen de magiër. 'Iemand heeft je naam laten vallen. Ik ga eens kijken wat er aan de hand is. Intussen' – en hij keek de dwerg aan – 'zou je opdrachtgever gearriveerd kunnen zijn. Je doodstraf wordt even opgeschort. Deze aardige oude heer zal je vanmiddag in de gaten houden, dus je blijft zitten waar je zit. Wanneer ik terug ben, laat je ons zien waar die tunnel is, en als je de waarheid blijkt te hebben verteld, sparen we je. Als er ook maar iets niet van klopt, dan ga je in twee stukken met de waterval naar beneden. Akkoord? Mooi zo.' Hij keek de magiër weer aan. 'Zal ik hem vastbinden of gewoon met een keisteen op zijn kop slaan?' vroeg Rolf, waarop de dwerg weer verschrikt opkeek.

'Niet nodig. Die Magnus lijkt me een eerlijk type. Bovendien kan ik nog steeds een paar verbazend onplezierige trucjes uitvoeren. Weet je hoe het voelt om levende mieren in je hoofd te voelen rondrennen?'

De dwerg zei geen woord en bleef doodstil zitten. Rolf fouilleerde hem en trof onder zijn kleren een riem aan, waaraan kleine hamertjes, steenbeiteltjes en een dolk hingen. Verrast bekeek Rolf de dolk.

'Ik probeerde hem na te maken,' verklaarde de dwerg nerveus. 'Hij is niet zo goed; ik deed het uit mijn hoofd.'

Rolf vergeleek hem met zijn eigen dolk. Ze waren wat ontwerp betreft hetzelfde, maar de klingen waren totaal verschillend. Het wapen van Rolf was van een bijna doorschijnend materiaal gemaakt dat zwak flikkerde in het licht, terwijl Magnus' imitatie er dof en zwaar uitzag. De dief wierp die dolk van de klif af.

'Dat is zo'n schitterend wapen,' zei de dwerg, gefascineerd door het wapen dat even daarvoor tegen zijn keel was gezet. 'De kling komt uit Tur, nietwaar?'

Rolf negeerde hem en zei tot Esrahaddon: 'Houd hem goed in de gaten. Ik ben zo snel mogelijk terug.'

Arista nam plaats op haar zetel op het balkon boven de ingang van het kasteel, met het gevolg van de aartsbisschop waaronder zich ook Sally en sentinel Louis Gydo bevonden. Het balkon bestond uit ruwe balken en dikke touwen en was uiterst krap. Slechts een paar man konden erop zitten, maar het lukte Berthe om zich erop te wringen zodat ze achter haar kon blijven staan. Dat gekleef van Berthe was net zo irritant als een mug in het donker.

Arista had geen enkel idee wat er gaande was, maar daarin was ze niet de enige.

Toen ze aankwamen leek alles in chaos te zijn. De heer des huizes was blijkbaar overleden en in en rond het kasteel barstte het van de boeren, vrouwen en kinderen. Ze werden natuurlijk meteen naar buiten gejaagd. Louis Gydo en zijn ridders stelden snel orde op zaken en deelden slaapplaatsen in, gebaseerd op rangen en standen. Aan Arista werd een piepklein kamertje toegewezen op de tweede verdieping. Het was een naargeestig hok, waarin zelfs geen enkel raampje zat. Er lag een berenvel op de vloer, de kop van een eland keek op haar neer als ze in bed lag en een kapstok gemaakt van een hertengewei hing aan de muur. Berthe was druk bezig haar kleren uit de hutkoffer te halen toen Sally langskwam, en erop stond dat de prinses hem naar het balkon vergezelde. Eerst dacht ze dat de krachtmeting zou beginnen, hoewel het al was uitgelekt dat die pas in de avond zou plaatsvinden.

Een heraut stapte naar voren en blies een fanfare op zijn hoorn. Onder hen, op de binnenplaats, vormde zich een menigte. Mannen kwamen aangehold, sommige nog met een drinkbeker of half verorberde maaltijd in de hand. Eén man kwam aan gelopen terwijl hij zijn broek aan het dichtknopen was. Het groeiende publiek bestond uit hoofden en schouders die samengedrukt werden, en alle ogen waren naar boven gericht.

Langzaam stond de aartsbisschop op. Hij was gekleed in het complete staatsiegewaad, bestaande uit een geborduurde kazuifel en lange tunica's, en hij spreidde zijn armen in een plechtig gebaar. Toen sprak hij hen toe, met zijn raspende stem die nauwelijks op die taak was berekend.

'De tijd is aangebroken om de bijzonderheden van dit evenement te verkondigen en de diepgaande gebeurtenis te onthullen, waaraan u, volgelingen van Novron, zult deelnemen. Het is een evenement dat zijn weerga niet kent en na afloop zal de wereld dan ook nooit meer hetzelfde zijn.'

Een aantal mensen achterin klaagde dat ze er niks van konden verstaan, maar de aartsbisschop sloeg er geen acht op en ging verder. 'Ik weet dat sommigen van u hier zijn gekomen in de waan dat deze krachtmeting uit een zwaardgevecht of een toernooi zoals op het Midwinterfestival zou bestaan. In plaats daarvan is wat u zult aanschouwen niets minder dan een mirakel. De meesten van u zullen sterven, slechts een van u zal slagen, en de rest zal de hele wereld erover vertellen.

Een vreselijk kwaad heerst over deze streek. Hier aan de rivier de Nidwalden, aan de rand van de wereld, leeft een beest. Geen grote beer zoals Oswald die een schrikbewind over Glamrendor voerde. Dit wezen is niets anders dan de legendarische Gilarabriwin, een gruwel die sinds de dagen van Novron niet meer is gesignaleerd. Een monster, zo verschrikkelijk dat zelfs in die tijden van helden en goden alleen Novron zelf, of een van zijn afstammelingen, hem kon verslaan. Het zal uw taak, uw uitdaging zijn, om dit creatuur te doden en dit arme dorp te redden van de aloude vloek.'

Onder de verzamelden brak gemompel los en de aartsbisschop hief weer zijn handen om ze tot stilte te manen. 'Zwijgt. Want ik heb u nog niets over de beloning verteld!'

Hij wachtte tot iedereen weer stil was en velen drongen naar voren om het beter te kunnen horen.

'Zoals ik zei, is de Gilarabriwin een beest dat alleen Novron zelf of een van zijn afstammelingen zal kunnen verslaan, en daarom kan hij die erin slaagt deze verschrikking te overwinnen, niemand anders zijn dan de Erfgenaam van de keizerlijke kroon, de sinds lang verdwenen Erfgenaam van Novron!'

De reactie was verrassend lauw. Er steeg geen gejuich of vreugdekreet op. De gehele menigte leek met stomheid geslagen. Ze bleven staren alsof ze nog meer verwachtten. De aartsbisschop keek dan ook verbaasd om zich heen, verward door het geringe enthousiasme van zijn congregatie.

'Zei hij nou dat de winnaar de Erfgenaam wordt?' vroeg Arista met een blik op Sally, die eruitzag alsof hij net iets heel vies rook. Hij glimlachte naar haar, stond op en fluisterde iets in het oor van de aartsbisschop. De oude man ging weer zitten en bisschop Saldur nam het woord.

'Eeuwen en eeuwen heeft de kerk moeite gedaan om de ware Erfgenaam te vinden, om zodoende de keizerlijke lijn van onze heilige heer Novron weer te herstellen.' Sally's stem was luid en warm en droeg ver op de naar dennen geurende middaglucht. 'We hebben gezocht, maar onze enige gidsen waren oude boeken en geruchten. Pure gissingen eigenlijk, hoop en dromen. Er is nimmer een middel gevonden om hem terug te vinden, geen absolute methode om te bepalen waar de Erfgenaam gevonden kon worden, noch wie hij is. Velen hebben onrechtmatig beweerd zijn afstammeling te zijn, veel onwaardige mannen hebben ernaar gestreefd zich de voorname kroon toe te eigenen, en de kerk zag hulpeloos toe.

En toch geloven wij dat hij nog steeds bestaat. Novron zou nooit toestaan dat zijn geslacht ophield te bestaan. We weten dat hij leeft. Misschien is hij zich er niet van bewust. Er zijn duizend jaar voorbijgegaan sinds hij verdween, en wie van ons kan nauwkeurig onze stamboom natekenen tot in de dagen van het Oude Keizerrijk? Wie van ons weet of hij een voorouder had die met een vreselijk geheim het graf in is gegaan? Een vreselijk, schitterend geheim.

De Gilarabriwin is een door Novron gezonden wonder.

Het is een middel om zijn zoon aan te wijzen. Heer Novron heeft dit aan de patriarch toevertrouwd en zijne heiligheid verteld dat hij een krachtmeting diende te houden. Als hij dat deed zou de Erfgenaam zich onder de deelnemers bevinden, hoewel hij zich waarschijnlijk niet bewust was van zijn afstamming.

Dus u – elk van u allen – zou de Erfgenaam van Novron kunnen zijn, in het bezit van goddelijk bloed: een god. Wie heeft er wel eens een kracht diep in zichzelf gevoeld? Een geloof in uzelf, dat u meer waard was dan anderen? Dit is uw kans om aan alle inwoners van Elan te bewijzen dat u niet gek bent, maar ook geen normaal mens. Teken in op het strijdrooster, rijd uit in het nachtelijk duister, vel het beest en u zult onze goddelijke heerser worden. U zult niet slechts een koning worden, maar een keizer, en alle koningen zullen voor u buigen! U zult de keizerlijke troon in Aquesta bestijgen. Alle loyale keizersgezinden en de volledige macht van de kerk zullen u steunen wanneer wij een nieuw tijdperk inluiden dat vrede en eensgezindheid in het hele rijk zal brengen. U hoeft slechts één enkel beest te doden. Wat is daarop uw antwoord?'

Deze keer juichte de menigte. Saldur keek even steels naar de aartsbisschop en trad terug van de rand van het balkon om weer te gaan zitten.

Toen Rolf Dahlgren bereikte, was het dorp in rep en roer. Mensen liepen van hot naar her, maar de meesten waren op weg naar de dorpsput. Er zaten veel nieuwe gezichten tussen, merendeels mannen, waarvan de meeste een wapen droegen. Rolf vond Hadriaan die omstuwd werd door dorpelingen. Niemand zag er blij uit.

'Waar moeten we nu heen?' snikte Selene Brokker.

Hadriaan stapte weer op de rand van de put, keek uit over de mensen en het scheen dat hij hun iets bekend wilde maken. 'Ik heb geen idee, vrouw Brokker. Naar huis voorlopig, denk ik.'

'Maar ons huis heeft een dak van stro.'

'Probeer kelders te graven om zo diep mogelijk weg te krui-pen.'

'Wat is er aan de hand?' vroeg Rolf.

'De aartsbisschop van Ghent is aangekomen en is in het kasteel getrokken. Hij en zijn gevolg, met tientallen edelen, hebben het kasteel overgenomen en niet alleen de boeren die meekwamen met zijn gevolg weggejaagd, maar ook de mensen uit Dahlgren. Nou ja, op Rumold, Ditmar en Krijn na, die hij opdracht gaf de schuilplaats en de kelder plus de tunnel die we aan het graven waren weer op te vullen. Als ze de schade niet zouden repareren, zou hij ze op laten hangen voor ver-nieling van andermans bezit. De goede oude diaken Tomas stond erbij, knikte instemmend en zei: "Ik heb ze nog zó ge-zegd het niet te doen, maar ze wilden niet luisteren." Ze heb-ben het grootste deel van het vee zelf gehouden, ze zeiden dat ze binnen de kasteelmuren gestald waren, dus die hoorden bij het huis. Nu zegt iedereen dat het mijn schuld is dat ze hun beesten kwijt zijn.'

'En de open vuren?' vroeg Rolf. 'We zouden er hier ook een kunnen maken, centraal in het dorp.'

'Werkt niet,' zei Hadriaan. 'Zijne heiligheid zei dat het on-wettig is om bomen in de nabijheid van het kasteel te kappen en hij heeft trouwens de ossen ook in beslag genomen.'

'Heb je hem verteld wat er gaat gebeuren wanneer de zon ondergaat?'

'Ik kán hem helemaal niets vertellen.' Hadriaan hief zijn handen en liet zijn vingers door zijn haar gaan alsof hij ze uit wilde rukken. 'Ik kan niet langs die twintig soldaten komen die hij bij de kasteelpoort heeft laten zetten. Geen slecht idee, want ik ben in staat die man te wurgen.'

'Waarom is al die geestelijkheid hier eigenlijk?'

'Dat is nog het ergste,' zei Hadriaan. 'Heb je gehoord dat de kerk een wedstrijd heeft georganiseerd? Het gaat erom wie de Gilarabriwin verslaat.'

'Wát?'

'Het is de bedoeling dat de deelnemers stuk voor stuk zodra

het donker is het veld op gestuurd worden om het beest te verslaan, en als ze dood zijn, laten ze de volgende gaan. Ze hebben een heel rooster op de kasteelpoort gespijkerd.'

'Het komt goed, het komt goed,' riep diaken Tomas.

Iedereen draaide zich om en zag de geestelijke hollend over het pad van het kasteel naar het dorp aankomen. Hij liep met zijn handen omhoog alsof hij de aanwezigen zegende. Hij glimlachte zo breed dat zijn ogen op halvemaantjes leken. 'Alles komt helemaal goed,' zei hij luid en vol vertrouwen, toen hij ze bereikte. 'De aartsbisschop is gekomen om ons te helpen. Ze gaan het beest verslaan om ons te verlossen van die nachtmerrie.'

'En hoe zit het met ons vee?' vroeg Vin Griffin.

'Ze zullen de meeste dieren nodig hebben om de troepen te voeden, maar wat niet gebruikt wordt zal teruggestuurd worden, zodra het beest verslagen is.'

Het volk klaagde en mopperde.

'Kom, kom, dat is de prijs die je betaalt voor je veiligheid. Je hebt toch wel wat over voor het leven van je kinderen? Zijn een varken en een koe meer waard dan je eigen vlees en bloed? Je vrouw? Beschouw het als belasting en wees blij dat de kerk naar Dahlgren is gekomen om ons te redden. Niemand anders heeft het gedaan. De koning van Dunmoer heeft ons in ons sop laten gaarkoken, maar jullie kerk heeft gehoor gegeven aan jullie leed door ons niet alleen wat ridders en een markgraaf te sturen, maar de aartsbisschop van Ghent in eigen persoon. Binnenkort is het beest dood en zal Dahlgren weer een gelukkig dorp zijn. Als dat betekent dat je een jaar geen vlees hebt, en moet ploegen zonder os, dan is dat toch echt geen hoge prijs. Zo, ga nu maar allemaal terug naar huis. Blijf uit de buurt en laat ze hun werk doen.'

'En mijn dochter dan?' gromde Theron en hij drong naar voren, en keek de diaken aan alsof hij hem wilde vermoorden.

'Niets aan de hand, ik heb met de aartsbisschop en bisschop Saldur gesproken; ze hebben erin toegestemd haar te laten blijven. Ze hebben haar naar een kleiner kamertje gebracht, maar...'

'Ze willen me niet eens binnenlaten om haar op te zoeken,' beet de boer hem toe.

'Ik weet het, ik weet het,' zei Tomas sussend. 'Maar mij wel. Ik ben naar beneden gekomen om de zaken uit te leggen. Ik ga nu meteen terug, en ik beloof je, ik blijf aan haar zijde en zal voor haar zorgen tot ze weer beter is.'

Hadriaan glipte de menigte uit die nu rond de diaken stond. Hij keek Rolf somber aan. 'Vertel me alsjeblieft dat je een weg naar de toren hebt gevonden.'

Rolf haalde zijn schouders op. 'Misschien wel. We gaan het vannacht onderzoeken.'

'Vannacht?' vroeg Hadriaan. 'Moet je dat soort dingen niet bij daglicht proberen? Als we wat kunnen zien en er geen beesten met ingewikkelde namen rondvliegen?'

'Niet als het klopt wat ik denk.'

'En als het niet klopt?'

'Als het niet klopt wat ik denk, kun je er donder op zeggen dat we niet terugkomen – waarschijnlijk omdat we opgegeten zijn.'

'Het vervelende is dat ik weet dat je geen grapje maakt. Is het tot je doorgedrongen dat ik mijn wapens kwijt ben?'

'Met een beetje geluk hebben we ze niet nodig. Wat we wel nodig hebben is een flink stuk touw, twintig meter minstens,' zei Rolf. 'Lantaarns, kaarsen, een tondeldoos...'

'Klinkt niet echt of het een plezierwandelingetje wordt,' bromde Hadriaan.

'Ben ik roerend met je eens,' antwoordde Rolf.

9

OEFENEN IN HET MAANLICHT

'Naar je bed!' schreeuwde de man. 'Naar je bed, en héél gauw!' Arista wandelde door de gang in het grote woonhuis, zowel om de weg te leren kennen in haar nieuwe omgeving als om Berthe te ontlopen, die erop stond dat ze een middagdutje deed. Eerst dacht ze dan ook dat het geschreeuw voor haar was bedoeld, en omdat ze al genoeg te verduren had van de betuttelende Berthe was ze beslist niet van plan zich ook nog eens te laten commanderen door een brutale kerel. Ze was dan wel niet in haar geboorteland Melengar, waar ze prinses van het rijk was, maar ze was nog steeds een prinses en niemand had het recht zo'n toon tegen haar aan te slaan.

Met een verbeten trek op haar gezicht stapte ze verder en toen ze een hoek omsloeg, stuitte ze op een man van middelbare leeftijd en een meisje van een jaar of zestien. Het meisje was enkel gekleed in een nachtpon en haar gezicht was bont en blauw. Hij hield haar bij haar pols vast en was bezig haar een slaapkamer binnen te sleuren.

'Laat haar los!' commandeerde Arista. 'Hilfred! Wachters!'

De man en het meisje keken haar allebei verward aan.

Hilfred kwam de hoek al om gerend en stond in een tel met getrokken zwaard tussen de prinses en de bron van haar woede.

'Ik zei: blijf met je gore handen van haar af, of ik laat ze bij je polsen afhakken.'

'Maar ik...' begon de man.

Van de andere kant van de gang kwamen twee wachters aan gelopen. 'Hoogheid?' begroetten ze haar vragend.

Hilfred zei niets maar wees slechts met de punt van zijn zwaard naar de keel van de man.

'Zet deze schooier gevangen,' beval Arista. 'Hij wilde dit meisje aanranden.'

'Nee, nee, alsjeblieft,' protesteerde het meisje. 'Het was mijn fout. Ik...'

'Het is jouw fout niet.' Arista keek haar medelijdend aan. 'En je hoeft niet bang meer te zijn. Ik kan ervoor zorgen dat hij je nooit meer lastigvalt. Of wie dan ook.'

'O lieve Maribor, bescherm me,' bad de man.

'O nee, u begrijpt het niet,' hield het meisje vol. 'Hij deed me geen pijn. Hij wilde me helpen.'

'Hoe bedoel je?'

'Ik heb een ongeluk gehad.' Ze wees op de blauwe plekken en schaafwonden in haar gezicht. 'Vader Tomas zorgde voor me, maar ik voelde me vandaag wat beter en ik wilde een wandelingetje maken, maar hij vond het verstandiger dat ik nog een dagje in bed bleef. Hij probeert echt alleen maar te zorgen dat ik beter word. Laat hem toch met rust. Hij is zo goed voor me geweest.'

'Kennen jullie deze man?' vroeg Arista aan de wachters.

'Hij heeft als diaken van dit dorp toestemming van de aartsbisschop om hier te komen, vrouwe, en hij zorgde inderdaad voor dit meisje, dat bekendstaat als Trees.' Tomas, met zijn ogen wijd open van angst en met Hilfreds zwaard nog steeds vlak tegen zijn keel, knikte zo goed als hij kon en probeerde vriendelijk zij het gespannen te glimlachen.

'Wel,' zei Arista en tuitte haar lippen, 'dan heb ik me vergist.' Ze keek naar de wachters. 'Gaan jullie maar terug naar je post.'

'Prinses.' De wachters bogen kort, draaiden zich om en liepen de gang weer uit.

Hilfred liet langzaam zijn zwaard weer in de schede glijden.

Ze keek weer naar het stel. 'Ik bied mijn verontschuldigingen aan, het leek alleen net of... nou ja, het maakt ook niet uit.' Gegeneerd keerde ze zich om en wilde weer teruglopen.

'O nee, uwe hoogheid,' zei Trees en deed haar best een nette knix te maken. 'Dank u wel dat u me te hulp kwam, al was het nu niet zo nodig. Het is fijn te weten dat iemand van hoge komaf moeite doet om een arme boerendochter te helpen.' Trees keek haar vol ontzag aan. 'Ik heb nog nooit een prinses ontmoet. Ik heb er zelfs nooit eentje gezien.'

'Dan hoop ik maar dat ik niet tegenval.' Trees wilde net antwoorden maar Arista was haar voor. 'Wat is er met je gebeurd?' vroeg ze en gebaarde naar Trees' gezicht.

Trees liet haar vingers over haar voorhoofd gaan. 'Is het zo erg?'

'Het was de Gilarabriwin, hoogheid,' legde Tomas uit. 'Trees en haar vader, Theron, waren de enigen die ooit een aanval van het beest hebben overleefd. En nu, mijn kind, ga alsjeblieft weer naar bed.'

'Maar ik voel me echt een stuk beter.'

'Laat haar maar een eindje met mij mee wandelen, diaken,' zei Arista op vriendelijke toon. 'Als het niet gaat, breng ik haar weer naar bed.'

Tomas knikte en maakte een buiging.

Arista nam Trees bij de arm en leidde haar de gang door, met Hilfred een paar passen achter hen. Ver kwamen ze niet, de gang was maar een meter of dertig lang; het huis van de heer was immers geen echt kasteel. Het was uit grote ruwe balken opgebouwd – sommige waren zelfs niet van de bast ontdaan – en ze schatte dat er slechts acht slaapkamers waren. Daarnaast was er nog een ontvangstkamer, een werkkamer en de grote zaal, die een hoog plafond had en wanden vol herten- en berenkoppen. Het deed Arista denken aan een kleine, grove versie van koning Rosworts residentie. De vloer bestond uit brede grenen planken, en de buitenmuren uit dikke stammen. Daartegenaan waren ijzeren lantaarns gespijkerd met flakkerende kaarsen die halve kringen sidderend licht gaven, want al was het dan pas in de namiddag, binnen in het woonhuis was het zo donker als een grot.

'U bent zo vriendelijk voor me,' zei het meisje. 'De anderen doen... alsof ik hier niet hoor.'

'Nou, ik ben blij dat je hier bent,' antwoordde Arista. 'Behalve mijn kamenier, Berthe, ben je volgens mij de enige vrouw hier.'

'Het vervelende is dat alle anderen naar huis zijn gestuurd en ik voel me hier niet zo thuis, net alsof ik iets verkeerds heb gedaan. Vader Tomas zegt dat daar niets van waar is. Hij zegt dat ik tijd nodig heb om te herstellen en dat hij ervoor zal zorgen dat niemand me lastigvalt. Heel aardig van hem. Ik denk dat hij zich net zo hulpeloos voelt als de rest hier. Misschien is de zorg voor mij een strijd die hij denkt te kunnen winnen.'

'Ik heb de diaken verkeerd beoordeeld, en jou ook. Zijn alle boerendochters in Dahlgren zo verstandig?'

'Verstandig?' Trees leek er verlegen mee.

Arista glimlachte naar haar. 'Waar is je familie?'

'Mijn vader is nu in het dorp. Ze laten hem niet eens binnen om te zien hoe het met me gaat, maar de diaken gaat proberen ze om te praten. Niet dat het veel uitmaakt, want zodra ik kan reizen, vertrekken we uit Dahlgren. Ook daarom wil ik snel op krachten komen. Ik wil hier weg. Ik wil dat we een nieuwe plek vinden om daar opnieuw te beginnen. Dan vind ik een man, ga ik trouwen, en krijg ik een zoon, die ik Braam zal noemen.'

'Grote plannen, maar hoe voel je je nu echt?'

'Ik heb nog veel hoofdpijn en om eerlijk te zijn begin ik me een beetje duizelig te voelen.'

'Dan moesten we maar weer naar je slaapkamer gaan,' zei Arista en ze liepen weer terug.

'Maar het gaat al veel beter met me dan gisteren, daarom wilde ik zo graag opstaan. Ik heb Esra nog niet kunnen bedanken. Ik dacht dat hij hier ergens in de zaal was.'

'Esra?' vroeg Arista. 'Is hij de dorpsdokter?'

'O nee, Dahlgren heeft nooit een dokter gehad. Esra is...

nou ja, een heel wijze man. Als hij er niet was geweest, waren mijn vader en ik nu allebei dood geweest. Hij was degene die me het medicijn gaf dat me heeft gered.'

'Zo te horen is hij inderdaad een knappe man.'

'O, dat is hij zeker. Ik probeer hem terug te betalen door hem te helpen met eten. Hij is zo trots, dat snap je wel, en hij zou er nooit om vragen, dus ik bied het aan en ik zie wel dat hij het waardeert.'

'Is hij zo arm dat hij geen eten kan betalen?'

'O nee, hij heeft alleen geen handen.'

'Tur is een mythe,' zei Esrahaddon tegen de dwerg, toen Rolf en Hadriaan het pad naar de waterval afkwamen.

'Dat zeg jij,' antwoordde Magnus.

De magiër en de dwerg zaten op de uitstekende rots met elkaar te kibbelen, het geluid van het bulderende water overstemmend. Omdat de zon achter de bomen verdwenen was zaten ze in de schaduw, maar de kristallen spitsen boven Avempartha vingen de laatste stralen van stervend rood licht op.

Esrahaddon zuchtte. 'Ik zal nooit kunnen inzien wat religie in zich heeft om anders zo redelijke mensen in sprookjes te laten geloven. Zelfs op religieus gebied is Tur een parabel, geen realiteit. Je kletst over mythen, gebaseerd op legenden, gebaseerd op bijgeloof en je neemt het allemaal letterlijk. Dat is niets voor dwergen. Weet je zeker dat je niet ergens een druppel mensenbloed in je lijf hebt?'

'Dat is een belediging,' zei Magnus met samengeknepen ogen. 'Je ontkent het, terwijl het bewijs voor je neus staat. Als je dwergenogen had, zou je zien waar die dolk vandaan kwam.' Magnus gebaarde naar Rolf.

'Wat is dit allemaal?' vroeg Hadriaan. 'Hallo Magnus, nog een moordje gepleegd de laatste tijd?'

De dwerg keek stuurs weg.

'Deze dwerg beweert stellig dat Rolfs dolk door Keil is gemaakt,' legde Esrahaddon uit.

'Dat heb ik niet gezegd,' snauwde de dwerg. 'Ik zei dat het een kling van Tur was. Het kan door iedereen uit Tur gemaakt zijn.'

'Wat is Tur?' vroeg Hadriaan.

'Een verwarde sekte van krankzinnigen die een verzonnen god vereren. Ze noemen hem Keil, ook dat nog. Je zou toch denken dat ze hem minstens een betere naam hadden kunnen geven.'

'Ik heb nooit van Keil gehoord,' zei Hadriaan. 'Ik ben dan wel geen godsdienstwetenschapper, maar als ik me goed herinner wat een kleine monnik me ooit vertelde, is Drome de dwergengod, Ferrol de elfengod, en de mensengod is Maribor. Hun zuster, de godin van flora en fauna heet... Muriël, niet? En haar zoon, Uberlin, is de god der duisternis. En wie zou die Keil dan moeten zijn?'

'Hij is hun vader,' legde Esrahaddon uit.

'O ja, die ben ik vergeten. Maar die heette toch geen Keil? Die heette toch Erebus of zoiets? Die heeft zijn dochter verkracht en zijn zonen hebben hem toen vermoord, maar hij ging niet echt dood. Een warrig verhaal, als je het mij vraagt.'

Esrahaddon grinnikte. 'Dat geldt voor alle godsdiensten.'

'Goed, maar wie is die Keil nou?'

'Wel, de sekte van Tur, of Keil, zoals die ook wel bekendstaat, houdt vol dat een god onsterfelijk is en niet dood kan gaan. Dit gestoorde groepje mensen kwam met dit idee tijdens de regering van keizer Estermon II en begon het verhaal te verspreiden dat Erebus stomdronken was, of waardoor een god in elk geval niet bij zijn positieven was, toen hij zijn eigen dochter verkrachtte, en dat hij zich schaamde voor wat hij had gedaan. Het verhaal ging verder dat Erebus zijn kinderen – de goden – in de waan liet dat ze hem hadden vermoord. Toen ging hij stiekem naar Muriël en smeekte haar het hem te vergeven. Ze zei tegen haar vader dat ze nog niet in staat was hem vergiffenis te schenken, en dat ze dat alleen maar kon wanneer hij boete had gedaan. Ze zei dat hij goede daden moest verrichten door heel Elan, maar als een man uit het volk, niet als god of koning. Voor elke daad van opoffering en goedheid die zij accepteerde, zou ze hem een veer uit haar prachtige gewaad schenken, en wanneer haar gewaad verdwenen was, zou ze hem vergeven en hem vragen thuis te komen.

De legende van Keil verhaalt dat eeuwen geleden een vreemdeling het arme dorpje Tur binnenkwam. Niemand weet natuurlijk waar het ligt en door de eeuwen heen is de ligging nogal eens veranderd, maar volgens de meest betrouwbare versie zou het in Delgos liggen, omdat Tur regelmatig door de Dacca werd aangevallen en natuurlijk omdat de naam lijkt op die van de havenstad Tur Del Fur. Het verhaal gaat dat die vreemdeling zichzelf Keil noemde en dat hij, toen hij Tur in-kwam en de benarde toestand waarin de wanhopige dorpe-lingen verkeerden in zich opnam, hun wapens leerde maken opdat ze zichzelf konden verdedigen. De wapens die hij hun leerde maken stonden bekend als de beste ter wereld, waarmee je door massief ijzer kon snijden alsof het zacht hout was. Hun schilden en wapenrusting waren licht van gewicht maar sterker dan steen. Toen hij hun deze kunst had geleerd, waren ze in staat hun huis en goed te verdedigen. Nadat ze de Dacca hadden teruggedrongen, schijnt dat er een donderslag bij hel-dere hemel te horen was en uit de hemel daalde één enkele witte veer neer in Keils handen. Hij kon zijn tranen niet be-dwingen bij het zien van dit geschenk, en nam afscheid van het dorp. Hij is sindsdien niet meer gezien, althans niet door de inwoners van Tur. Tijdens de verschillende regeringen van opeenvolgende keizers, ontstonden er steeds nieuwe verhalen over Keil die hier of daar een goede daad verrichtte en een veer ontving. De legende onderscheidt zich van alle andere omdat het arme dorpje Tur wijd en zijd bekend werd vanwege het fantastische wapentuig dat ze er maakten.'

'Ik heb nooit van dat dorp gehoord.'

'Dan ben je niet de enige,' zei Esrahaddon. 'Dus de mythe-aanhangers voegden een pagina toe aan hun verhaal, zoals zo vaak gebeurt met dit soort verzinsels die botsen met de reali-teit. In dit vervolg werd het dorp overspoeld met bestellingen, iedereen wilde die wapens. De mensen uit Tur hadden het gevoel dat het niet de bedoeling was wapens te maken voor om het even wie, dus ze maakten er maar een paar, en alleen voor hen die daar een goed en rechtvaardig gebruik van wilden maken. Machtige koningen besloten zichzelf deze goddelijke kunst van het wapens maken toe te eigenen en bereidden zich voor op een veldslag om heer en meester over het dorp te worden. Toen echter op de dag van de machtsstrijd de legers opmarcheerden, was tot hun verbijstering het hele dorp Tur, met gebouwen en inwoners en al, van de aardbodem verdwenen. Er lag slechts een enkele witte veer die van een onbekende vogel kwam.'

'Mooi verzonnen,' zei Hadriaan.

'Precies,' antwoordde de magiër. 'Het ene mysterie bedekt door het andere, maar nergens enig bewijs. En toch blijven de mensen hierin geloven.'

'Jullie vergeten,' onderbrak Magnus hen, 'dat Tur Del Fur een dwergenstad was, en in mijn taal betekent dat *Het Dorp Tur*. Er bestaan dwergenlegenden waarin staat dat het eens een stad van zeer beroemde ambachtslieden was die de geheimen kenden van het vouwen van metaal en het smeden van de allerbeste zwaarden. Elke dwerg in Elan zou zijn baard geven voor de geheimen van Tur of zelfs maar de kans om een zwaard te bestuderen.'

'En jij denkt dat Alvensteen een dolk uit Tur is?' vroeg Hadriaan.

'Hóé noemde je het?' vroeg Magnus en hij richtte abrupt zijn kraaloogjes op hem.

'Moedig hem nou niet aan,' zei Rolf die alleen maar naar de toren keek.

'Waar heeft hij die Alvensteen vandaan?' vroeg de dwerg met zachte stem.

'Heeft hij van een vriend gekregen,' zei Hadriaan. 'Nou goed?'

'Wie was dat? En waar had die vriend het vandaan?' hield de dwerg aan.

'Jullie beseffen toch wel dat ik jullie kan horen?' zei Rolf, maar toen zag hij iets en wees naar Avempartha. 'Daar, kijk.'

Ze krabbelden allemaal overeind om naar het silhouet van de vervagende toren te kijken. De zon was ondergegaan en de avond was gevallen. Als enorme spiegels vingen de rivier en de toren het licht van de vele sterren en de heldere maan op. De mist van de waterval verscheen als een griezelige witte geest die zich rond de basis bewoog. Bijna boven aan de spits van een van de torens vouwde een donkere schaduw zijn vleugels uit en vloog naar beneden boven de loop van de rivier. Hij maakte een zwenking en ging terug boven de waterval, waar hij de luchtstromingen opving en hoger en hoger klom tot hij, met een paar slagen van de grote vleugels, boven de bomen van het woud, richting koos naar Dahlgren.

'Is daar zijn nest?' vroeg Hadriaan ongelovig. 'Woont-ie in de toren?'

'Handig, hoor,' merkte Rolf op, 'dat het beest slaapt op de plek waar ook het wapen zich bevindt waarmee het gedood kan worden.'

'Handig voor wie?'

'Dat staat nog te bezien,' zei Esrahaddon.

Rolf wendde zich tot de dwerg. 'Oké, mijn kleine steenhouwer, zullen we op weg gaan naar de tunnel? Hij loopt onder de rivier door, toch? Onder water?'

Magnus keek hem verbaasd aan.

'Ik gokte maar wat, maar aan de blik in je ogen te zien, zit ik er niet ver naast. Het is de enige plek waar ik niet gezocht heb. Maar in ruil voor het sparen van je leven, ga jij ons eens exact laten zien waar die tunnel loopt.'

Arista stond met de Piekerings op de omgang van de zuidelijke palissademuur naar de zonsondergang te kijken. De muur bood het beste uitzicht op zowel de binnenplaats als de heuvels aan de andere kant, zonder last van het gewoel te hebben. Onder hen waren ridders druk bezig zich in wapenrusting of harnas te hijsen; boogschutters spanden hun bogen, paarden in rijkversierde sjabrakken trappelden nerveus en priesters baden tot Novron voor wijsheid. De krachtmeting stond op het punt te beginnen. Onder aan de heuvel lag het dorpje Dahlgren in doodse stilte. Nog geen kaarsje brandde er. Niets bewoog.

Er ontstond een opstootje bij de poort waar de lijst van deelnemers aan een paal was opgehangen. Arista zag een aantal mannen die elkaar ruw opzij duwden en aan elkaars kleren trokken, zodat het stof opwaaide.

'Wie is het deze keer?' vroeg Mauvin. De oudste Piekering leunde met zijn rug tegen de palissade. Hij droeg een eenvoudige wijde tuniek en een paar zachte soepele schoenen. Dit was de Mauvin die ze zich herinnerde, de zorgeloze jongen die haar uitdaagde tot stokkenduels toen ze een kop groter was dan hij en hem makkelijk aankon, in de dagen dat ze nog een moeder en een vader had en dat het jaloers maken van zijn zus Lenare haar grootste uitdaging was.

'Ik kan het niet zien,' antwoordde Fanen terwijl hij naar het gewoel tuurde. 'Ik geloof dat heer Erlic er een van is.'

'Waarom vechten ze?' vroeg Arista.

'Iedereen wil een hogere plaats op het rooster,' antwoordde Mauvin.

'Dat slaat nergens op. Het maakt niet uit wie er het eerst gaat.'

'Wel als degene vóór je het beestje verslaat voor je ook maar een kans hebt gehad.'

'Dan maakt het nog niet uit. Er is maar één Erfgenaam die het beest kan doden.'

'Geloof je die onzin echt?' vroeg Mauvin en hij keerde zich om, greep de scherpe punten van de palen en tuurde naar beneden. 'Dan ben je de enige die zo denkt.'

'Wie is de eerste op de lijst?'

'Nou, dat was Tobis Rentinual.'

'En wie is dat dan?'

'Die ene met die grote mysterieuze wagen, waarover we je verteld hebben.'

'Daar' – en Fanen wees naar de binnenplaats – 'het is die ijdeltuit die daar tegen het rookhok leunt. Hij heeft een schrille hoge stem en zo'n arrogante houding dat je hem soms wel kan wurgen.'

Mauvin knikte. 'Precies. Ik heb stiekem onder dat zeildoek gegluurd: er zit een raar geval van hout, touw en katrollen onder. Het is hem gelukt de lijst het eerst te ontdekken en zijn naam op te schrijven. Daar had niemand een probleem mee toen ze nog dachten dat de wedstrijd om een toernooi zou gaan. Iedereen stond eerst te trappelen om hem een toontje lager te laten zingen, maar later, tja, toen was iedereen als de dood dat Tobis nog keizer zou worden ook.'

'Hoezo "was" hij de eerste op de lijst?'

'Hij werd van de eerste plaats verdrongen,' zei Fanen.

'Verdrongen?'

'Ideetje van Louis Gydo,' legde Mauvin uit. 'De sentinel liet omroepen dat zij die laag op de lijst stonden, konden vechten voor een hoger plaatsje. Wie ontevreden was met zijn positie kon degene wiens plaats ze wilden hebben uitdagen tot een duel. De uitgedaagde partij kon kiezen of hij direct van plaats wilde ruilen, of de strijd met de uitdager zou aangaan. Heer Enden van Slagwijk daagde Tobis uit en die gaf meteen zijn toppositie op. Wie kan hem dat kwalijk nemen? Enkel heer Gavin had de moed vervolgens heer Enden uit te dagen, en een aantal anderen trok het zwaard tegen elkaar voor minder belangrijke plaatsen. De meesten veronderstelden dat de duels op punten gewonnen konden worden, maar Gydo verklaarde dat de strijd alleen gestreden was wanneer de tegenstander het opgaf, dus ze hebben uren geduurd. Velen van hen hebben verwondingen opgelopen. Heer Gavin gaf het pas op toen heer Enden zijn schouder doorboorde. Hij heeft aangekondigd van de krachtmeting af te zien en gezegd dat hij morgen vertrekt, en hij is niet de enige. Er zijn er al een paar vertrokken die behoorlijk in het verband zaten.'

Arista keek Fanen aan. 'En jij hebt niemand uitgedaagd?'

Mauvin grinnikte. 'Dat was zo grappig. Zodra Gydo zijn

besluit aankondigde, keek iedereen naar ons.'

'Maar je deed niet mee?'

Fanen gromde wat en keek schuins naar Mauvin. 'Hij wil me niet laten vechten. En nu sta ik helemaal onderaan.'

'Hadriaan Zwartwater zei dat we ons niet in moesten schrijven,' legde Mauvin uit.

'Nou en?'

'Nou, de enige hier die de toppositie zonder een centje pijn had kunnen winnen, heeft zijn naam niet eens op de lijst gezet. Of Hadriaan weet iets wat wij niet weten, of dat denkt hij. Het lijkt mij de moeite waard om tenminste de eerste nacht de kat uit de boom te kijken. Trouwens, Arista heeft toch gelijk: het maakt niet uit wie er het eerste gaat.'

'Weten jullie wie er ook niet op die lijst staat?' vroeg Fanen. 'Heer Rufus.'

'Ja, dat viel mij ook al op. Ik dacht dat hij Enden wel zou uitdagen – het zou leuk geweest zijn om dat duel bij te wonen. Hij staat niet eens buiten zoals de rest.'

'Hij hangt veel bij de aartsbisschop rond.'

Vanaf hun hoge positie keek Arista rond over de binnenplaats. Het was er donker geworden, de muren en bomen dompelden het terrein onder in schaduw. Er liepen nu mannen met fakkels rond die ze aan de muren aanbrachten. Zeker een honderdtal had zich nu binnen de muren verzameld, pratend in kleine groepjes. Sommigen schreeuwden, anderen lachten en ze hoorde ook mannen zingen; het lied kende ze niet, maar door de rijmwoorden nam ze aan dat het een schunnig drinklied was. Er werd veel geproost. Donkere gestalten in het vervagende licht; brede, sterke kerels die hun bekers tegen elkaar sloegen met genoeg kracht zodat het schuim eruit spatte. En boven hen uit, op een houten platform in het midden van de binnenplaats, stond sentinel Louis Gydo. Hij stond hoog genoeg om de laatste zonnestralen aan de horizon te zien en de laatste zuchtjes van de avondbries te voelen. In dit licht leek zijn rode soutane in brand te staan en de wind die zijn mantel deed opwaaien, verleende hem een onheilspellende aanblik.

Ze keek weer naar de broers. Mauvin had zijn mond opengesperd en probeerde met zijn wijsvinger iets tussen zijn kiezen uit te peuteren. Fanen keek met zijn hoofd achterover naar de lucht. Ze was blij dat ze hier bij haar waren. Het gaf haar een beetje het gevoel dat ze thuis was in deze woestenij en ze stelde zich de geur van appeltjes voor.

Arista en Alric hadden de zomermaanden vaak op de Velden van Drondil doorgebracht om de hitte van de stad te ontvluchten. Ze wist nog goed hoe ze in de boomgaard buiten het kasteel in de bomen klommen en in de herfst appelgevechten hielden. De rotte appels barstten aan de takken open en de pulp viel boven op hen, drong in hun kleren zodat ze na een dag buiten allemaal naar cider roken. Ieder van hen koos een boom die hun kasteel moest voorstellen, en ze sloten verdragen. Mauvin was altijd de bondgenoot van Alric en schreeuwde: 'Mijn koning! Mijn koning!' Lenare vocht samen met Fanen, om haar broertje te beschermen tegen die 'woestelingen', zoals ze hen noemde. En zo nam Arista het altijd in haar eentje op tegen de twee groepjes. Zelfs toen Lenare ophield met in bomen te klimmen, bleef het de jongens tegen het meisje. Het maakte haar niets uit. Ze merkte het niet eens. Ze had er nooit over nagedacht, tot dit moment.

Er ging zoveel in haar hoofd om. Zoveel wat ze uit moest zoeken. Het was haast niet te doen geweest om na te denken in die hotsende koets met Berthe die haar aanstaarde. Ze wilde wanhopig graag met iemand praten, al was het maar om haar gedachten eens hardop te horen. Het idee dat Sally een samenzweerder was had zich in haar hoofd vastgezet, hoe moeilijk ze het ook kon geloven. Als Sally haar vader had verraden, wie kon ze dan nog vertrouwen? Kon ze Esrahaddon wel vertrouwen? Of had hij haar gebruikt om te ontsnappen? Was híj misschien verantwoordelijk voor de dood van haar vader? Nu leek het erop dat de oude magiër hier in de buurt was, niet ver buiten de muren misschien, en dat hij de nacht in een van de huisjes in het dorp doorbracht. Ze wist niet wat ze moest denken, of wie ze kon vertrouwen.

Mauvin had te pakken wat hij zocht in zijn gebit en schoot het van zijn vinger over de muur.

Ze deed haar mond open om wat te zeggen, maar had moeite de juiste woorden te vinden. De hele reis was ze van plan geweest de kwestie die haar in Ervanon ter ore was gekomen met de Piekerings te bespreken, nou ja, met Mauvin dan. Ze sloot haar mond en beet op haar lip, en dacht weer met weemoed aan de boomgaard van lang geleden en de geur van rijpende appels.

'O, daar bent u, hoogheid,' zei Berthe die haar snel een sjaal om de schouders hing. 'U moet niet zo laat buiten blijven; dat past een dame niet.'

'Echt Berthe, je had kinderen moeten nemen toen je daar de kans nog voor had. Die obsessie om me te bemoederen moet nu maar eens afgelopen zijn.'

De oude vrouw glimlachte warm naar haar. 'Ik zorg nu alleen maar voor u, hoogheid. Er moet op u gelet worden. Dit vreselijke oord zit vol rabauwen. Slechts de dunne muren en de genade van de aartsbisschop houden hen uit de buurt van uw kuisheid. Een jonkvrouw zoals u is zeer verleidelijk voor hen, en in de onbeschaafde omgeving van deze wildernis kunnen zelfs de deugdzaamste mannen tot onbesuisde daden worden aangezet.' Ze keek argwanend naar de broers, die schaapachtig terugkeken. 'En er zijn er nog veel meer die ik niet eens zou durven omschrijven als deugdzame mannen. In een groot kasteel, met een grote hofhouding, kan zulk manvolk op afstand gehouden worden door hun ontzag voor de Kroon, maar hier, vrouwe, in dit barbaarse, bloeddorstige gebied, verliezen ze maar al te snel hun hoofd.'

'O, alsjeblieft, Berthe.'

'Daar gaan we dan,' zei Fanen opgewonden.

Terwijl het allerlaatste licht verdween gingen de poorten open en heer Enden reed uit, met zijn gevolg van twee schildknapen en drie pages, die vlammende fakkels droegen. Ze draafden de heuvel af naar het open veld, waar de ridder zich voorbereidde op de strijd.

Plotseling steeg er een kreet op uit de menigte en Arista zag een donkere schaduw langs de maanbeschenen hemel schieten. Hij kwam aanvliegen als een havik, als een silhouet van vleugels en staart. De toeschouwers mompelden en hun adem stokte toen het beest even om het kasteel cirkelde en leek te aarzelen, tot zijn aandacht werd getrokken door de fakkels waarmee heer Endens gevolg halverwege de heuvel heen en weer zwaaide.

Hij vouwde zijn vleugels en dook uit de hemel als een pijl die gericht was op de ridder van Slagwijk. De fakkels werden nog wilder heen en weer gezwaaid en Arista zag hoe heer Enden zijn lans hief en zijn paard de sporen gaf. Er werd gegild en kreten van afschuw en angst weerklonken toen een voor een de fakkels in het veld langzaam doofden.

'De volgende!' riep Louis Gydo.

De dwerg leidde hen het pad langs de rivier op tot waar de maan een grote rots bescheen die naar het water gericht was. Hadriaan vond dat hij eruitzag als de botte punt van een grote speer. Magnus stampte met zijn laars op de grond en wees naar de rivier. 'We gaan er hier in. Zwem zo'n zeven meter recht naar beneden; daar zit een opening in de oever. De tunnel loopt dan precies onder ons door, buigt af en gaat dan onder de rivier door naar de toren.'

'En dat kun je ons allemaal vertellen door dat gestamp?' vroeg Rolf.

Hadriaan keek naar Esrahaddon. 'Hoe goed kun jij zwemmen?'

'Ik heb tot mijn spijt de kans niet meer gehad sinds...' zei hij melancholiek en hij hield zijn stompjes op. 'Maar ik kan mijn adem redelijk lang inhouden. Trek me naar onder als het nodig is.'

'Ik ga wel eerst,' verkondigde Rolf, zijn ogen strak op Magnus gericht. Hij gooide het opgerolde eind touw op de grond en bond het ene eind om zijn middel. 'Laat het touw vieren, maar houd het goed vast. Ik weet niet hoe sterk de stroming hier is.'

'Er is hier geen stroming,' zei Magnus. 'Er is een vooruitstekende rand onder water, waardoor een soort draaikolk ontstaat. Net een klein meertje daarbeneden.'

'Je vergeeft het me wel dat ik je niet op je woord geloof. Als ik eenmaal beneden ben, geef ik drie rukken aan het touw om aan te geven dat jullie me veilig kunnen volgen. Bind het eind van het touw dan aan een boom vast en volg de lijn naar beneden. Maar als ik er ingesprongen ben en het touw vliegt het water in alsof je een zwaardvis gevangen hebt, trek me dan op zodat ik dat onderkruipsel persoonlijk in mootjes kan hakken.'

De dwerg zuchtte.

Rolf liet zijn mantel afglijden en terwijl Hadriaan het touw vasthield, daalde hij de steile oever af naar de rivier. Hij sprong en verdween onder het donkere water. Hadriaan voelde het touw regelmatig door zijn vingers glijden. Naast hem scheen Magnus zich geen zorgen te maken. De dwerg stond met de handen in de zakken en zijn hoofd achterover naar de lucht te staren. 'Wat zou ons beestje vanavond van plan zijn?' vroeg hij.

'Ik gok dat hij knapperige riddertjes op het menu heeft,' antwoordde Hadriaan. 'Laten we hopen dat ze hem even bezighouden.'

Dieper en dieper rolde het touw uit; toen stopte het. Hadriaan keek waar de lijn het water indook, er was een wit spoor te zien waar het door de stroming sneed.

Drie rukjes aan het touw.

'Oké. Hij is binnen,' zei Hadriaan. 'Nu jij, kleine man.'

Magnus keek hem vals aan. 'Ik ben een dwerg.'

'Ga die rivier in.'

Magnus liep naar de rand. Met dichtgeknepen neus en gepunte voeten sprong hij en verdween met een plons.

'Nu jij en ik nog,' zei Hadriaan, terwijl hij het eind touw aan een berkenboompje bond dat krom naar de rivier groeide. 'Ga jij maar eerst, Esra, dan volg ik, dan zie ik hoe je het redt. Als het nodig is, trek ik je mee.'

De magiër knikte en voor de eerste keer sinds hij hem kende, zag Hadriaan dat hij onzekerheid uitstraalde. Esrahaddon haalde driemaal diep adem, ademde steeds snel weer uit; de vierde keer hield hij zijn adem in en sprong er rechtstandig in. Hadriaan sprong vlak na hem.

Het water was koud – niet ijzig of adembenemend, maar kouder dan verwacht. Door de schok wist Hadriaan even niet meer wat hij moest doen. Toen schopte hij met zijn benen, dook met zijn hoofd onder water en begon langs het touw naar beneden te zwemmen. Magnus had niet gelogen over de stroming. Het water was even roerloos als dat van een meer. Hij opende zijn ogen. Boven hem was het vaag blauwgrijs, onder hem was het inktzwart. Gealarmeerd besefte Hadriaan dat hij Esrahaddon zo niet kon zien. Alsof er meteen op werd gereageerd, verscheen er een zwak schijnsel direct onder hem. De mantel van de magiër gloeide blauwgroen op terwijl hij zwom, peddelend met zijn voeten en water wegduwend met zijn armen. Hoewel hij geen handen had, kwam hij goed vooruit.

Het licht van de mantel bescheen de diepe oever en het naar beneden lopende touw. Het verdween in een duister gat. Hadriaan keek hoe de magiër erin gliptte en terwijl zijn longen branderig begonnen aan te voelen volgde hij hem. Eenmaal binnen zwom hij omhoog, en vrijwel tegelijkertijd kwamen hun hoofden boven water in een klein meertje in een soort grot.

Rolf had zijn eind van het touw om een uitstekende rots gebonden. Er brandde een lantaarn naast hem. Het kleine vlammetje verlichtte met gemak de hele ruimte. Het bleek een natuurlijke grot waarin een ondergrondse tunnel uitkwam. Magnus stond aan de andere kant de wanden van de grot te bestuderen, maar waarschijnlijk wilde hij vooral bij Rolf uit de buurt blijven.

Toen Esrahaddon bovenkwam, trok Rolf hem eruit. 'Het is makkelijker te zwemmen zonder je...' Rolf stopte toen hij de mantel van de magiër voelde. Die was droog.

Hadriaan klom uit het meertje en voelde het rivierwater uit zijn kleren druipen. Hij hoorde de druppels als een regenbui echoën tegen de stenen wanden, maar Esrahaddon zag er precies zo uit als voordat hij het water was ingesprongen. Op zijn haar en zijn baard na was hij niet eens vochtig.

Hadriaan en Rolf wisselden een blik maar zeiden niets.

Rolf pakte de lantaarn op. 'Kom je, klein duimpje?'

De dwerg gromde en wrong zijn baard met beide handen uit. 'Je realiseert je toch wel, m'n vriend, dat dwergen stukken ouder en veel meer...'

'Minder lullen, meer lopen,' onderbrak Rolf hem en wees naar de tunnel. 'Jij voorop. En ik ben je vriend niet.'

Toen ze de tunnel in liepen, betraden ze een nieuwe wereld. De wanden waren glad en naadloos, alsof ze uit versteend water gehakt waren. Het glanzende oppervlak liet het licht van Rolfs lantaarn fonkelend weerkaatsen, waardoor de gebogen gang opeens stralend verlicht werd.

'Waar zijn we eigenlijk?' vroeg Hadriaan.

'Onder de oever, niet ver van de plek waar we stonden voor we het water indoken,' vertelde Magnus. 'De tunnel gaat hier als een spiraal de diepte in.

'Ongelooflijk,' zei Hadriaan, die verwonderd rondkeek naar de flonkerende wanden. 'Het lijkt wel alsof we in een diamant rondlopen.'

Zoals de dwerg had voorspeld liep de tunnel in een spiraal naar beneden. Op het moment dat Hadriaan alle richtingsgevoel kwijt was, stopten ze met draaien en liep de gang in een rechte lijn verder. En even verderop werd het donderende geluid van de waterval hoorbaar, de wanden trilden ervan. Hier en daar sijpelde water door het plafond en de wanden naar binnen. Na duizend jaar achterstallig onderhoud waren er kristallen stalactieten boven hen gevormd, en puntige bergjes van minerale afzettingen op de grond.

'Dit is een beetje minder,' merkte Hadriaan op, toen ze een plas water door moesten die langzaam aan dieper werd.

'Poeh!' was de enige reactie van Magnus.

Ze waadden door het water, de scherpe stenen uitsteeksels ontwijkend. Hadriaan ontdekte dat er allerlei lijnen in de wanden gegraveerd waren. Geometrische vormen en patronen sierden de hele gang. Sommige van de fijne lijnen waren vervaagd en er ontbraken stukken, misschien door de miljoenen fijne waterdruppels die hier door kieren binnenkwamen. Woorden kon hij niet ontdekken en de symbolen waren hem onbekend. Het zou wel puur decoratief etswerk zijn. Bovenaan, bijna verborgen onder het groeiende gesteente, zaten houders waarin misschien ooit vlaggenstokken hadden gezeten, en tussen de tekeningen zaten haken waaraan lampen gehangen zouden kunnen hebben. Hadriaan probeerde zich voor te stellen hoe de tunnel eruit had gezien voor de tijd van Novron, toen veelkleurige banieren en rijen felle lampen de gang gesierd zouden hebben. Kort daarna liep de tunnel hellend naar boven en konden ze een flauw lichtschijnsel aan het einde zien.

De tunnel eindigde in een trap naar boven. De treden liepen rond en waren breed genoeg om twee stappen te doen voor de volgende tree. Toen ze bovenaan kwamen, zagen ze weer de met sterren bezaaide hemel en even later stonden ze weer bovengronds op een uitsteeksel van rotssteen dat de basis van de citadel vormde. Er waaide een straffe wind, gevuld met natte mist. Ze stonden aan het eind van een korte stenen brug die een smalle kloof overbrugde, waarachter de spitsen van de monolithische toren begonnen. Het bolwerk rees boven hen op en vanaf hier was het onmogelijk om de top te zien.

Aan de overkant wachtten hen nog meer trappen en rustig maar met regelmatige tred gingen ze naar boven, nog steeds achter elkaar, al waren de treden breed genoeg voor twee man, of zelfs drie. Vijf trappen beklommen ze, zigzaggend in een halve cirkel rond de buitenkant van de toren. Toen ze de zesde trap opgingen, wachtte Rolf even tot ze uit de wind stonden, zodat ze allemaal even op adem konden komen. Aan de andere kant van de toren, ver beneden hen, dreunde het geraas van de waterval, maar vanaf dit plekje, beschut tegen de wind, leek de nacht doodstil. Geen krekel of uil maakte geluid, alleen de diepe stem van de rivier en het gehuil van de wind waren te horen.

'Dit is belachelijk,' schreeuwde Rolf boven het geluid van de waterval uit. 'Waar zit hier verdomme de deur? We lopen hier open en bloot.'

'Het is nog een klein eindje verder,' antwoordde Esrahaddon.

'En hoe lang hebben we dan?' vroeg Hadriaan, maar de magiër haalde zijn schouders op.

'Komt-ie meteen weer terug nadat hij klaar is met moorden, of blijft hij genieten van de nacht?' informeerde Rolf. 'Ik zou toch denken dat ik, als ik hier negenhonderd jaar opgesloten was geweest, mijn vleugels zo lang mogelijk zou willen uitslaan.'

'Het is geen persoon, of een beest. Het is van magie gemaakt, een mystieke belichaming van macht. Het imiteert levende wezens en begrijpt wanneer het bedreigd wordt, zeker, maar ik betwijfel of het weet heeft van genot en vrijheid. Zoals ik al zei, het is geen levend wezen.'

'Maar waarom eet hij dan?' vroeg Rolf.

'Dat doet-ie niet.'

'Maar waarom vermoordt hij dan een of twee mensen per nacht?'

'Dat heb ik mezelf ook afgevraagd. Hij moet zijn laatste bevel nog steeds vervullen en dat was: dood de keizer. Mogelijk kan hij zijn doel nergens vinden, of kan hij niet al te ver uit de buurt van de toren – zaken die door een bezwering opgeroepen worden, werken vaak binnen een bepaalde afstand tot hun schepper of de plek waar ze opgeroepen werden – maar het kan ook zijn dat hij zijn doel de toren in wil lokken. Het zou goed kunnen dat de keizer de slachting onder zijn volk niet zou accepteren en het dorp te hulp zou komen.'

'Hoe dan ook, we kunnen ons maar beter haasten,' besloot Hadriaan.

De wind nam weer toe terwijl ze rond de toren klommen. Hij floot in hun oren en blies hen met kracht tegemoet om hun stappen te vertragen. Ze rilden in hun vochtige kleren ondanks het harde werk om boven te komen. Boven hen rezen de spitse torens nog steeds ver de nachtelijke hemel in en ze voelden zich allemaal ontmoedigd raken toen ze alweer een soort brug bereikten, die slechts naar een blinde muur reikte.

Hadriaan zag hoe Rolf teleurgesteld zuchtte toen bleek dat hun weg doodliep.

'Ik dacht dat je had gezegd dat er een deur was,' zei Rolf tegen de magiër.

'Die was er, en is er nog steeds.'

Hadriaan zag geen deur. Wel was er de zwakke omtrek van een soort poort te zien, die in de muur voor hen was gekrast, maar die was van massief gesteente.

Rolf trok een lelijk gezicht. 'Zeker een onzichtbaar stenen portaal?'

'Je verspilt je tijd,' zei Magnus tegen hem. 'Je krijgt hem nooit open. Geloof me, ik ben een dwerg. Ik heb uren geprobeerd om binnen te komen, maar tevergeefs. Die wand is betoverd en ondoordringbaar. Die hele tocht onder de rivier door was niets vergeleken bij het openen van die deur.'

Rolf wendde zich tot de dwerg met een nadenkende blik in de ogen. 'Ben je hier eerder geweest? Waarom probeerde je de toren in te komen?'

'Dat heb ik toch gezegd, ik deed een klusje voor de kerk.'

'Je zei dat je een zwaard voor heer Rufus moest maken.'

'Dat was ook zo, maar de aartsbisschop wilde hem niet zomaar een zwaard schenken. Hij wilde een replica van een elfenzwaard geven. Hij gaf me een stapeltje oude tekeningen, aan de hand waarvan ik het maakte. Best goeie schetsen, met de afmetingen en het gebruikte materiaal en zo, maar voor een goeie kopie kun je het ding beter met eigen ogen zien.' De dwerg keek Rolf veelbetekenend aan. 'Ik hoorde dat er nog meer van hetzelfde type in de toren te vinden waren. Dus ik ging hierheen en heb een dag lang de toren van onder tot boven beklommen, maar ik vond nergens een ingang. Geen deur, geen raam, alleen maar steen.'

'Dat zwaard dat je maakte...' zei Esrahaddon. 'Stond er iets op de kling gegraveerd?'

'Ja,' antwoordde Magnus. 'Ze stonden erop dat de inscriptie als twee druppels water op die uit de boeken leek.'

'Dat is het dus,' mompelde Esrahaddon. 'De kerk is hier niet vanwege mij, en ook niet om de Erfgenaam te vinden, ze zijn hier om een Erfgenaam te máken!'

'Een Erfgenaam maken? Dat snap ik niet,' zei Hadriaan. 'Ik dacht dat je zei dat ze wilden dat de Erfgenaam dood was.'

'Dat willen ze ook, maar ze gaan een soort marionet maken. Deze Rufus is uitgekozen om de ware Erfgenaam te vervangen. Een legende zegt dat alleen iemand die afstamt van Novron de Gilarabriwin kan doden. Ze zullen de dood van dit wezen gebruiken als bewijs dat hun stroman de ware Erfgenaam is. Niet alleen levert hun dat een legitiem middel op om hun wetten aan de koningen op te dringen, maar het zal mijn inspanningen om de ware Erfgenaam weer op de troon te krijgen behoorlijk in de weg staan. Wie zal er een oude vogelvrije magiër geloven als hun Rufus de Gilarabriwin verslagen heeft? Ze zullen eerst een paar stoethaspels inzetten die uiteraard al bij hun eerste poging doodgaan, om de onoverwinnelijkheid van het beest te demonstreren. Dan komt Rufus naar voren, en met zijn zwaard waarin de naam gegraveerd staat verslaat hij het beest en wordt hij keizer. Met Rufus als boegbeeld zal de kerk de macht weer in handen krijgen en het hele keizerrijk hervormen. Briljante opzet, moet ik toegeven. Dat had ik niet van ze verwacht.'

'Een paar gematigde koningen zullen daar wel commentaar op hebben,' zei Hadriaan.

'En ze weten dat net zo goed als jij. Daar hebben ze vast allang rekening mee gehouden.'

'Dus moeten we nu nog wel naar binnen?' vroeg Hadriaan.

'O ja,' zei de magiër en hij keek hen allen aan. 'Meer dan ooit.' Hij grinnikte. 'Stel je toch eens voor dat er, voor hun

Rufus het beest te lijf gaat, een ander komt die het beest eerder verslaat!'

De dwerg snoof. 'Poeh! Ik zeg het toch, je komt die deur niet door. Hij is van één blok steen.'

De magiër bestudeerde de omtrek van de poort nogmaals. 'Maak maar open, Rolf.'

Rolf keek sceptisch. 'Wat moet ik openmaken? Dat is een muur zonder klink, zonder slot, niet eens een spleet. Heeft iemand misschien een edelsteen bij zich om te proberen?'

'Dit is geen juweelslot,' zei de magiër.

'Klopt, anders zou ik het weten,' zei de dwerg.

'Probeer hem toch maar te openen,' hield de magiër vol en hij keek Rolf strak aan. 'Daarom heb ik je meegenomen, weet je nog?'

Rolf staarde naar de muur en zei wrevelig: 'En hoe dan wel?'

'Gebruik je instinct. Je hebt de deur naar mijn gevangenis opengekregen en ook daar was geen klink.'

'Puur geluk.'

'Dan heb je nu misschien ook geluk. Probeer het.'

Rolf haalde zijn schouders op. Hij deed een stap naar voren en drukte zijn handen licht tegen de steen, liet zijn vingertoppen over het oppervlak zwerven, en zocht op de tast wat zijn ogen niet konden zien.

'Allemaal verspilde moeite,' zei Magnus. 'Dit is duidelijk een zeer krachtig slot en zonder sleutel is er geen manier om het te openen. Ik weet een en ander van dit soort zaken af. Ik heb dit soort zaken gemáákt. Ze zijn ontworpen om dieven zoals hij te beletten binnen te komen.'

'Aha,' zei Esrahaddon tegen de dwerg, 'maar jij onderschat Rolf. Hij is geen gewone slotenkraker. Ik wist het zodra ik hem zag. Ik weet dat hij het openkrijgt.' De magiër wendde zich tot Rolf die al tekenen van wanhoop vertoonde. 'Probéér niet langer die deur te openen, maar doe het gewoon. Niet nadenken. Doen.'

'Wat doen?' vroeg Rolf geërgerd. 'Als ik wist hoe het moest

had ik het allang gedaan, denk je ook niet?'

'Dat is het nu juist: niet denken. Vergeet dat je een inbreker bent. Doe gewoon die deur open.'

Rolf keek de magiër dreigend aan. 'Prima,' zei hij en duwde zijn hand plat tegen de stenen muur en trok hem met een geschrokken blik terug.

Esrahaddon echter straalde verrukt. 'Ik wist het,' zei de magiër.

'Wist wat? Wat gebeurde er?' vroeg Hadriaan.

'Ik duwde gewoon.' Rolf lachte omdat het zo absurd was.

'En?'

'Wat bedoel je, en?' vroeg Rolf, en hij wees op de massief stenen muur.

'En wat gebeurde er? Waarom lach je zo?' Hadriaan bekeek de muur kritisch alsof hij iets gemist had, een barstje misschien, een grendeltje, een piepklein sleutelgat, maar hij kon niets ontdekken. Precies hetzelfde als daarnet.

'Hij ging open!' zei Rolf.

Hadriaan en de dwerg keken Rolf met een frons aan. 'Waar heb je het in hemelsnaam over?'

Rolf keek over zijn schouder alsof dat alles duidelijk maakte. 'Zijn jullie blind of zo? De deur staat wagenwijd open. Je ziet die gang met...'

'Ze kunnen het niet zien,' viel de magiër hem in de rede.

Rolf keek van de magiër naar Hadriaan. 'Zie je echt niet dat de deur nu openstaat? Je kunt deze gigantische dubbele deur niet zien?'

Hadriaan schudde zijn hoofd. 'Het ziet eruit zoals het er altijd al uitzag.'

Magnus knikte dat hij het ermee eens was.

'Ze kunnen hem niet zien omdat ze niet naar binnen mogen,' legde de magiër uit. Rolf keek op, volgde de blik van de magiër en sperde zijn ogen open.

'Hoe kan dat?' vroeg Hadriaan.

'Elfenmagie. Ontworpen om vijanden buiten te houden. Alles wat ze zien is massieve steen. De poort is voor hen gesloten,' zei de magiër.

'Dus jij kunt het zien?' vroeg Rolf aan Esrahaddon.

'O ja, heel duidelijk.'

'Maar waarom kunnen wij het zien en zij niet?'

'Dat heb ik je al verteld. Het is de magie die vijanden belet binnen te komen. Toevallig ben ik negenhonderd jaar geleden uitgenodigd in de toren. Meteen na mijn bezoek werd hij afgesloten, dus waarschijnlijk is niemand in staat geweest die toestemming om binnen te komen weer in te trekken.' Hij keek weer naar wat Hadriaan zag als een massieve muur. 'Ik denk alleen niet dat ik hem open had kunnen maken, zelfs niet als ik nog handen had gehad. Daarom had ik jou nodig.'

'Waarom mij?' zei Rolf. Toen drong het met een schok tot hem door wat dat betekende. 'Dus je wist het?'

'Ik zou maar een magiër van likmevestje zijn als ik het niet doorhad, vind je niet?'

Rolf keek ongemakkelijk naar zijn voeten, en keek toen op zijn hoede naar Hadriaan, die alleen maar grijnsde. 'Jij wist het ook?'

Hadriaan fronste zijn wenkbrauwen. 'Dacht je nou heus dat ik al die jaren met jou kon samenwerken zonder het uit te vogelen? Het is nogal voor de hand liggend, weet je.'

'Je hebt er nooit iets over gezegd.'

'Ik dacht dat je er liever niet over sprak. Je laat niet veel los over je verleden, gast, en je hebt veel deuren waar ik maar niet op klop. Echt, af en toe vroeg ik me af of je het zelf wel wist.'

'Wat wist? Waar hebben jullie het over?' wilde Magnus weten.

'Gaat je niks aan,' zei Hadriaan tegen de dwerg. 'Maar het schijnt dat onze wegen zich hier scheiden, denk je ook niet? Wij kunnen niet naar binnen, en ik kan je wel vertellen dat ik hier niet op dit bruggetje ga zitten wachten tot de vliegende hagedis thuiskomt.'

'Jullie moesten inderdaad maar gaan,' zei Esrahaddon. 'Rolf en ik kunnen het hier verder wel alleen af.'

'Hoe lang duurt het ongeveer?' vroeg Hadriaan.

'Een paar uur, een dag misschien,' antwoordde de magiër.

'Ik hoopte klaar te zijn voor hij terugkomt,' zei Rolf.

'Onmogelijk. Trouwens, dit zou juist voor jou geen probleem hoeven zijn. Ik weet zeker dat je al vaker ingebroken hebt in huizen waar de bewoners thuis waren.'

'Niet in huizen waar de bewoner me in één hap door kan slikken.'

'Dan kunnen we maar beter muisstil zijn, vind je niet?'

10

VERDWENEN ZWAARDEN

'Ik vind dat het niet onaardig ging, gisteravond,' verklaarde bisschop Saldur, terwijl hij een punt uit de ontbijtkaas sneed. Hij zat aan de bankettafel in de grote zaal van het woonhuis van de heer, samen met aartsbisschop Galiaan, sentinel Louis Gydo en heer Rufus. Het dak van samengebonden balken, hoog als van een kathedraal, kon de donkere, deprimerende atmosfeer die veroorzaakt werd door het gebrek aan buitenlicht niet verjagen. Het gehele kasteel bezat maar enkele raampjes en dat gaf Saldur het gevoel dat hij zich in het hol van een beest bevond, van een bosmarmot of zo, of in de burcht van een bever. De gedachte dat dit miserabele krot de geboorteplaats van het Nieuwe Keizerrijk zou worden was teleurstellend, maar hij was een pragmatisch man. De manier waarop deed niet ter zake. Waar het om draaide was de uiteindelijke oplossing. Of het werkte, of het werkte niet – dat was de enige maatstaf voor wat het waard was. Schoonheidsfoutjes zouden later wel weggepoetst worden.

Wat nu aan de orde was, was het oprichten van het rijk. De mensheid had te lang zonder roerganger rondgedobberd. Een ferme hand was wat de wereld nodig had, een stevige greep aan het roer met een scherp stel ogen en een vooruitziende blik, in staat het schip naar helder, rustig vaarwater te leiden. Saldur had een wereld voor ogen van vrede door welvaart, en veiligheid door kracht. De feodale orde die in alle vier de naties had gedomineerd hield vooruitgang tegen, hield de koninkrijken vastgeketend aan een armoedig bestaan van zwakheid en verdeelde belangen. Wat ze nodig hadden was een gecentraliseerde regering met een verlichte heerser en een bureaucratie van getalenteerde, ontwikkelde ambtenaren die toezicht hielden op elk aspect van het leven. Onvoorstelbaar veel doelstellingen konden bereikt worden, als de gehele kracht van de mensheid onder één bestel kon worden gebracht. Het boerenbedrijf kon radicaal veranderd worden, de producten konden voor een bepaald bedrag door het hele land verspreid worden, zodat ook de armen ze konden betalen en honger de wereld uit werd geholpen. Wetten konden gestandaardiseerd worden, en straffen naar willekeur van wraakzuchtige tirannen zouden onmogelijk worden. Kennis vanuit alle uithoeken van de wereld kon gebundeld worden in één enkele schatkamer van de wetenschap, waar knappe koppen konden leren en nieuwe ideeën, nieuwe technieken tot ontwikkeling konden brengen. Transport kon verbeterd worden door over alle trajecten standaardwegen aan te leggen en ze konden de stank uit de steden bannen door overal identieke rioleringssystemen te installeren. Als dit alles moest beginnen in dit onooglijke houten fortje aan de rand van de wereld, was de prijs te verwaarlozen. 'Hoeveel zijn er dood?' vroeg hij.

De aartsbisschop haalde de schouders op en Rufus deed geen moeite van zijn bord op te kijken.

'Gisternacht zijn er vijf deelnemers door het beest gegrepen.' Louis Gydo beantwoordde de vraag en prikte een muffin aan de punt van zijn dolk.

De Ridder van Nyphron deed Saldur nog steeds versteld staan. Hij was een zwaard in de vorm van een mens – scherp, puntig, snijdend, en net zo elegant van verschijning. Hij stond altijd kaarsrecht, schouders naar achteren, kin omhoog, de ogen gefocust op zijn doel, zijn gelaat een uit steen gebeiteld masker van vastberadenheid, en hij vroeg, smeekte bijna om een confrontatie met eenieder die dom genoeg was hem te tarten. Na al die dagen in de wildernis zat elk haartje nog in model. Hij was een toonbeeld van wat de kerk uitdroeg, de belichaming van het ideaal.

'Vijf maar?'

'Nadat de vijfde in tweeën was gescheurd, was de animo er een beetje uit, en terwijl ze bleven aarzelen, vloog het beest op en ging ervandoor.'

'Denk jullie dat vijf doden voldoende zijn om aan te tonen dat het beest onoverwinnelijk is?' vroeg Galiaan, en hij keek hen allen vragend aan.

'Nee, maar meer keus hebben we niet. Na afgelopen nacht denk ik niet dat er meer vrijwilligers zijn,' antwoordde Gydo. 'Het enthousiasme van de afgelopen dagen zie ik niet meer terugkomen.'

'En u bent gereed, heer Rufus? Als er niemand anders meer naar voren treedt?' vroeg de aartsbisschop, zich naar de ruige strijdheer wendend die aan het andere eind van de tafel zat.

Heer Rufus keek op. Hij liet zich het maal niet ontgaan, en trok het vlees van een schapenbout waardoor zijn warrige rode baard met vet doordrenkt werd. Hij staarde hen vanonder zijn borstelige rode wenkbrauwen aan. Hij spuwde een botje uit.

'Hangt ervan af,' zei hij. 'Kan het zwaard dat die dwerg heeft gemaakt door het vel van dat mormel heen?'

'Onze klerken hebben het werk van de dwerg vergeleken met onze oude manuscripten,' antwoordde Saldur. 'Alles is precies gelijk aan de symbolen van eerdere zwaarden die in staat waren beesten van dit kaliber te doden.'

'Als het door hem heen kan, maak ik hem af.' Rufus grijnsde een vettige glimlach. 'Bereid je dus maar voor om mij tot keizer te kronen.' Hij nam weer een hap van de bout en scheurde er een grote hap donker vlees af, zodat zijn mond vol zat.

Saldur kon er maar niet over uit dat de patriarch deze kinkel had uitgekozen om keizer te worden. Als Gydo een zwaard was, was Rufus een houten hamer, een stomp voorwerp voor het ruwe werk. Goed, omdat hij uit Trent afkomstig was, kon hij de loyaliteit zeker stellen van de weerspannige noordelijke koninkrijken die je waarschijnlijk niet op een andere manier meekreeg. Dat zou dus gemakkelijk dubbel zoveel macht opleveren. Bovendien was hij enorm populair, tot in Avryn en Calis aan toe. Dit zou het aantal protesten een stuk kleiner maken. Het feit dat hij een befaamd strijder was, zou hem beslist over de eerste hobbels van het verslaan van de Gilarabriwin en het onderdrukken van de oppositie van de koningsgezinden heen helpen. Het probleem was volgens Saldur echter, dat Rufus een ruwe, onbehouwen sukkel was die niet alleen het hart van een strijder had, maar ook het verstand. Op elk probleem had hij maar één oplossing: doodslaan. Het zou nog lastig kunnen worden hem in de hand te houden, maar het had weinig zin om nu al je hoofd te breken over het regeren van een keizerrijk voordat het ook maar bestond. Eerst moesten ze het tot stand brengen, dan zouden ze zich zorgen moeten maken over de kwaliteit ervan. Mocht Rufus problemen gaan opleveren, dan moesten ze ervoor zorgen dat hij snel een zoon kreeg, en als het kind in veiligheid was gebracht, zouden ze regelen dat Rufus vroegtijdig aan zijn einde kwam.

'Welnu dan,' zei Galiaan. 'Dan lijkt alles me onder controle.'

'Is dat alles waarvoor u me hier hebt geroepen?' vroeg Gydo met iets van irritatie in zijn stem.

'Nee,' antwoordde Galiaan, 'ik heb vanochtend een onverwacht nieuwtje gekregen en ik dacht dat jij het wel zou willen horen, Louis, want ik neem aan dat het je zeer zal interesseren. Karel, wil je vragen of diaken Tomas even binnenkomt?'

Galiaans hofmeester, Karel, die druk was met toevoegen van water aan de wijn, verliet prompt de tafel en deed de deur naar de gang open. 'Zijne excellentie kan u nu ontvangen.'

Een mollig, pafferig mannetje in een priesterkleed kwam binnen. 'Louis Gydo, heer Rufus, mag ik u voorstellen aan diaken Tomas van het dorp Dahlgren. Tomas, dit is heer Rufus, sentinel Gydo en je kent natuurlijk bisschop Saldur al.'

Tomas knikte zenuwachtig.

'Wat heeft dit te betekenen?' vroeg Gydo alsof Tomas er niet bij was.

'Ga je gang, Tomas, vertel de sentinel maar wat je mij hebt verteld.'

De diaken schuifelde met zijn voeten en vermeed het wie dan ook van de aanwezigen aan te kijken. Toen hij begon te spreken, was zijn stem zo zacht dat ze hun best moesten doen hem te verstaan. 'Ik heb zijne excellentie onlangs verteld hoe ik me hard heb gemaakt om de zaken hier te regelen in afwezigheid van de markgraaf. Het zijn zware tijden voor het dorp geweest, zeer zwaar, maar ik heb mijn uiterste best gedaan het woonhuis op orde te houden. Het was niet mijn idee dat die boeren het kasteel zouden innemen, ik heb echt geprobeerd ze tegen te houden, maar ik ben maar alleen, ziet u. Ik kon onmogelijk...'

'Ja, ja, vertel hem nu maar over die verminkte man,' kwam de aartsbisschop ertussen.

'O ja, natuurlijk. Nu, Esra kwam hier wonen, ik weet niet precies, een maand geleden en...'

'Esra?' zei Gydo en keek kort naar de aartsbisschop en Saldur, die veelbetekenend naar hem glimlachten.

'Ja,' antwoordde diaken Tomas. 'Zo heet hij. Hij zei nooit veel, maar de dorpelingen zijn een goedhartig volkje en ze besloten hem om de beurt te eten te vragen en te helpen, want de arme man kon niet veel, aangezien hij beide handen kwijt was.'

'Esrahaddon!' siste Gydo. 'Waar is dat serpent?'

De plotselinge woeste reactie van de sentinel deed Tomas schrikken en hij deed een stap terug.

'Ach, nou, ik weet het niet, hij komt en gaat, al herinner ik me wel dat hij veel vaker in het dorp gezien werd voordat de twee vreemdelingen hier aankwamen.'

'Vreemdelingen?' vroeg Gydo.

'Vrienden van de familie Bosch, denk ik. Ze kwamen tenminste aan met Trees en brachten veel tijd met haar en haar vader door. Sinds zij hier zijn, gaat Esra vooral met de stilste van de twee om – Rolf, zo noemde hij hem, geloof ik.'

'Rolf Molenbeek en Hadriaan Zwartwater, de twee dieven

die de magiër uit de Gutariagevangenis hebben bevrijd, en Esrahaddon zelf zijn alle drie hier in het dorp?' Saldur en Galiaan knikten naar de verbijsterde Louis.

'Uiterst merkwaardig, niet?' was het commentaar van de aartsbisschop. 'Misschien hebben we op het verkeerde paard gewed toen we Arista benaderden. Het ziet ernaar uit dat de oude magiër zijn vertrouwen in de twee dieven heeft gesteld. De hamvraag is: wat doen ze allemaal hier? Het kan geen toeval zijn dat hij hier in dit kleine dorp aan de rivier opduikt, uitgerekend op het moment dat de keizer hier gekroond gaat worden.'

'Maar hij kon niet van onze plannen weten,' zei Gydo tegen hen.

'Hij is wel een magiër, en die hebben hun manieren om dingen te ontdekken. Maar hoe dan ook, je zou er goed aan doen te onderzoeken wat hij van plan is.'

'Vergeet niet afstand te bewaren,' voegde Saldur eraan toe. 'We willen de vos niet ophangen voor hij ons naar zijn hol heeft geleid.'

Hadriaan vouwde de deken twee keer in de lengte, rolde hem strak op en zette de resulterende rol stevig vast met twee leren riempjes. Hij had alle bagage die ze nog over hadden in nette stapeltjes op de grond gelegd. Ze hadden hun kampeerspullen, voedsel en voer nog. Rolf had ook zijn zadel, hoofdstel en zadeltassen, maar Hadriaan had zijn paardentuig en zijn wapens verloren toen Millie was verdwenen. Het was geen optie om met z'n tweeën op één paard te zitten, met alle bagage. Ze zouden de spullen op Muis moeten binden en zelf naar huis moeten lopen.

'Daar ben je weer!'

Hadriaan keek op en zag Theron uit de richting van de Beidewikkes komen, op weg naar de put met een lege emmer in de hand.

'We zagen je nergens, gisteravond. Was bang dat je iets overkomen was.'

'Volgens mij heeft iedereen gisteren geboft hier,' zei Hadriaan.

'Iedereen in het dorp, ja. Maar volgens mij hadden die kerels op het kasteel minder geluk. We hoorden heel veel geschreeuw en gegil en een feestje zit er ook niet in vanmorgen. Ik heb zo het idee dat hun plan om het beest te verslaan niet zo liep als ze dachten.' De boer nam de stapeltjes bagage in ogenschouw. 'Aan het pakken, hm? Dus jullie gaan er ook vandoor?'

'Ik zou niet weten waarom niet. Er is niets meer wat ons hier houdt. Hoe is het met Trees?'

'Een stuk beter. Gaat veel om met de edelen, liet ze weten. Ze stiefelt nu ook weer aardig rond; ze is ook bijna van de hoofdpijn af. Ik verwacht morgen op pad te gaan.'

'Blij dat te horen,' zei Hadriaan.

'Wie is die vriend van je?' vroeg Theron, en hij gebaarde naar de dwerg die een paar voet verderop in de schaduw van een populier zat.

'O ja, dit is Magnus. Hij is niet zozeer een vriend als een compagnon.' Hij dacht daar even over na en voegde eraan toe: 'Eigenlijk is hij eerder een vijand waarop ik een oogje moet houden.'

Theron knikte, maar met een vragende blik, en de dwerg gromde iets wat geen van tweeën verstond.

'Hoe zit dat met mijn les?' vroeg Theron.

'Ben je mal? Ik zie het nut niet van een les als jullie morgen vertrekken.'

'Nou, als je niets anders te doen hebt... Reizen kan best gevaarlijk zijn en het kan geen kwaad wat meer trucs te kennen. Of is dit je manier om te zeggen dat je er nu geld voor wilt?'

'Tuurlijk niet.' Hadriaan gebaarde naar de boer. 'Pak de stokken maar.'

Tegen twaalven brandde de zon behoorlijk. Hadriaan had zich in het zweet gewerkt met Theron, die echt vooruitgegaan was. Hadriaan legde de juiste houding, doorbraak en greep uit, wat niet makkelijk was met twee harkstokken.

'Als je het zwaard met twee handen vasthoudt, verlies je wendbaarheid en bereik, maar je wint enorm aan kracht. Een goed zwaardvechter weet precies wanneer hij moet wisselen tussen een tweehandige greep en een enkele, en andersom. Als je je verdedigt tegen iemand met veel bereik, kun je dus beter je zwaard in één hand houden, maar als je je zwaard diep in een dikke wapenrusting moet steken – aangenomen dat je geen schild hoeft vast te houden – dan grijp je het gevest met beide handen en je steekt je zwaard uit. Denk eraan te schreeuwen als je dat doet, zoals ik je eerder heb uitgelegd. Steek dan toe met al je kracht. Een borstplaat uit één stuk houdt zo'n steek met je zwaard niet tegen. Daar zijn ze niet op gemaakt. Wapenrusting voorkomt een zwaai of snee, en kan de punt van een steekwapen niet afbuigen; daarom dragen professionele vechters soepele, onversierde wapenrusting. Je ziet altijd van die prinsen en hertogen met al hun mooi vergulde borstplaten van dun metaal met ingewikkelde gravures, maar eigenlijk lopen ze rond in een dodelijke val. Natuurlijk vechten ze niet zelf. Ze hebben ridders die dat voor hen waarnemen. Zij paraderen alleen om zich te laten bewonderen. Wanneer je toesteekt gaat het erom dat je richt op een barst, kier of naad in de wapenrusting, dus iets waar de punt van je zwaard doorheen gaat en hem daar houdt. De oksels zijn altijd prima plekken, en daarboven, onder de neusbeschermer ook. Duw een zwaard van vier voet onder de neusbeschermer, dan hoef je je geen zorgen meer te maken om de tegenaanval.'

'Hoe kan je die arme man nou iets leren zonder zwaarden?'

Ze draaiden zich om en zagen Mauvin Piekering op hen afkomen, gekleed in een eenvoudige blauwe tuniek. De modieuze heer van Galilin was verdwenen, in plaats daarvan was hij weer de jongen die Hadriaan ontmoet had in de Velden van Drondil. Hij had twee zwaarden in zijn handen, twee kleine ronde schilden bungelden op zijn rug.

'Ik zag jullie vanaf de muur en ik dacht dat jullie deze wel zouden willen lenen,' zei hij en gaf een zwaard en een schild aan Theron, die ze een beetje opgelaten aannam. 'Het zijn de reservespullen van mij en Fanen.'

Theron keek de jongeman argwanend aan, toen zocht hij Hadriaans ogen.

'Toe maar,' zei Hadriaan, terwijl hij met zijn mouw het zweet van zijn voorhoofd veegde. 'Hij heeft gelijk. Eens moet je weten hoe het echte spul aanvoelt.'

Toen bleek dat Theron niet wist hoe je een schild droeg, legde Mauvin hem uit waar je je arm door de leren riempjes moest steken.

'Zie je, Hadriaan? Heel zinvol om je leerling te leren hoe je een echt schild omdoet; tenzij je natuurlijk verwacht dat hij al zijn tijd moet besteden aan het verslaan van esdoornbomen. Trouwens, waar zijn jouw wapens gebleven?'

Hadriaan keek een beetje schaapachtig naar de grond. 'Ben ik verloren.'

'Heb je dan nooit genoeg om voor een man of vijf?'

'Ik had mijn dag niet.'

'En wie mag jij wel zijn?' vroeg Mauvin met een blik op de dwerg.

Hadriaan wilde antwoord geven, maar hield zich in. Waarschijnlijk had Alric in geuren en kleuren verteld hoe de dwerg zijn vader had vermoord. 'Hij? O, dat is niemand,' zei hij toen maar.

'Oké,' zei Mauvin lachend, terwijl hij zijn hand opstak en zwaaide. 'Aangenaam kennis te maken, heer Niemand.' Toen ging hij op de rand van de put zitten met zijn armen over elkaar. 'Zo, laat me nou maar eens zien wat hij je heeft geleerd.'

Hadriaan en Theron gingen verder met vechten, maar in een langzamer tempo omdat de scherpe zwaarden Theron een beetje zenuwachtig maakten. Al snel frustreerde het echte zwaard hem zo dat hij zich tot Mauvin richtte.

'Kun jij eigenlijk wel met die dingen omgaan?' snauwde hij.

De jonge man trok verbaasd een wenkbrauw op. 'Waarde heer, we zijn inderdaad nog niet aan elkaar voorgesteld. Mijn naam is Mauvin Piekering,' zei hij met een grijns.

Theron kneep zijn ogen verward dicht, keek even naar Hadriaan, die zijn mond hield en richtte zich weer tot Mauvin. 'Ik vroeg of je wist hoe je met een zwaard omgaat, niet hoe je heet.'

'Maar... o, laat ook maar zitten. Ja, ik weet zo ongeveer hoe je een zwaard gebruikt.'

'Nou, ik heb mijn hele leven op boerderijen doorgebracht, of in dorpen niet veel groter dan dit hier, en ik heb nooit veel kans gehad om kerels op elkaar in te zien hakken met deze dingen. Het zou allicht helpen als ik eens kon zien wat er van mij verwacht wordt. Je weet wel, een echt zwaardgevecht.'

'Je wilt een demonstratie?'

Theron knikte. 'Ik moet toch te weten komen wat ik moet doen, als Hadriaan tenminste ook weet wat hij moet doen.'

'Akkoord,' zei Mauvin, rekte zijn vingers en sloeg zijn handen uit terwijl hij naar voren kwam. Hij grijnsde vrolijk, alsof Theron hem zojuist had gevraagd zijn favoriete spelletje te spelen.

De twee stelden zich op. Magnus en Theron gingen op de grond zitten en keken toe hoe Mauvin en Hadriaan zich eerst door de basisslagen heen werkten, voor ze de slag op normale gevechtssnelheid demonstreerden. Hadriaan wees hem op elke manoeuvre en gaf uitleg over de actie als geheel.

'Zag je dat? Mauvin dacht dat ik een slag naar zijn dij ging doen en liet zijn dekking even zakken. Omdat ik mijn schouder liet hangen, gaf ik hem de indruk dat ik daar wilde toeslaan, dus voordat ik mijn slag ook maar begon, wist ik wat Mauvin zou doen – zijn dij beschermen – omdat ik hem dat voorspiegelde. De kern is dus dat ik wist wat hij ging doen voor hij het zelf wist en in een echt gevecht is dat altijd een groot voordeel.'

'Genoeg les gehad,' zei Mauvin die zich duidelijke ergerde aan het feit dat zijn actie gebruikt werd als illustratie van een verdedigingsfout. 'Laten we hem maar eens een echte demonstratie laten zien.'

'Je wilt revanche?' vroeg Hadriaan.

'Welnee, je had gewoon geluk.'

Hadriaan glimlachte en prevelde: 'Piekerings...'

Hij deed zijn hemd uit en na zijn handen en gezicht weer te hebben afgeveegd, smeet hij het op het gras en hief zijn zwaard in de uitgangspositie. Mauvin deed een uitval en onmiddellijk begonnen de twee te vechten. De zwaarden zoefden zo snel door de lucht dat hun slagen tot een wirwar vervaagden. Hadriaan en Mauvin dansten rond elkaar op de ballen van hun voeten, met zo'n energieke tred dat er een lichte stofwolk tot kniehoogte ontstond.

'Bij Mar!' riep de oude boer uit.

Van het ene op het andere moment stopten ze, hijgend van de inspanning.

Mauvin keek scheef naar Hadriaan met een blik waaruit zowel verbazing als ergernis sprak. 'Je speelde gewoon met me.'

'Ik dacht dat dat de bedoeling was. Of wilde je dat ik je echt afmaakte?'

'Nou nee, maar... zoals hij zei: bij Mar! Ik ken niemand die zo kan vechten als jij; je bent verbluffend goed!'

'Ik vond jullie allebei verbluffend goed,' merkte Theron op. 'Zoiets heb ik nog nooit gezien.'

'Ben ik het mee eens,' viel Magnus hem bij en knikte.

Hadriaan liep naar de put en goot een halve emmer water over zich heen, en schudde het uit zijn haar.

'Eerlijk, Hadriaan,' zei Mauvin. 'Waar heb je dat geleerd, joh?'

'Van een man die Daniël Zwartwater heette.'

'Zwartwater? Maar zo heet jij toch?'

Hadriaan knikte en er kwam een melancholische trek op zijn gezicht. 'Hij was mijn vader.'

'Was?'

'Hij is dood.'

'Was hij een oorlogsheld? Een generaal?'

'Smid.'

'Smid?' vroeg Mauvin ongelovig.

'In een dorp niet veel groter dan dit. Je weet wel, de man die hoefijzers, harken en ketels maakt.'

'Ga je me nou vertellen dat een dorpssmid de geheime tactieken van de Teshlors kende? Ik herkende een paar Teshlorseries, die heeft mijn vader me geleerd. Maar de rest moet volgens mij ook uit Teshlortactieken bestaan.'

Iedereen keek Mauvin wezenloos aan.

'De Teshlors?' Hij keek rond – ze bleven staren. Hij rolde met zijn ogen en zuchtte. 'Heidenen, ik ben omgeven door onnozele heidenen. De Teshlors waren de grootste ridders die ooit bestaan hebben. Ze waren de persoonlijke lijfwachten van de keizer. Er wordt verteld dat ze de Vijf Tactieken van de Strijd van Novron zelf hebben geleerd. Eén daarvan is de Tek'chin, en alleen al de kennis van de Tek'chin maakte van de Piekeringdynastie een legende. Jouw vader kende de Tek'chin blijkbaar ook, en bovendien andere Teshlortactieken waarvan iedereen denkt dat ze bijna duizend jaren geleden verloren zijn gegaan. En nou kom jij me vertellen dat je het van een smid hebt geleerd? Je vader was waarschijnlijk de grootste strijder van zijn tijd. Weet je niet wat je vader gedaan heeft voor je geboren werd?'

'Ik neem aan hetzelfde als wat hij daarna deed.'

'Maar hoe heeft hij dan leren vechten?'

Hadriaan dacht er even over na. 'Ik dacht dat hij het had opgepikt in het plaatselijke leger waar hij in dienst was. Een aantal mannen uit het dorp diende de heer als krijgsman. Ik dacht dat hij vaak een gevecht had gezien. Hij had het er wel eens over.'

'Maar meer weet je er niet van?'

Donderende paardenhoeven onderbraken hun gesprek. Drie man te paard reden het dorp binnen vanaf het kasteel van de markgraaf. De ruiters waren allemaal in het zwart en rood gekleed, met het symbool van de gebroken kroon op hun borst. Voorop reed een lange, magere man met lang zwart haar en een kort getrimd baardje.

'Uitstekende zwaardtechniek,' zei de aanvoerder. Hij draafde naar Hadriaan en trok vlak voor hem ruw aan de teugels. De zwarte hengst was bedekt met een scharlaken en zwarte sjabrak, afgezet met vlechtjes en kwastjes en een scharlaken hoofdkap met een zwarte pluim van een voet lang, recht op zijn hoofd. Het paard snoof en trappelde. 'Ik vroeg me af waarom de zoon van graaf Piekering vandaag niet meedeed aan de oefengevechten, maar nu zie ik dat je een waardiger partner hebt gevonden om mee te sparren. Wie mag deze fantastische krijger zijn en waarom heb ik je niet op het kasteel gezien?'

'Ik ben hier niet om te strijden voor de kroon,' zei Hadriaan rustig, terwijl hij zijn hemd aantrok.

'Nee? Jammer, je lijkt me wel opgewassen tegen de rest. Hoe heet je?'

'Hadriaan.'

'Ah, blij u te ontmoeten, heer Hadriaan.'

'Gewoon Hadriaan.'

'Juist. Woon je hier soms, gewoon Hadriaan?'

'Nee.'

De ruiter scheen niet zo content met de korte antwoorden en hij dreef zijn paard dichter naar Hadriaan toe op een dreigende manier. Het dier snoof zijn hete vochtige adem in Hadriaans gezicht. 'En wat doe je hier dan?'

'Ik was op doortocht,' antwoordde Hadriaan op zijn gebruikelijke ontspannen manier. Hij glimlachte zelfs vriendelijk.

'Echt waar? Op doortocht door Dahlgren? Mag ik vragen naar welke plaats ter wereld je op weg bent, als Dahlgren op de route ligt?'

'Overal heen, dat hangt van het perspectief af, denkt u niet? Ik bedoel, alle wegen gaan ergens naartoe. Niet dan?' Hij was het zat zich te moeten verdedigen en veranderde van onderwerp. 'Is er een reden waarom u dat zo interesseert?'

'Ik ben sentinel Louis Gydo en ik regel alle zaken aangaande de krachtmeting. Ik moet weten of iedereen die meedoet op de lijst staat.'

'Ik heb u al verteld dat ik hier niet ben voor die krachtmeting.'

'Dat heb je gezegd, ja,' zei Gydo. Nu pas keek hij naar de anderen, vooral naar Magnus. 'Jij bent op doortocht zei je, maar misschien willen je medereizigers wel ingeroosterd worden.'

Een valstrik, misschien? Hadriaan besloot desondanks een ontwijkend antwoord te geven.

'Niemand die met me meereist wil op die lijst komen te staan.'

'Niemand die met je meereist?'

Hadriaan knarsetandde. Hij was erin gelopen. Hij gaf zichzelf op zijn kop.

'Dus je bent niet alleen?' merkte de sentinel op. 'Waar zijn de anderen?'

'Ik zou het u niet kunnen vertellen.'

'O nee?'

Hadriaan schudde het hoofd – hoe minder woorden, hoe minder kans fouten te maken.

'Heus? Je bedoelt dat ze nu van de waterval af zouden kunnen storten en het zou je niet kunnen schelen?'

'Dat zei ik niet,' antwoordde Hadriaan geërgerd.

'Maar je hebt er lak aan te weten waar ze uithangen?'

'Het zijn volwassen mensen.'

De sentinel glimlachte. 'En wie mogen die lieden dan wel zijn? Vertel me dat maar eens, zodat ik later naar ze kan informeren.'

Hadriaan kneep zijn ogen samen toen hij besefte weer een fout te hebben gemaakt. De man die voor hem stond was slim – veel te slim.

'Ben je hun namen soms ook vergeten?' informeerde Louis Gydo, die in het zadel naar voren leunde.

'Nee.' Hadriaan probeerde hem bezig te houden terwijl hij zijn best deed het juiste antwoord te geven.

'Wat zijn die namen dan?'

'Nou,' begon hij, terwijl hij wenste dat hij zijn eigen zwaarden had in plaats van dit ene geleende. 'Zoals ik al zei, ik weet niet waar ze allebei zijn. Mauvin is hier, natuurlijk, maar ik heb geen flauw idee waar Fanen kan zijn.'

'Dan vergis je je zeker. De Piekerings reden met mij en de rest van het gevolg mee,' wees Gydo hem terecht.

'Ja, op de heenweg wel, maar ze denken erover om met mij mee naar huis te rijden.'

Gydo kneep zijn ogen tot spleetjes. 'Dus je zegt dat je de hele weg hierheen alleen hebt afgelegd – op doortocht, zoals je het noemt – en hier heel toevallig de Piekerings tegenkwam?'

Hadriaan glimlachte naar de sentinel. Het was zwak, onhandig en als ze vochten zou het zijn alsof hij afweerde door zijn zwaard te laten vallen en zijn tegenstander te laten struikelen, maar meer kon hij niet doen.

'Is dit waar, Piekering?'

'Absoluut,' antwoordde Mauvin zonder enige aarzeling.

Gydo keek terug naar Hadriaan. 'Wat prettig voor je,' zei hij teleurgesteld. 'Nou, laat ik jullie dan niet langer ophouden. Goedendag, heren.'

Allen keken de drie mannen na die hun tocht voortzetten naar de rivier.

'Dat was linke soep,' merkte Mauvin op, hen nastarend. 'Het voorspelt weinig goeds wanneer welke sentinel dan ook interesse in je heeft, en zeker niet als het Louis Gydo is.'

'Wat weet je van hem?' vroeg Hadriaan.

'Ik ken ook alleen maar wat geruchten. Hij dweept met de kerk, maar ik ken velen, ook binnen de kerk, die als de dood voor hem zijn. Hij is zo iemand die koningen kan laten verdwijnen. Het schijnt dat hij ook obsessief bezig is met het vinden van de Erfgenaam van Novron.'

'Is dat niet iets voor seretridders?'

'Volgens de leer van de kerk wel. Maar hij is sentinel én seret, en dat verklaart ook waarom hij hier is.'

'Dus die twee die bij hem waren?'

'Ook seretridders. De Seret, de Ridders van Nyphron, zijn het persoonlijke schaduwleger van de sentinels. Ze horen bij geen enkele koning of staat, alleen bij sentinels en de patriarch.'

Mauvin keek naar Hadriaan. 'Ik zou dat zwaard maar bij me houden als ik jou was. Het lijkt me niet het juiste moment om ongewapend rond te lopen.'

Hoewel hij zijn lantaarn al lang voor het wezen terugkeerde had uitgedaan, kon Rolf alles prima zien. Licht drong door de muren van Avempartha heen alsof ze van rookglas waren. De dag was aangebroken, dat wist hij zeker, want de kleur van het licht was veranderd van schemerig blauw in zacht wit.

Terwijl de zon opkwam ontvouwde zich binnen de citadel een verlichte wereld van wonderlijke kleuren en schoonheid. Plafonds rezen op in hoge, luchtige bogen, die honderden voeten boven de vloer bijeenkwamen en die de indruk gaven zich helemaal niet binnen te bevinden, maar eerder op een plaats waar de horizon in nevelen was gehuld. Het gebulder van de waterval dichtbij werd gedempt door de muren van de torens en werd een zacht, murmelend en ontegenzeggelijk troostend geneurie.

Ragfijne, doorschijnende banieren hingen van de zolderbalken omlaag. Elk ervan schitterde met symbolen die Rolf niet kende. Het konden wapens van adel, wetten, richtingaanwijzers zijn, maar ook decoraties zonder enige betekenis. Het enige wat Rolf begreep was dat zelfs in de nasleep van duizend jaar de gedetailleerde patronen nog altijd sierlijk en levendig waren. Sterfelijke handen hadden dit nooit kunnen maken, dit alles was ontstaan uit een cultuur die niet te bevatten was. Aangezien dit het enige elfenbouwwerk was dat Rolf ooit betreden had, was het zijn enige inkijk in deze wereld en die voelde onwerkelijk vredig aan. In alle roerloosheid en stilte was het van grote schoonheid. Al leek het in niets op wat Rolf ooit had gezien, hij had het onbegrijpelijke gevoel dat dit alles hem bekend voorkwam. Kalm wandelde Rolf door de gangen. De vormen en schaduwen raakten gebieden in zijn geest waarvan hij het bestaan niet had vermoed. Het sprak tot hem in een taal die hij niet kon verstaan. Op een enkel woord of zinsdeel na snapte hij niets van die lawine van gewaarwordingen die hem zowel voor raadsels stelden als hem boeiden, terwijl hij daar doelloos ronddwaalde, als iemand die verblind is door een duizelingwekkend licht.

Van de ene naar de andere ruimte dwaalde hij, de trappen op en naar balkons, zonder een bewuste richting te volgen maar alleen maar voortgaand, terwijl hij luisterde en om zich heen staarde. Rolf merkte met enige zorg dat elke beweging die hij maakte een spoor naliet in de dikke laag stof die tijdens de afgelopen eeuwen op alles hierbinnen was neergedaald. Maar meer nog fascineerde het hem dat de vloer, waar hij het stof ook verstoorde, uit een glanzend oppervlak als van helder, stilstaand water bleek te bestaan.

Terwijl hij van kamer naar kamer liep, had hij het idee dat hij door een museum dwaalde, waarin de tijd stil was blijven staan. Borden stonden op tafel voor lege stoelen, waarvan er enkele omgevallen waren, of omgegooid in de verwarring en paniek van bijna duizend jaar geleden. Boeken lagen open op bladzijden die iemand negenhonderd jaar terug had zitten lezen, en toch wist Rolf dat zelfs voor die persoon die lang geleden in die stoel zat, deze plek, deze toren al heel, heel oud waren. Nog afgezien van de dramatische geschiedenis, zou Avempartha alleen al vanwege zijn ouderdom een monument zijn geweest, een heilig bouwwerk van de elfen, een schakel naar de tijden van weleer. Dit was geen citadel. Hij wist niet hoe hij daarop kwam, maar hij was ervan overtuigd dat dit veel meer was dan een fort alleen.

Esrahaddon had Rolf vrijwel meteen alleen gelaten nadat ze de toren waren binnengekomen en had hem de richting gewezen die hij nu volgde. Hij had Rolf verteld dat hij het zwaard waarnaar hij op zoek was ergens boven de ingang zou vinden, maar dat zijn eigen zoektocht naar elders leidde. Het was nu vele uren geleden dat ze uiteengegaan waren, en het licht buiten begon alweer af te nemen. Rolf had nog steeds het zwaard niet gevonden. Geluiden en geuren hadden hem van zijn pad afgeleid. Het was veel te veel om in één keer in zich op te nemen, er was te veel te zien, te veel te overdenken, zodat hij spoedig moest toegeven dat hij was verdwaald.

Hij begon terug te lopen toen hij zag dat zijn voetstappen overlapten, en dat hij nu kringetjes aan het lopen was. Hij werd pas echt ongerust toen hij een nieuw geluid hoorde. In tegenstelling tot alles wat hij tot nu toe gehoord had, was dit een angstwekkend geluid. Het was de zware, ritmische resonantie van een diepe ademhaling.

Elke richting die de dief kon inslaan was verstoord door zijn eigen voetstappen, op één na. Deze gang kwam uit op een zoveelste wenteltrap, waar de ademhaling luider klonk. Hoeveel verdiepingen Rolf had beklommen wist hij niet meer, maar hij wist wel dat hij nergens zwaarden had gezien. Langzaam, en zo stil als hij kon, begon hij omhoog te sluipen.

Hij was nog geen vijf treden hoog toen hij het eerste zwaard ontdekte. Het lag overdekt met stof naast een skelet. Als er kleding was geweest, was die vergaan, maar de wapenrusting lag nog wel over de botten. Verderop zag hij er nog een, en weer een. Er waren twee soorten lijken: mensen in brede, zware borst- en beenplaten en elfen in een verfijnde blauwe wapenrusting. Dit was de laatste plek waar stelling werd genomen, waar verdedigers hun best deden de keizer te beschermen. Elfen en mensen waren kriskras op elkaar terecht gekomen.

Rolf reikte naar beneden en liet zijn duim over het zwaard bij zijn voet gaan. Toen het stof verwijderd was, blonk het verbazingwekkend glanzende elfenstaal als nieuw, maar er stond niets in gegrift. Rolf keek naar boven en stapte met weerzin over de lijken, terwijl hij de trap verder beklom.

De ademhaling klonk luider en zwaarder, als wind die door een echoënde grot blies. Er kwam een kamer in zicht en zo geruisloos als de schaduw van een kat sloop Rolf naar binnen. Rond was de kamer, met middenin alweer een wenteltrap. Toen hij binnenkwam, rook en voelde hij frisse lucht. Hoge smalle ramen lieten ongebroken lichtbundels de kamer in vallen, maar Rolf had het idee dat ergens boven hem een veel groter raam was, dat openstond.

Eindelijk vond Rolf een rek met elfenzwaarden in open cassettes, dat ceremonieel aan de wand was opgehangen. Van de rest van de kamer afgescheiden door een sierlijke ketting, leek het een soort gedenkteken, een klein monument ter ere van iets. Een gedenkplaat stond op een voetstuk vlak voor het rek en in de wanden waren talloze regels met elfenschrift gegraveerd. Rolf kende maar een paar woorden en die hij nu zag waren met zoveel flair en tierelantijnen geschreven, dat hij zich geen raad wist en geen enkel woord herkende, al kon hij dan wel een paar letters onderscheiden.

In het rek hingen tientallen zwaarden. Ze leken allemaal precies hetzelfde, en zonder ze aan te raken kon Rolf de gravering in de kling van elk zwaard zien, en de inkepingen die in het metaal gehakt waren. Eén cassette was leeg.

Met een lichte zucht vermande hij zichzelf en zette zijn voet op de eerste trede van de zoveelste trap. Met elke stap ademde hij meer frisse lucht in; luchtstromen hadden stof naar de kieren en hoeken verdreven. De trap voerde hem langs diverse gangen en tussenverdiepingen, maar Rolf had een voorgevoel en liep stug door, de trap op. In de richting van het geluid van de ademhaling.

Ten slotte eindigde de trap en Rolf keek naar de blote hemel boven zijn hoofd. Hij stond op een rond bordes met muren die als de blaadjes van een bloem gebeeldhouwd waren. Beelden die eens dit openluchtpaviljoen gesierd hadden, lagen in brokstukken op de vloer. Te midden ervan lag de kwaadaardige slapende gestalte van de Gilarabriwin, een enorme hagedis met zwarte schubben en vleugels van dunne botten en grauw membraan, half op een onduidelijke berg rommel. Hij lag opgekruld, met zijn kop op zijn staart, terwijl de romp op en neer ging door zijn diepe ademhaling. Gespierde klauwen waren bewapend met vier zwarte nagels van bijna een voet lang; er zaten kleverige korsten bloed op en ze maakten diepe groeven in de vloer als het beest droomde. Lange scherpe hoektanden staken uit onder de leerachtige lippen, net als een korte rij angstaanjagende tanden die geen bepaalde volgorde leken te hebben, maar die zich aaneenschakelden tot een wilde afrastering van vlijmscherpe naalden. De oren lagen tegen de kop gevouwen, de ogen werden bedekt door brede oogleden, waaronder Rolf de pupillen heen en weer zag schieten in een stormachtige sluimering met duistere droombeelden, die Rolf zich niet durfde voor te stellen. De lange staart, van weerhaken voorzien door botten in de vorm van kleine sabels, trok krampachtig.

Rolf merkte dat hij zijn ogen er niet van af kon houden, maar riep zichzelf tot de orde. Het was beslist een beeld om nooit te vergeten, maar er was nu geen tijd om erbij stil te staan. Hij moest scherp blijven, anders vroeg hij om een voortijdige dood.

Hij had nooit veel opgehad met dieren. Honden blaften bij het kleinste gerucht of de minste geur. Het was hem gelukt langs menige slapende waakhond te komen, maar er waren er ook geweest die hem zomaar schenen aan te voelen. Zijn verstand zei hem zijn blik van het reusachtige wezen te trekken en zich op de rest van de kamer te focussen. Het was één grote bende, hele pilaren lagen in gruzelementen op de vloer. Bij nader onderzoek bleken er tussen het puin gruwelijke schatten verborgen. Hij herkende flarden van Maai Drundels jurk, bedekt met zwarte vlekken; in de plooien zat een stuk hoofdhuid met een lok grijs haar. Andere, even verontrustende dingen lagen om het beest heen. Armen, vingers, voeten, handen waren allemaal als garnalenstaartjes her en der uitgespuwd. Verderop zag hij Millie, Hadriaans roodbruine paardje, of preciezer een van haar achterbenen en haar staart. Tot zijn verbazing lagen iets dichterbij Millies zadel en Hadriaans zwaarden. Gelukkig kon hij die vrij makkelijk te pakken krijgen.

Terwijl hij rond de hoop puin sloop, met de trage gang van een bidsprinkhaan op jacht, viel zijn oog nog ergens op. De lijken en verscheurde kleren lagen boven op de stapels botten en steen. Maar in de diepte eronder, op de onderste laag van het opgebouwde sediment, ving Rolf de unieke glinstering op van spiegelend staal. Hij zag maar een miniem stukje, niet veel groter dan een muntstuk, en in eerste instantie dacht hij dat het dat ook was, maar de felle schittering was onmiskenbaar. Het blonk net zoals de zwaarden op de trap en in het rek van een verdieping eronder.

Zijn adem inhoudend – elke beweging afgestemd op een pijnlijk trage pas die moest voorkomen dat er een blik in zijn richting werd geworpen – sloop Rolf stilletjes dichter bij het beest en zijn afschuwwekkende schat. Hij liet zijn handen onder de staart van Millie gaan en begon zo behoedzaam mogelijk het zwaard uit de steenhoop te trekken.

Hij kreeg het met opvallend weinig moeite en geluid los, maar al voor hij het helemaal in handen had, drong het tot Rolf door dat er iets mis was. Het was niet zwaar genoeg. Zelfs al was het zo dat elfenzwaarden opzienbarend minder wogen dan die van mensen, dit was belachelijk licht. Hij ontdekte al snel waarom, toen bleek dat hij slechts het onderste deel van een afgebroken zwaard in zijn hand had. Toen hij de gegraveerde tekens in het metaal zonder de inkeping zag, besefte Rolf dat zijn gevoel juist was geweest. Deze Gilarabriwin was geen stom beest dat getraind was om te doden. Deze magische demon was zich ervan bewust dat er maar één ding ter wereld was waar hij doodsbang voor moest zijn: een zwaard waarin zijn naam was gegraveerd. Hij had dus voorzorgsmaatregelen getroffen. Het monster had de kling gebroken zodat alleen de laatste helft van de naam bekend werd, waardoor het waardeloos was geworden. Hij kon de andere helft van het zwaard niet ontdekken, maar hij had een donkerbruin vermoeden waar het moest liggen. Het bovenste stuk van het zwaard lag op de enige plek waar Rolf het niet kon stelen: onder het slapende lijf van de Gilarabriwin zelf.

11

GILARABRIWIN

Het begon te schemeren toen Rolf, die drie zwaarden over zijn schouder torste, Hadriaan en Magnus bij de put vond. Ze wachtten op hem. Het dorp was leeg, de bewoners hielden zich schuil in hun stulpjes en de avond was stil op de vage geluiden van diverse activiteiten in en rond het kasteel na.

'Het zou tijd worden,' zei Hadriaan die opsprong toen hij Rolf zag naderen.

'Hier zijn je spullen.' Rolf overhandigde Hadriaan zijn wapens. 'Denk volgende keer een beetje na waar je ze aan vastmaakt. Ik ben je knechtje niet en ik heb belangrijker dingen te doen.' Hadriaan straalde van blijdschap toen hij de zwaarden en gordel weer had en bond snel alles om. 'Ik begon hem te knijpen. Ik dacht dat de kerk je te pakken had.'

'Kerk?' vroeg Rolf.

'Louis Gydo heeft me behoorlijk zitten treiteren vanmiddag.'

'Die sentinel?'

'Ja. Hij hoorde me uit over mijn partners en galoppeerde naar de rivier. Ik heb hem niet terug zien komen. Ik had de indruk dat hij op zoek was naar Esra. Waar is hij trouwens? Heb je hem bij de rivier gelaten?'

'Is hij hier nog niet langsgekomen?' vroeg Rolf. Hadriaan en Magnus schudden hun hoofden. 'Maar dat zegt niks: hij zou wel gek zijn als hij nu naar het dorp kwam. Hij verbergt zich vast tussen de bomen.'

'Aangenomen dat de rivier hem niet heeft meegesleurd,' zei Hadriaan. 'Waarom ben je niet met hem meegegaan?'

'Hij ging een kant op met zo'n houding van "waag het niet me te volgen", waar ik me onder normale omstandigheden niets van aan zou trekken, maar ik had andere dingen aan mijn hoofd. En voor ik het wist, ging de zon weer onder. Ik dacht dat hij allang terug was.'

'Zo, heb je trouwens nog spulletjes van waarde gevonden? Edelstenen? Goud?'

Rolf voelde zich nogal opgelaten. 'Weet je, ik heb er geen seconde aan gedacht om ernaar op zoek te gaan.'

'Wat?'

'Ik ben het totaal vergeten.'

'Wat heb je daar dan de hele dag lopen doen?'

Rolf trok het halve zwaard vanonder zijn riem vandaan. Het blonk zelfs in het vage licht. 'Alle andere zwaarden waren in keurige cassettes opgeborgen, maar ik vond deze bijna begraven onder een poot van de Gilarabriwin.'

'Zijn poot?' vroeg Hadriaan. 'Heb je hem gezien?'

Rolf knikte met een vies gezicht. 'En geloof me, het is geen tafereel wat je dronken of nuchter wilt zien.'

'Denk je dat hij het zwaard heeft gebroken?'

'Beetje raar idee, niet?'

'En waar is de andere helft dan?'

'Ik gok dat hij erop ligt te slapen, maar ik had niet zo'n zin om hem om te rollen zodat ik kon kijken.'

'Het verbaast me eerder dat je niet hebt gewacht tot-ie op jacht ging.'

'Als onze opdrachtgever morgenochtend vertrekt, wat maakt het dan nog uit? Als het nou voor het grijpen had gelegen, dus als ik het kon zien en niet uren door... rotzooi hoefde te graven, best, maar ik ga mijn leven niet riskeren voor Esra's persoonlijke oorlog met de kerk. Bovendien, herinner jij je die honden op Kasteel Bleijenberg nog?'

Hadriaan knikte met een trek van walging op zijn gezicht.

'Als het beest een goed reukvermogen heeft, wou ik liever niet in de buurt zijn wanneer hij wakker werd. Ik zie het zo: Trees heeft haar vader, Esra heeft toegang tot de toren, en Rufus gaat het dorp van de Gilarabriwin bevrijden. Volgens mij zit ons werk hier er dus wel op.' Rolf keek naar de dwerg, vervolgens naar Hadriaan. 'Bedankt dat je een oogje op hem hebt gehouden.' Hij trok zijn dolk.

'W-wacht!' De dwerg liep snel achteruit toen Rolf op hem afkwam. 'We hadden een deal, weet je nog?'

Rolf grijnsde naar hem. 'Zie ik eruit alsof ik me aan afspraken houd?'

'Rolf, dat kan je niet maken,' zei Hadriaan.

De dief keek hem aan en grinnikte. 'Ben je niet goed wijs? Moet je hem zien. Als ik zijn keel niet binnen tien seconden door kan snijden, dan krijg jij een biertje van me zodra we weer in Algewest zijn. Begin maar te tellen.'

'Nee, ik bedoel, hij heeft gelijk. Je had een afspraak met hem over die tunnel. Daar kun je niet op terugkomen.'

'O, alsjeblieft. Dit kleine stuk ongeluk probeerde me te vermoorden en het lukte hem op een haar na, en nu wil jij dat ik hem laat lopen omdat ik zéí dat ik dat zou doen? Hé, hij heeft een hele dag langer geleefd omdat-ie ons heeft geholpen. Dat lijkt me meer dan genoeg als beloning.'

'Rolf!'

'Wat nou?' De dief rolde met zijn ogen. 'Dat meen je toch niet? Hij heeft Amrath vermoord!'

'Dat was een klus, en jij bent geen lid van de Koninklijke Garde. Hij heeft zich aan zijn deel van de afspraak gehouden, zoals afgesproken. En niemand heeft er profijt van als je hem vermoordt.'

'Ik wel,' zei Rolf. 'Het geeft me een tevreden en opgelucht gevoel. Dat is profijt.'

Hadriaan bleef hem strak aankijken.

Rolf schudde het hoofd en zichtte. 'Oké, jij je zin, dan blijft-ie leven. Stom, maar vooruit dan maar. Ben je nou blij?'

Rolf keek omhoog naar het grote kasteel op de heuvel, waar de fakkels van de deelnemers van deze avond zich al verzamelden. 'Het is bijna donker, we moesten maar eens naar binnen gaan. Waar is de beste plaats voor die dinershow die ze tegenwoordig op het kasteel houden? En met beste bedoel ik de veiligste.'

'We hebben nog een uitnodiging staan bij de Beidewikkes. Theron is daar ook en we hebben al...'

Een schrille kreet uit de richting van de rivier sneed door de nacht.

'Wat bij Novrons geest is dat?' vroeg Magnus.

'Zou die vleugelhagedis gemerkt hebben dat zijn blikken speeltje gestolen is?' vroeg Hadriaan bijdehand.

Rolf keek terug naar de bomen en toen naar zijn vriend. 'Ik denk dat we vannacht maar een betere plaats dan bij de Beidewikkes moeten zoeken.'

'Waar dan?' vroeg Hadriaan. 'Als hij naar dat halve zwaard komt zoeken, rijt hij elke hut uiteen tot hij het vindt, en we weten dat de plaatselijke architectuur maar weinig uitdaging voor hem vormt. Hij moordt het hele dorp uit.'

'We kunnen ze allemaal snel naar het kasteel brengen, er is nog tijd,' stelde Rolf voor.

'Werkt niet,' zei Hadriaan. 'De wachters laten ons niet meer binnen. Het bos dan maar?'

'De bomen vertragen het proces alleen. Die houden hem net zomin tegen als de huizen.'

'Verdomme.' Hadriaan keek wanhopig rond. 'Ik had die tunnel in het dorp moeten graven.'

'Wat denken jullie van die put hier?' vroeg de dwerg, en keek over de houten rand in het gat. 'Rond die bron zit een grot.'

Rolf en Hadriaan keken elkaar aan.

'Dom dat ik daar niet eerder aan dacht,' zei Rolf.

Hadriaan rende naar de bel, greep het touw en begon te trekken. De klok, die voor de toekomstige kerk van Dahlgren was bedoeld, alarmeerde het dorp.

'Blijf de klok luiden,' riep Hadriaan tegen Magnus, terwijl hij en Rolf naar de huizen renden, de voorhangen opzijschoven en met hun vuist op de deurpost bonkten.

'Naar buiten. Iedereen naar buiten!' riepen ze. 'Jullie zijn vannacht niet veilig in jullie huizen. Klim in de put. Iedereen moet naar de bron! Nu!'

'Wat is er aan de hand?' vroeg Rumold Beidewikke, die naar buiten keek.

'Geen tijd om uit te leggen,' schreeuwde Hadriaan. 'Ga naar de bron als je dit wilt overleven.'

'Maar de mensen van de kerk? Die zouden ons moeten redden,' zei Selene Brokker, met een deken om haar schouders.

'Wil je spelen met je leven? Jullie moeten me echt vertrouwen. Als ik het mis heb, hebben jullie een ellendige nacht achter de rug, maar als ik gelijk heb en jullie luisteren niet, gaan jullie er allemaal aan.'

'Meer hoef ik niet te horen,' zei Theron en stormde het huis van de Beidewikkes uit, en terwijl hij zijn hemd dichtknoopte, trokken zijn grote gestalte en luide, strenge stem ieders aandacht. 'En als ik jullie was zou ik ook maar luisteren. Hadriaan heeft de afgelopen dagen meer gedaan om het dorp te redden van de ondergang dan wij allemaal samen, laat staan die lui op het kasteel. Als hij zegt dat we vanavond in de bron moeten springen, dan zal ik dat bij de baard van Maribor doen ook. Ik zou het nog doen als ze zeiden dat het beest dood was. En als iemand van jullie weigert, dan verdien je het opgegeten te worden.'

Dat was genoeg. Alle inwoners van Dahlgren renden naar de bron.

Er werden lussen in het touw gelegd als voetsteunen, en hoewel de put breed genoeg was om vier man tegelijk naar beneden te laten klimmen, waren ze bang dat de windas dat niet zou houden, dus lieten ze zich in groepjes van twee, soms drie zakken, afhankelijk van het gewicht.

Hoewel de mensen snel en ordelijk meewerkten, en zonder tegenspraak deden wat Hadriaan zei, ging het allemaal pijnlijk traag. Magnus bood aan om naar binnen te klimmen en pinnen in de wanden te staan als voetsteunen. Han, Arvid en Parel, die te klein waren om alleen te gaan, renden het dorp door om korte stokken te zoeken die de dwerg kon gebruiken. Tad ging met Magnus mee om te helpen, door de stukken hout aan te reiken waarmee de kleine dwerg handige klimsteunen maakte.

'Sodeju, meneer,' echode Tads stem uit de putopening. 'Zo snel heb ik nog nooit iemand met een hamer zien werken! Zes weken kostte het ons om deze muren hier te maken, en ik durf te zweren dat u 't in zes uur had gedaan!'

Buiten de put hielpen Hadriaan, Theron, Vin en Ditmar de dorpelingen naar binnen te klimmen. Hadriaan stelde ze op, liet de vrouwen en kinderen het eerst de duisternis in gaan, waar een enkel kaarsje dat Tad voor Magnus ophield de diepte onthulde.

'Hoe lang hebben we nog?' riep Hadriaan terwijl ze wachtten om de volgende groep naar beneden te laten.

'Hij zou hier allang geweest zijn als hij weg was gevlogen toen we hem hoorden krijsen,' antwoordde Rolf. 'Hij is zeker de hele toren van Avempartha aan het doorspitten. Dat geeft ons wat extra tijd, maar ik weet niet hoeveel.'

'Klim in een boom en roep als je hem ziet.'

Toen iedereen in de grot rond de bron zat, liet Hadriaan Theron en Ditmar naar beneden gaan, zodat alleen hij, Vin en Rolf nog bovengronds waren, waar ze wachtten tot Magnus de laatste muurpinnen had aangebracht. Boven in een populier stond Rolf op een smalle tak op de uitkijk.

'Daar komt-ie!' riep hij ineens, toen hij een schaduw langs de sterren zag schieten.

Twee tellen later krijste de Gilarabriwin ergens boven het donkere bladerdek van het bos en de drie krompen ineen, maar er gebeurde niets. Ze bleven roerloos staan en staarden in de duisternis, de oren gespitst. Een tweede kreet schoot door de nacht. De Gilarabriwin vloog recht op de fakkels van de binnenplaats van het kasteel af.

Rolf zag hem over de heuvel vliegen waar de volgende mededinger naar de kroon zich gereedmaakte om het beest te verslaan. Het vliegende monster daalde, er was een korte schermutseling met de ridder, maar snel vloog hij weer omhoog. Weer krijste het beest oorverdovend toen er opeens een kolom van vuur zijn bek uitvloog. Onmiddellijk werd de hele heuvel verlicht, terwijl het vuur over de helling golfde.

'Dat is nieuw,' zei Hadriaan nerveus bij het zien van de vlammen. De groep uitdagers en hun schildknapen die buiten stonden, stierven zonder tijd te krijgen om zelfs maar te schreeuwen. 'Magnus, schiet op!'

'Alles is klaar. Hup! Klim naar beneden,' riep de dwerg terug.

'Wacht!' riep Tad. 'Waar is Parel?'

'Die zoekt nog naar hout,' zei Vin. 'Ik ga d'r halen.'

Hadriaan greep zijn arm. 'Het is te gevaarlijk; ga de put in. Rolf gaat wel.'

'O ja?' zei Rolf verbaasd.

'Heeft zo zijn nadelen als je de enige bent die in het donker kan zien.'

Rolf vloekte en rende weg, keek in huizen en schuren terwijl hij zo hard haar naam riep als hij durfde. Het werd makkelijker om de weg te vinden nu de brand op de heuvel zich in de hoogte en breedte verspreidde. De Gilarabriwin bleef nu herhaaldelijk zijn ijselijke kreet slaken en toen Rolf achteromkeek, zag hij hoe de vlammen de houten palissade van het kasteel bereikt hadden.

'Rolf,' schreeuwde Hadriaan, 'hij komt eraan!'

Rolf deed nu niet meer voorzichtig. 'Parel!' gilde hij zo hard als hij kon.

'Hier!' riep ze, terwijl ze tussen de bomen tevoorschijn kwam.

Hij greep het kind, tilde haar op en rende naar de put.

'Snel, kom op!' riep Hadriaan en hield het touw voor hen vast.

'Laat maar zitten dat touw. Ga naar beneden en vang haar op.'

Terwijl Hadriaan via het touw naar beneden gleed, bereikte Rolf de put.

Doemp. Doemp. Doemp.

Met Parel tegen zijn borst geklemd, sprong Rolf in de put. Het meisje gilde het uit terwijl ze erin vielen. Nog geen tel later hoorden ze een angstaanjagende kreet en voelden ze de aarde schudden, terwijl de wereld bovengronds in vuur en vlam werd gezet, begeleid door ontzagwekkend gebrul.

Arista ijsbeerde door haar kleine kamer, zich pijnlijk bewust van Berthes hoofd dat heen en weer ging en elke stap van haar volgde. De oude vrouw glimlachte naar haar, ze glimlachte eigenlijk altijd en Arista stond zo langzamerhand op het punt om haar de ogen uit te krabben. Ze was gewend geraakt aan haar eenzame toren, waar Hilfred haar alle ruimte gaf, maar ze was nu al langer dan een week onderworpen geweest aan gezelschap – Berthe, haar alomtegenwoordige schaduw. Ze moest die kamer uit, even weg van dit alles. Ze was het beu om nagestaard te worden, doodziek dat er op haar gelet werd alsof ze een kind was. Ze liep naar de deur.

'Waar gaat u heen, hoogheid?' vroeg Berthe meteen.

'Naar buiten,' zei ze.

'Waarheen?'

'Gewoon, naar buiten.'

Berthe stond op. 'Dan pak ik onze mantels even.'

'Ik ga alleen.'

'O nee, hoogheid,' zei Berthe, 'dat is onmogelijk.'

Arista keek haar koel aan. Berthe glimlachte terug. 'Stel je dit eens voor, Berthe: jij gaat weer zitten en ik loop naar buiten. Heel goed mogelijk.'

'Maar dat kan ik niet toelaten. U bent de prinses en dit is een gevaarlijk kasteel. Het is in uw eigen belang dat u altijd gechaperonneerd wordt. We nemen Hilfred ook maar mee. Hilfred!' riep ze.

De deur ging open en de lijfwacht stapte naar binnen, en maakte een buiging voor Arista. 'Had u iets gewenst, uwe hoogheid?'

'Nee... ja,' zei Arista en wees op Berthe. 'Zorg dat ze hier blijft. Ga op haar zitten, bind haar vast, zet desnoods de punt van je zwaard op haar keel, maar ik ga naar buiten en ik wil niet dat ze me volgt.'

De oude kamermeid keek geschokt en legde haar handen verbijsterd op haar wangen.

'U gaat uit, uwe hoogheid?'

'Ja, ja, ik ga naar buiten!' riep ze uit en wierp haar armen in de lucht. 'Misschien zwerf ik door de gangen van dit krot. Misschien ga ik naar de krachtmeting kijken. Misschien ga ik zelfs buiten de palissade het bos verkennen. Dan kan ik verdwalen en van de honger sterven, of opgegeten worden door een beer, in de Nidwalden vallen en meegesleurd worden naar de waterval – maar ik doe het alleen.'

Hilfred ging in de houding staan. Hij staarde haar aan. Zijn mond ging open en toen weer dicht.

'Wilde je nog wat zeggen?' vroeg ze streng.

Hilfred slikte. 'Nee, uwe hoogheid.'

'Neem dan tenminste uw mantel mee,' smeekte Berthe en hield hem op.

Arista zuchtte, griste hem uit haar handen en liep naar buiten.

Zodra ze dat deed, kreeg ze al spijt. Terwijl ze de gang doorrende, de mantel achter zich aan slepend, dacht ze aan de blik in Hilfreds ogen en ze voelde zich een kreng. Ze herinnerde zich dat ze verliefd op hem was geweest toen ze nog klein was. Hij was de zoon van een sergeant van het kasteelleger en hij staarde altijd naar haar van de andere kant van de binnenplaats. Arista vond hem zo schattig. Toen was ze een keer wakker geworden door vuur en rook in haar kamer, maar hij had haar leven gered. Hilfred was nog maar een jongen geweest, maar hij was het brandende kasteel in gerend om haar naar buiten te dragen. Hij was twee maanden doodziek geweest van de pijnlijke brandwonden en hoestbuien waarbij hij bloed opgaf. Wekenlang werd hij geplaagd door nachtmerries. Als beloning had koning Amrath Hilfred de prestigieuze betrekking van persoonlijke lijfwacht van de prinses gegeven.

Maar ze had hem nooit bedankt, en hem ook niet vergeven dat hij haar moeder niet had gered. Haar boosheid had altijd tussen hen in gestaan. Arista wilde zich wel verontschuldigen, maar nu was het te laat. Er waren te veel jaren overheen gegaan, te veel wreedheid van haar kant, en te veel stiltes zoals die van daarnet.

'Wat is er aan de hand?' Arista hoorde Trees' stem en liep die richting uit.

'Wat gebeurt er, Trees?' De prinses trof de boerendochter en de diaken aan in de hoofdgang. Het meisje had nog steeds haar dunne lange nachtpon aan. Ze zagen er bezorgd uit.

'Hoogheid!' riep het meisje. 'Weet jij wat er aan de hand is? Waarom werd die klok geluid?'

'De krachtmeting staat op het punt te beginnen, als je dat bedoelt. Ik wilde net een kijkje gaan nemen. Voel je je al een beetje beter? Ga je met me mee?' vroeg Arista tot haar eigen verbazing. Ze had zo graag alleen willen zijn, maar samen met Trees was natuurlijk niet hetzelfde als met een stel kindermeisjes als Berthe en Hilfred.

'Nee, je snapt het niet. Er moet iets vreselijks gebeurd zijn. Het is donker. Niemand zou die klok ooit 's nachts luiden.'

'Ik heb geen klok gehoord,' zei Arista en ze trok de mantel over haar schouders.

'De klok in het dorp,' antwoordde Trees. 'Ik hoorde hem. Maar nu is hij gestopt.'

'Vast een onderdeel van de aankondiging van de strijd.'

'Nee.' Trees schudde haar hoofd en de diaken deed hetzelfde. 'Die klok mag alleen geluid worden in noodgevallen, uiterst dringende noodgevallen. Er is dus iets vreselijks aan de hand.'

'Ach, dat zal wel meevallen. Je vergeet dat er zo ongeveer een heel leger staat te trappelen om de kans te krijgen een monster aan te vallen. Trouwens, hier komen we er zeker niet achter.' Arista pakte Trees bij de hand en nam haar mee naar de binnenplaats.

Omdat het de tweede nacht was, had men alle registers opengetrokken.

Buiten bood de met gras begroeide motte een perfect uitzicht op het veld onder aan de heuvel. Er waren paviljoens opgericht net als bij een toernooi. Kleurige luifels waren boven de rijen stoeltjes gehangen, op de tafeltjes ervoor stonden stenen kroezen met mede, donker bier en schalen zomerfruit en kaas. De aartsbisschop en bisschop Saldur zaten naast elkaar in het midden, terwijl diverse lagere geestelijken en bedienden de actie vanuit de verte staande mochten gadeslaan.

'O, Arista, mijn kindje,' riep Saldur haar. 'Toch maar langsgekomen om te zien hoe geschiedenis wordt geschreven, hè? Mooi zo. Ga zitten. Daarbeneden zie je heer Rufus op het veld. Hij schijnt het beu te zijn om langer te wachten op de kroon, maar het verachtelijke beest is laat vanavond, en me dunkt dat dat een beetje irritatie opwekt bij de heer. Zie je hoe hij zijn hengst heen en weer laat dribbelen? Een ware keizer is altijd zo ongeduldig.'

'En wie komt er na Rufus?' vroeg Arista, die liever was blijven staan om het veld zo beter te kunnen zien.

'Na hem?' Saldur leek verlegen met de vraag. 'O, dat weet ik eigenlijk niet. Nou ja, niet dat het uitmaakt. Rufus zal toch wel winnen vanavond.'

'Hoezo?' vroeg Arista. 'Het gaat er blijkbaar niet echt om hoe vaardig je met het zwaard bent, of wel? Het draait om zijn afkomst. Denkt men dat heer Rufus verre voorouders uit de keizerlijke familie heeft?'

'Nou, inderdaad schijnt hij dat de laatste jaren beweerd te hebben.'

'Echt?' vroeg Arista, niet uit het veld geslagen. 'Ik heb anders nooit gehoord dat hij daar zo hoog van heeft opgegeven.'

'Ja, de kerk houdt er niet van om zulke onbewezen feiten te steunen, maar Rufus is toch wel de favoriet hier. We zullen straks wel zien of zijn beweringen kloppen.'

'Neem me niet kwalijk, monseigneur,' zei Tomas met een buiging. Hij en Trees stonden vlak achter Arista, zo te zien nog altijd niet op hun gemak. 'Weet u misschien waarom de dorpsklok geluid werd?'

'Hmm? Wat? Die klok? O dat... nee, ik heb geen idee. Misschien een vreemde gewoonte van die dorpelingen om te melden dat het eten klaar is.'

'Maar, monseigneur...' Tomas werd met een gebaar de mond gesnoerd.

'Daar!' riep Saldur en hij wees naar de hemel toen de Gilarabriwin verscheen en een duikvlucht boven het licht van de fakkels maakte.

'Ja, daar gaat-ie dan!' riep de aartsbisschop opgewonden, en hij klapte enthousiast in zijn handen. 'Iedereen opletten wat je nu te zien krijgt, want er zullen ongetwijfeld veel mensen die thuis zijn gebleven precies willen weten hoe het in zijn werk ging.'

Het beest landde op het veld en heer Rufus draafde er op zijn paard op af. Hij was zo slim geweest het paard een jutezak over het hoofd te trekken om te voorkomen dat het zijn gruwelijke tegenstander zou zien. Met zijn zwaard geheven spoorde hij zijn paard aan.

'In de naam van Novron, ik – de ware Erfgenaam – zal u te neder slaan!' Rufus ging in de stijgbeugels staan en maaide met zijn zwaard naar het beest, dat leek te schrikken van de stoutmoedigheid van de ridder.

Heer Rufus raakte de borst van het wezen, maar het zwaard ketste erop af zonder ook maar een schrammetje achter te laten. Weer sloeg hij toe, en nogmaals, maar het was alsof hij met een stok op een steen sloeg. Heer Rufus zag er gechoqueerd en verward uit. Toen verpletterde de Gilarabriwin zowel Rufus als zijn paard met een achteloze uithaal van zijn poot.

'O grote Maribor!' riep de aartsbisschop uit en hij kwam geschokt overeind. Even later veranderde de schok in afgrijzen toen het beest zijn vleugels uitsloeg en langzaam stijgend de complete helling in een vuurzee veranderde. Degenen op de motte weken in paniek achteruit, stoeltjes en tafeltjes omvergooiend. Een van de poten van het paviljoen schoof weg en de luifel viel over de toeschouwers heen, die worstelden om eronderuit te komen.

Met de heuvel in vuur en vlam, richtte het beest zich op het kasteel en terwijl het nog iets hoger vloog, braakte het beest een volgende steekvlam uit die de houten palissade in een vlammende muur veranderde. Het vuur sprong van de ene droge houten paal naar de andere tot er een kring van vuur om de binnenplaats en het woonhuis brandde. Het duurde niet lang voordat de bijgebouwtjes, die dicht bij de muur stonden en een dak van stro hadden, ook vlam vatten en spoedig sprong het vuur over naar de onderste helft van het kasteel. Met het verblindende licht van het vuur om hen heen, was het onmogelijk om te zien waar de Gilarabriwin naartoe was gegaan. Nu ze blind waren voor de vliegende nachtmerrie en de intense hitte alleen maar groter werd, vlogen de bedienden, wachters en geestelijken alle kanten op.

'We moeten naar de kelder!' brulde Tomas, maar te midden van het gegil en het geloei van de vlammen die het hout verteerden, hoorden maar enkelen hem. Tomas pakte Trees vast en begon haar naar de achterkant van het woonhuis te trekken. Met haar vrije hand greep ze Arista's arm en Tomas trok hen allebei de helling op.

Lamgeslagen door wat ze zag, liet Arista zich willoos meevoeren terwijl ze haar de binnenplaats over trokken. Zoiets als dit had ze nog nooit meegemaakt. Ze zag een man die in brand stond gillend de helling afrennen, wild om zich heen slaand, terwijl de vlammen in een spiraal zijn lichaam in klommen. Even later zakte hij ineen, nog steeds brandend. Er waren er meer die als levende fakkels blindelings over de binnenplaats renden, vonkend en stralend, en een voor een in het gras ineenzakten. Uit gewoonte zocht Arista de bescherming van Hilfred, maar ergens in haar benevelde brein herinnerde ze zich dat ze hem had bevolen in haar kamer te blijven. Hopelijk was hij nu naar haar op zoek.

Trees hield haar arm in een ijzeren greep terwijl de drie als een menselijke ketting voortholden. Links van haar zag ze een soldaat die een poging deed een muur over te komen. Hij vatte vlam en sloot zich aan bij de groep brandende mensen, gillend van pijn, terwijl zijn kleding en huid wegsmolten. Ergens niet zo ver van hen vandaan had het vuur zich een weg gebaand naar het bos, en er explodeerde een boomstam met een oorverdovende knal, die het gebouw deed trillen op zijn grondvesten.

'We moeten ons verstoppen in de kelder,' hield Tomas vol. 'Snel! Onder de grond ligt onze enige hoop dit te overleven. We moeten...'

Arista voelde haar haar wapperen in een plotselinge windvlaag.

Doemp. Doemp.

Diaken Tomas begin hardop te bidden toen de Gilarabriwin uit de donkere rookwolken tegen de nachtelijke hemel verscheen en zich boven op hen stortte.

12

ROOK EN AS

Toen Hadriaan uit de put het grauwe ochtendlicht tegemoet klauterde, kwam hij in een onbekende wereld terecht. Dahlgren was verdwenen. Slechts grote plekken as en hier en daar wat smeulend hout gaven aan waar de huizen hadden gestaan, maar nog ontstellender was het ontbreken van bomen. Het woud dat als een beschermende muur om het dorp had gelegen was weg. In plaats daarvan lag nu een troosteloze, zwart verschroeide vlakte. Hier en daar stond een staak zonder takken, zonder bladeren; lange donkere pieken wezen naar de hemel. Gevoed door smeulende puinhopen hing er een dikke rooklaag in de lucht als een verstikkende grijze mist, die de hemel verborg achter een heiige wolk, waaruit as neerdaalde als smerige sneeuw die een deken over het land uitspreidde.

Ook Parel kwam uit de put gekropen. Weinig verrassend zei ze niets toen ze langzaam door de verschroeide wereld liep, zich bukte om een verkoold stuk hout om te draaien, en naar de hemel staarde alsof ze verbaasd was dat die er nog was, nu de wereld ondersteboven was gekeerd.

'Hoe is dit gebeurd?' Rumold Beidewikke vroeg het aan niemand in het bijzonder, en niemand gaf antwoord.

'Trees!' riep Theron toen hij uit de put klom, met zijn ogen gericht op de smeulende ruïne boven op de heuvel. Kort daarop begon iedereen de helling op te lopen.

Net als het dorp was het kasteel een uitgebrand omhulsel; de ommuring van palen was verdwenen, net als de kleinere buitengebouwen. Het grote houten woonhuis was een verkoolde ravage. Overal lagen lijken, zwart verkoold door het vuur, uiteengerukt of vreemd verdraaid.

'Trees!' schreeuwde Theron in zijn wanhoop, terwijl hij als een dolle begon te graven tussen de puinhopen van wat het grote huis geweest was. Alle mannelijke dorpsbewoners, plus Rolf, Hadriaan en zelfs Magnus, zochten tussen de brokstukken, meer uit sympathie dan uit hoop.

Magnus stuurde hen naar de zuidoostelijke hoek, raadselachtig prevelend over met holle stem sprekende aarde. Ze trokken afgebroken stukken muur en een ingestorte trap opzij en hoorden toen een zwak geluid onder de grond. Ze groeven verder, waarbij de restanten van de oude keuken en de kelder eronder tevoorschijn kwamen.

Alsof hij uit het graf gehaald werd, trokken ze diaken Tomas uit het gat, die er weliswaar vies en gehavend uitzag, maar verder geen letsel had opgelopen. Net als de dorpelingen wreef Tomas zijn ogen uit, en knipperde tegen het ochtendlicht en de verwoesting om hen heen.

'Vader!' Theron schudde de geestelijke door elkaar. 'Waar is Trees?'

Tomas keek naar de oude boer en tranen welden in zijn ogen op. 'Ik kon haar niet redden, Theron,' zei hij met verstikte stem. 'Ik probeerde het, ik probeerde het uit alle macht. Je moet me geloven, echt, geloof me.'

'Wat is er gebeurd, oude gek?'

'Ik probeerde het. Ik bracht ze naar de kelder, maar hij kreeg ons te pakken. Ik bad. Ik bad zo hard en ik zweer je dat hij luisterde! Toen begon hij te lachen. Het beest lachte.' Tomas kon de tranen niet stoppen. 'Hij negeerde me volkomen en nam ze mee.'

'Nam ze mee?' vroeg Theron panisch. 'Wat bedoel je, man?'

'Hij sprak tot me,' zei Tomas. 'Hij sprak met een stem als de dood, als het lijden. Mijn benen konden me niet meer houden en ik stortte voor hem neer.'

'Wat zei hij dan?' vroeg Rolf.

De diaken zweeg even om zijn gezicht af te vegen, maar er verschenen alleen donkere vegen roet op zijn wangen. 'Ik kon er niets van maken, misschien was ik van angst mijn verstand kwijtgeraakt.'

'Maar wat dénk je dan dat hij zei?' hield Rolf aan.

'Hij sprak in de Oude Taal van de kerk. Ik dacht dat hij iets zei over een wapen, een zwaard, iets over ruilen voor de vrouwen. Dat-ie daar morgennacht voor terug zou komen. Toen vloog hij weg met Trees en de prinses. Ik snap er werkelijk niets van, ik heb vast mijn verstand verloren.'

'De prinses?' vroeg Hadriaan.

'Ja, prinses Arista van Melengar. Ze was bij ons. Ik probeerde ze allebei te redden... ik probeerde het... Maar... En nu...' Tomas begon weer te huilen.

Rolf en Hadriaan keken elkaar veelbetekenend aan en ze liepen snel weg van de anderen om erover te praten. Theron kwam algauw bij ze staan.

'Jullie twee weten er meer van,' zei hij beschuldigend. 'Je bent in de toren geweest, hè? Je hebt het gestolen. Rolf heeft het zwaard uiteindelijk te pakken gekregen. Dat wil dat beest terug!'

Rolf knikte.

'Je moet het teruggeven,' zei de boer.

'Ik denk niet dat je je dochter terugkrijgt als ik het teruggeef,' zei Rolf. 'Dit ding, deze Gilarabriwin, is veel doortrapter dan we denken. Hij zal...'

'Trees heeft jullie ingehuurd om mij dat zwaard te brengen,' gromde Theron. 'Dat was jullie taak. Weet je nog? Jullie zouden het stelen en het aan mij geven, dus kom maar op.'

'Theron, luister nou eens...'

'Geef het meteen aan mij!' schreeuwde de oude boer terwijl hij dreigend op de dief neerkeek.

Rolf zuchtte en haalde het gebroken zwaard tevoorschijn. Theron nam het met opgetrokken wenkbrauwen aan en draaide het metaal om en om in zijn handen. 'Waar is de rest?'

'Dit was het enige waar ik bij kon.'

'Dan doen we het hier maar mee,' zei de oude man vastberaden.

'Theron, ik denk niet dat je dit wezen kunt vertrouwen. Al geef je het zwaard terug, dan doodt hij toch je dochter, de prinses en jou.'

'Dat risico moet ik dan maar nemen!' riep hij. 'Jullie twee hoeven hier niet meer te zijn. Je hebt het zwaard gestolen – jullie hebben je klus geklaard. Over en uit. Je kunt vertrekken wanneer jullie willen. Ga dan, donder op!'

'Theron,' begon Hadriaan. 'We zijn je vijand niet. Dacht je dat wij willen dat Trees sterft?'

Theron begon te praten, maar sloot toen zijn mond, slikte en haalde diep adem. 'Nee,' zei hij met een zucht. 'Je hebt gelijk. Ik weet het best. Alleen...' Hij keek Hadriaan recht in de ogen met een blik vol folterende pijn. 'Ze is alles wat ik nog over heb, en ik ga niks of niemand uit de weg die haar dood wil maken. Ik geef mezelf graag aan dat monster over, als hij haar maar in leven laat.'

'Dat weet ik, Theron,' zei Hadriaan.

'Ik denk alleen dat hij niet akkoord gaat met de ruil,' zei Rolf.

'We hebben er nog eentje gevonden!' schreeuwde Ditmar Deernstra, terwijl hij Tobis Rentinual uit de restanten van het rookhok haalde. De tengere hoveling in kant en fluweel was van top tot teen vuil en modderig, en hij zakte ineen op het gras, hoestend en proestend.

'De aarde was zacht in de kelder...' bracht Tobis uit, en begon weer te hoesten. 'We... groeven het uit met onze... met onze handen.'

'Met hoeveel man?' vroeg Deernstra.

'Met z'n vijven,' zei Tobis kuchend. 'Een houtvester, een wachter of zo, heer Erlic en twee anderen. De wachter...' Tobis kreeg een vreselijke hoestbui, boog zich voorover en spuugde op het gras.

'Arvid, haal eens water uit de put!' beval Ditmar zijn zoon.

'De wachter was hevig verbrand,' vervolgde Tobis. 'Twee jongemannen sleepten hem het rookhok in, en zeiden dat er een kelder onder zat. Alles om ons heen stond in de fik behalve dat rookhok, dus de houtvester, heer Erlic en ik renden erheen. De aarden vloer was niet aangestampt, dus we begonnen te graven. Toen viel er iets op het hok en het hele geval stortte boven op ons. Ik kreeg een balk op mijn been. Het is gebroken, denk ik.'

De dorpelingen haalden met man en macht het ingestorte rookhok weg. Ze trokken een wand opzij en begonnen onder het puin te graven, steeds meer hout en steen weghalend. Ze bereikten de bodem, waar de anderen levend begraven lagen.

Ze trokken de slachtoffers naar buiten in het licht. Heer Erlic en de houtvester leken het niet gehaald te hebben, tot ze ook begonnen te hoesten en te spugen. De verbrande wachter was er erger aan toe. Hij was bewusteloos, maar leefde nog wel. De laatste twee die uit de ruïne van het rookhok werden gehaald waren Mauvin en Fanen Piekering, die, net als Tobis, een tijd niet konden spreken, maar die op een hoop schaaf-wonden en blauwe plekken na in orde waren.

'Leeft Hilfred nog?' was het eerste wat Fanen vroeg, nadat hij wat frisse lucht had kunnen inademen en een slok water had gekregen.

'Wie is Hilfred?' vroeg Lena Beidewikke, met een beker water in haar hand. Fanen wees naar de verbrande wachter tegenover hem en Lena knikte. 'Hij is bewusteloos, maar hij leeft nog.'

Er werden zoekacties op touw gezet om de rest van het terrein uit te kammen, waarbij veel meer lichamen geborgen werden, vooral van deelnemers die hun geluk nog hadden willen beproeven. Ook werden de restanten van aartsbisschop Galiaan gevonden. De oude man leek niet door het vuur te zijn gestorven, maar doordat hij was doodgedrukt door reuzenklauwen. Zijn bediende, Karel, lag tussen de puinhopen van het huis; blijkbaar was hij niet van plan geweest om bij zijn meester te sterven. Arista's kamenier, Berthe, werd eveneens in het woongedeelte gevonden, verpletterd toen de woontoren instortte. Er werd verder niemand levend aangetroffen.

De dorpelingen maakten draagbaren om Tobis en Hilfred uit de smeulende ruïne naar de put bij het dorp te dragen, waar de vrouwen hun wonden verzorgden. Het gemeenschappelijke stukje gras was een verschroeid veld geworden. De grote klok was gevallen en lag op zijn kant in de as.

'Wat is er gebeurd?' vroeg Hadriaan die naast Mauvin en Fanen kwam zitten. De twee broers zaten dicht bij elkaar op de plek waar eens Parel haar varkens had laten grazen. Ze zaten ineengedoken, nippend van bekers water, hun gezichten met roet besmeurd.

'We waren buiten de muur toen de aanval begon,' zei Mauvin met zachte stem, die meer op hees gefluister leek. Hij haakte zijn duim in die van zijn broer. 'Ik zei tegen hem dat we weer naar huis gingen, maar Fanen, ons genie hier, besloot dat hij toch een kansje met het beest wilde wagen, zijn enige kans op eeuwige roem.'

Fanen liet zijn hoofd nog dieper zakken.

'Hij probeerde ertussenuit te knijpen, dacht zeker dat ik het niet zou merken. Ik kreeg hem halverwege de helling te pakken. Ik legde hem nog eens uit dat het zelfmoord was; hij hield vol; we begonnen te vechten. Dat was meteen over toen we zagen dat de heuvel in brand stond. We renden als dollen terug. Voor we de poort bereikten, werden we bijna overreden door een stel rijtuigen en een groep paarden die er in galop vandoor gingen. Ik zag Saldurs gezicht uit een van de raampjes kijken. Ze hielden geen moment in.

We gingen Arista zoeken en vonden Hilfred op de grond vlak voor het brandende kasteel. Hij had geen haar meer, de vellen hingen erbij, maar hij ademde nog wel, dus we pakten hem voorzichtig op en renden naar het rookhok. Het was het laatste gebouwtje dat nog overeind stond en niet brandde. De vloer bestond uit zachte, losse aarde, alsof het onlangs omgewoeld was, dus begonnen we als mollen met onze handen een gat te graven. Tobis, Erlic en Danthen, de houtvester hier, volgden ons naar binnen. We waren nog maar een paar voet gevorderd toen het gebouw instortte en wij eronder terechtkwamen.'

'Hebben jullie Arista gevonden?' vroeg Fanen. 'Is ze...'

'Dat weten we niet,' zei Hadriaan. 'De diaken vertelde dat het beest haar en Therons dochter heeft meegenomen. Ze kan dus nog in leven zijn.'

De vrouwen uit het dorp verpleegden de gewonden die rond het kasteel gevonden waren, terwijl de mannen bouwmateriaal, gereedschappen en voedselvoorraden begonnen aan te leggen, die ze bij elkaar bij de put legden. Het was een groezelig stelletje, zorgelijk en smerig, als een groep schipbreukelingen die op een onbewoond eiland waren aangespoeld. Weinigen spraken, en als ze dat al deden, was het altijd fluisterend. Af en toe begonnen er dorpsbewoners zacht te snikken, of ze schopten tegen een verkoolde balk, of liepen weg van de groep om ergens verderop op hun knieën te gaan zitten beven.

Toen alle mannen ten slotte verbonden waren en de voorraden gesorteerd, stond Tomas, die zichzelf opgefrist had, op. Hij sprak een paar woorden over de doden en ze namen allen een moment van stilte in acht. Toen stond Vin Griffin op en sprak ze toe.

'Ik was de eerste die hier neerstreek,' zei hij melancholiek. 'Mijn huis stond hier, zo dicht mogelijk bij de bron. Ik weet nog dat de meesten van jullie nieuwkomers waren, vreemdelingen zelfs. Ik had grote verwachtingen voor deze plek. Ik gaf ieder jaar acht schoven gerst voor de dorpskerk, al zag ik er alleen deze klok van terug. Ik bleef hier tijdens de vreselijke winter van vijf jaar geleden en ik bleef hier toen er mensen begonnen te verdwijnen. Zoals ieder van jullie dacht ik dat ik het wel zou overleven. Overal komen immers mensen op trieste wijze aan hun eind, of het nu door pokken, pest, hongersnood, kou of het zwaard komt. Zeker, er leek een vloek op Dahlgren te rusten, en misschien is dat ook wel zo, maar het was toch de beste plaats waar ik ooit heb gewoond. Misschien de beste plaats waar ik ooit nog zal wonen, mede dankzij jullie allemaal en het feit dat de adel ons meestal met rust liet, maar dat is nu allemaal voorbij. Er is hier niets meer, niet eens de bomen die hier stonden voor we kwamen. En ik bedank ervoor nog een nacht bij de bron door te brengen.' Hij veegde zijn ogen droog. 'Ik vertrek uit Dahlgren. Ik neem aan dat ik niet de enige ben. Ik wilde alleen maar zeggen dat toen jullie hier allemaal kwamen, ik jullie als vreemden zag, maar nu ik vertrek, heb ik het idee dat ik afscheid neem van mijn familie, een familie die gezamenlijk heel veel heeft meegemaakt. Dat... dat wilde ik jullie laten weten.'

Ze knikten allemaal om te beamen dat ze hetzelfde gevoel hadden en ze spraken zacht met hun buren. Ze besloten gezamenlijk dat Dahlgren niet meer bestond en dat ze allemaal zouden vertrekken. Er werd over gepraat om allemaal samen te blijven, maar dat bleef bij praten. Wel zouden ze als groep naar het zuiden trekken, met heer Erlic en de houtvester Danthen als begeleiders, tenminste tot Algewest, waar sommigen naar het westen zouden verdergaan, in de hoop daar verwanten te vinden, terwijl anderen nog verder naar het zuiden zouden trekken, om daar opnieuw te beginnen.

'Nee, van de kerk moet je het hebben,' zei Ditmar ironisch tegen Hadriaan. 'Ze waren twee nachten hier en moet je nou eens zien.'

Ditmar en Rumold liepen naar Theron die ergens tegen een verschroeide boomstronk zat.

'Jij blijft zeker hier om Trees te zoeken?' vroeg Ditmar.

Theron knikte. Hij had geen moeite gedaan zich te wassen en hij zat vol modder en roet. Hij staarde naar het gebroken zwaard in zijn schoot.

'Je denkt dat-ie vanavond terugkomt, hè?' vroeg Rumold.

'Denk het wel. Hij wil dit terug. Als ik het geef, krijg ik misschien Trees weer terug.'

De twee mannen knikten.

'Wil je dat we blijven om je een handje te helpen?' vroeg Rumold.

'Waarmee?' zei de oude boer. 'Er is niets wat jullie kunnen doen, geen van beiden. Ga toch, jongens, jullie hebben allebei je eigen gezin om voor te zorgen. Vertrek nu het nog kan. Er zijn al genoeg fijne mensen gestorven hier.'

De twee knikten opnieuw.

'Veel geluk dan, Theron,' zei Ditmar.

'We wachten wel een tijdje op je in Algewest, om te zien of jullie het gered hebben,' zei Rumold tegen hem. 'Succes, hè!'

Rumold en Tad zetten een slee in elkaar van verschroeide jonge boompjes om de paar spullen die ze hadden kunnen redden op te laden. Lena bereidde een zalfje, dat ze op Hilfreds brandwonden smeerde en liet het naast een stapel schoon verband achter bij Tomas, die het op zich had genomen bij de soldaat te blijven. En zo trok in de vroege middag het gros van de dorpelingen met hun armzalige beetje bagage onder de arm naar het zuidwesten. Niemand wilde na zonsondergang nog bij Dahlgren in de buurt zijn.

'Wat doen we nu?' vroeg Rolf aan Hadriaan, toen ze op een deels verbrande boomstronk zaten. Ze waren het oude dorpspad opgelopen, tot waar vroeger de twee graven van de meisjes Kaasstra hadden gelegen. Zoals alles waren ook die vergaan, er was niets meer over om aan hun dood te herinneren. Hadriaan en Rolf zagen diaken Tomas bij Hilfred zitten, die nog altijd bewusteloos was.

'Dit hele klusje heeft ons twee paarden en een week proviand gekost, en wat zijn we ermee opgeschoten?' ging Rolf verder en hij brak met een zucht een verschroeid stukje boombast af en smeet het weg. 'We zouden beter meteen nu mee kunnen gaan. Dat meisje is hoogstwaarschijnlijk al dood. Ik bedoel, waarom zou het beest haar laten leven? De Gilarabriwin heeft alle kaarten in handen. Hij kan ons doden wanneer hij daar zin in heeft, en wij kunnen hem niets maken. Hij heeft gijzelaars, terwijl wij alleen een half zwaard hebben dat hij nergens voor nodig heeft, maar gewoon niet kwijt wil. Als we beide stukken van het zwaard hadden, zou Magnus ze weer samen kunnen smeden en dan hadden we tenminste iets om mee te onderhandelen. We zouden zelfs kunnen regelen dat de dwerg ons allemaal zo'n zwaard zou geven, en speren met de juiste naam erop. Dan konden we proberen die rotzak aan te vallen, maar nu, nu hebben we niks. We vormen geen enkele bedreiging voor hem. Theron denkt dat hij wel handjeklap wil spelen, maar hij heeft niets van waarde om te ruilen. De Gilarabriwin heeft dit allemaal verzonnen om zich de moeite te besparen dat ding zelf te zoeken.'

'Dat weten we niet.'

'Tuurlijk weten we dat. Waarom zou hij die meiden in leven laten? Hij heeft ze waarschijnlijk al als lunchhapje genomen, en als het avond wordt, staat die oude Theron daar met die halve kling die hij terug wil in zijn handen. Theron dood, en dat was dat. Aan de andere kant levert dat stomme plan ons wel tijd op om weg te komen. En aangezien toch zijn hele familie al dood is, en zijn dochter hoogstwaarschijnlijk ook, is het maar beter ook zo.'

'Hij zal er niet alleen staan vanavond,' zei Hadriaan.

Rolf draaide zich met een vermoeide blik om naar zijn vriend. 'Zeg dat dat een geintje is.'

Hadriaan schudde het hoofd.

'Waarom?'

'Omdat je gelijk hebt; omdat alles wat je net vertelde zal gebeuren als we nu vertrekken.'

'En jij denkt dus dat het anders loopt als we blijven?'

'We hebben altijd een klus afgemaakt, Rolf.'

'Waar heb je het over? Welke klus?'

'Ze heeft ons betaald om dat zwaard te halen.'

'Ik héb het zwaard gehaald. Haar ouwe heer heeft het in zijn handen.'

'Dat is maar een deel ervan, en de klus is pas geklaard wanneer hij beide delen in handen heeft. Daarvoor zijn we ingehuurd.'

'Hadriaan.' Rolf streek met een hand over zijn gezicht en schudde het hoofd. 'Bij de goede Maribor nog aan toe, ze heeft ons tien zilverstukken betaald!'

'Je hebt ze aangenomen.'

'Ik heb er toch zo'n hekel aan wanneer je zo begint.' Rolf stond plotseling op en raapte nog een verkoold stukje hout op. 'Verdraaid.' Hij wierp het op een stapel smeulend hout dat eens het huis van Beidewikke was geweest. 'Je weet toch wel dat je ons allebei de dood injaagt, ja toch?'

'Je hóéft niet te blijven. Het is mijn beslissing.'

'En wat wil je nou helemaal doen? Met hem vechten als hij neerstrijkt? Ga je een beetje met zwaarden staan zwaaien in het donker? Zonder hem ook maar een schrammetje toe te brengen?'

'Ik weet het niet.'

'Je bent stapelmesjokke,' zei Rolf. 'Al die geruchten waren dus waar: Hadriaan Zwartwater heeft ze niet allemaal op een rijtje.'

Hadriaan ging tegenover zijn vriend staan. 'Ik laat Theron, Trees en Arista niet in de steek. En Hilfred dan? Denk je dat hij op reis kan gaan? Als je hem door het bos probeert te dragen is hij voor middernacht al dood. Of wil je hem vannacht de put in laten zakken? Dacht je dat hij er dan fris en fruitig weer uitklimt? En dan heb ik het nog niet eens over Tobis. Hoe ver denk je dat hij komt met zijn gebroken been? Of kunnen ze je allemaal je rug op? Is je hart zo zwart geworden dat je gewoon weg kunt wandelen, terwijl zij hier liggen te creperen?'

'Ze gaan hoe dan ook dood,' snauwde Rolf. 'Dat bedoel ik nou juist. We kunnen het beest niet tegenhouden als hij ze aanvalt. Het enige wat we kunnen besluiten is: blijven we bij ze om samen met ze te sterven, of niet? En ik voor mij zie niks in zo'n zelfmoord uit sympathie.'

'We kunnen wel wat doen,' zei Hadriaan vastberaden. 'Wij hebben de schat uit de Kroontoren van Ervanon gestolen en hem er de volgende nacht weer in teruggelegd. En wij waren het die inbraken in de ondoordringbare vesting van Drumindor, we dumpten Braga's hoofd op de schoot van de graaf van

Slagwijk terwijl hij in zijn toren in slaap was gevallen, en we kregen Esrahaddon Gutaria uit, de best beveiligde gevangenis die ooit is gebouwd. Ik bedoel maar, we kunnen vast wel iets doen!'

'Zoals wat?

'Nou...' zei Hadriaan nadenkend. 'We kunnen een kuil graven, hem erin lokken en de val sluiten.'

'Dat lijkt me een nog slechter plan dan Tomas te vragen een gebed tot Maribor te richten om de Gilarabriwin dood uit de lucht te laten vallen. We hebben echt geen tijd of mankracht om zo'n enorme kuil te graven.'

'Heb jij dan een beter idee?'

'Ik weet zeker dat ik met wat beters kan komen dan het beest in een kuil te lokken die we niet kunnen graven.'

'Zoals?'

Rolf begon te ijsberen door het nog altijd smeulende bos van zwarte staken, terwijl hij kwaad schopte naar alles wat voor zijn voeten lag. 'Ik weet het niet, jij bent degene die denkt dat we iets kunnen doen, maar ik weet maar één ding: we kunnen helemaal niets, tenzij we de andere helft van het zwaard hebben. Dus het eerste wat ik zou doen is ook dat stelen, vannacht wanneer hij de toren uit is.'

'Dan zijn Trees en Arista pas echt ten dode opgeschreven,' merkte Hadriaan op.

'Aan de andere kant kun je het beest dan vernietigen. Dan zou er tenminste een eind aan zijn wraakacties komen.'

Hadriaan schudde het hoofd. 'Niet goed genoeg.'

Rolf keek hem meesmuilend aan. 'Zo dan: ik steel het zwaard terwijl jij en Theron hem bezighouden met dat nepzwaard dat Rufus gebruikte.' Rolf grinnikte somber. 'Er is minstens een kans van één op een miljoen dat het zou kunnen werken.'

Hadriaan fronste zijn voorhoofd terwijl hij nadacht en hij ging langzaam weer zitten.

'O nee hè, het was maar een grapje,' zei Rolf haastig. 'Alsie kan merken dat hij een half zwaard kwijt is, kan hij ook wel een kopie van een echt zwaard onderscheiden.'

'Maar zelfs al werkt het niet,' zei Hadriaan, 'het geeft ons wel de tijd om de meiden ervandaan te krijgen. Dan zouden wij in een gat kunnen kruipen, een klein gat waar we wel tijd voor hebben om te graven.'

'En maar hopen dat hij ons niet uitgraaft? Ik heb zijn klauwen gezien; daar draait hij zijn hand niet voor om.'

Hadriaan negeerde hem en volgde zijn gedachtegang. 'Dan kom jij met de andere helft van het zwaard, laat het Magnus aan elkaar smeden, en dan kan ik hem lekprikken. Zie je, het was juist goed dat je de dwerg niet hebt omgebracht.'

'Je beseft hopelijk wel wat een gestoord idee dit is? Dat ding heeft gisternacht het hele dorp en het kasteel verwoest, en jij wilt het verslaan met een oude boer, twee vrouwen en een gebroken zwaardje?'

Hadriaan zei niets.

Rolf zuchtte en ging hoofdschuddend naast zijn vriend zitten. Hij reikte in zijn mantel en trok zijn dolk tevoorschijn. Hij stak hem Hadriaan met schede en al toe.

'Hier,' zei hij. 'Neem Alvensteen.'

'Waarom?' Hadriaan keek hem niet-begrijpend aan.

'Nou ja, ik zeg niet dat Magnus gelijk heeft, maar ik ben nog nooit iets tegengekomen waar deze dolk niet doorheen komt. Als wat die dwerg zegt waar is, en als de vader der goden dit gesmeed heeft, zou het wel eens van pas kunnen komen bij een onoverwinnelijk beest.'

'Dus je vertrekt?'

'Nee.' Rolf keek chagrijnig in de richting van de elfentoren. 'Ik moet blijkbaar een klusje afmaken.'

Hadriaan glimlachte naar zijn vriend, nam de dolk aan en woog hem op zijn hand. 'Dan geef ik je hem morgen weer terug.'

'Afgesproken,' zei Rolf.

'Is je maat ervandoor?' vroeg Theron toen Hadriaan naar hem toe kwam, de verschroeide helling op lopend naar wat eens het kasteel was geweest. De oude boer stond op de zwartgeblakerde heuvel, met het gebroken zwaard in zijn hand, de hemel af te speuren.

'Nee... nou ja, min of meer. Hij is op weg naar Avempartha om de andere helft van het zwaard te stelen, voor het geval de Gilarabriwin ons wil bedriegen. Er is zelfs een kansje dat hij Trees en Arista in de toren achterlaat terwijl hij hier komt, en dan kan Rolf ze meteen meenemen.'

Theron knikte bedachtzaam.

'Jullie twee zijn wel erg goed geweest voor mij en mijn dochter. Ik weet nog steeds niet waarom, maar zeg maar niet dat het om het geld gaat.' Theron zuchtte. 'Weet je, ik heb haar nooit ergens voor geprezen. Ik heb haar al die jaren nooit enige aandacht geschonken. Ze was maar een dochter, geen zoon... een extra mond om te vullen en voor wie we op de koop toe een bruidsschat bij elkaar moesten scharrelen om haar te laten trouwen. Hoe ze jullie ooit heeft kunnen vinden en jullie heeft weten over te halen helemaal hierheen te komen om ons te helpen... Nee, ik denk niet dat ik dat ooit zal begrijpen.'

'Hadriaan,' riep Fanen van beneden. 'Kom eens hier; moet je zien wat we hebben gevonden.'

Hadriaan volgde Fanen de heuvel af naar de noordelijke rand van de brandlijn, waar hij Tobis, Mauvin en Magnus zag werken aan een groot apparaat.

'Dit is mijn katapult,' verklaarde Tobis, die trots naast zijn wagen stond, waarop het houten geval stond. Tobis zag er komisch uit in zijn ietwat besmeurde, felgekleurde hofkledij, met een kruk onder zijn arm die Magnus voor hem had gemaakt, en zijn gebroken been gespalkt tussen twee rechte stukken hout. 'Ze hadden hem hier geparkeerd toen ik van de lijst van deelnemers werd geschrapt. Een schoonheid, vind je niet? Ik heb haar Persephone genoemd, naar de eerste keizerin. Dat past haar wel, dacht ik, aangezien ik oude imperialistische geschiedenis heb bestudeerd om het te maken. En dat was niet kinderachtig. Ik moest eerst oude talen studeren om die boeken te kunnen lezen.'

'Heb je die net gemaakt?'

'Nee, natuurlijk niet, mallerd. Ik ben professor in Scheerdam. Dat ligt in Ghent, je weet wel, waar de Kerk van Nyphron zetelt. Nou ja, briljant als ik ben, kocht ik wat kerknotabelen om, en die hebben toen een tip van de sluier voor me opgelicht over het ware doel van de krachtmeting. Het zou geen domme slachtpartij worden tussen een stel kleerkasten met zaagsel in hun hoofd, maar er zou een vervaarlijk legendarisch wezen moeten worden verslagen. Met die wetenschap besloot ik mee te doen, want ik heb dan wel niet de benodigde spierkracht, maar ik bezit een stel hersens waarvan je steil achterover slaat.'

Hadriaan liep om het gevaarte heen. De massieve centrale balk stak zeker twaalf voet omhoog, en de lange dikke hendel was ongeveer twee voet langer. Er zat een canvas-zak aan een lagere balk, waaraan een bundel sterk ineengedraaide touwen was bevestigd. Door de gespannen touwen stak een windas, die door middel van een tandwielmechanisme verbonden was met zwengels aan weerszijden van het toestel.

'Nou, ik moet zeggen, ik heb wel eens eerder een katapult gezien, maar die zag er toch heel anders uit dan deze.'

'Dat komt omdat ik hem specifiek voor de Gilarabriwin gebouwd heb.'

'Nou ja, dat probeerde hij,' zei Magnus. 'Zoals hij hem in elkaar had gezet, zonder torsie, had hij niet gewerkt, maar nu wel.'

'We hebben zelfs al een paar grote stenen gelanceerd,' voegde Mauvin eraan toe.

'Ik heb een beetje ervaring met belegeringswapens,' zei Hadriaan. 'En ik weet dat ze nuttig zijn tegen iets groots, zoals een veld vol soldaten, of iets wat zich niet kan verplaatsen, zoals een kasteelmuur, maar ze zijn zinloos tegen een enkele, bewegelijke vijand. Ze zijn gewoon niet snel of precies genoeg.'

'Ja, precies, daarom laat ik bij dit ontwerp niet alleen projectielen, maar ook netten afvuren,' antwoordde Tobis trots.

'Dat kost wat denkwerk, maar gelukkig ben ik daar een kei in. De netten zijn zo ontworpen dat ze als grote bollen worden afgevuurd die zich halverwege hun baan uitvouwen en het beest vangen terwijl hij vliegt, waarna hij neerstort. Als hij hulpeloos ligt te spartelen, herlaad ik en ik heb dan alle tijd om hem te verpletteren.'

'En werkt dat?' vroeg Hadriaan, onder de indruk.

'In theorie wel ja,' zei Tobis.

Hadriaan haalde zijn schouders op. 'Wat maakt het ook uit, het kan geen kwaad.'

'We moeten hem alleen even goed opstellen,' zei Mauvin. 'Help je een handje?'

Ze zetten allemaal hun rug tegen de wagen met de experimentele blijde, behalve Tobis natuurlijk, die *hinkepotend* rondhobbelde terwijl hij bevelen gaf. Ze rolden hem naar de lege slotgracht die rond de voet van de motte was gegraven, waar hij op alles kon schieten wat in de omgeving van het voormalige woonhuis kwam.

'Misschien goed om hem te camoufleren – puin of verbrand hout of zo, zodat het eruitziet als een berg rommel,' zei Hadriaan. 'Dat zal niet al te moeilijk zijn. Magnus, ik wilde je om een gunst vragen.'

'Wat voor gunst?' vroeg de dwerg, terwijl Hadriaan hem de motte op leidde naar de ruïne. Het gras was verbrand en ze liepen op een oppervlak van as en wortels die Hadriaan aan warme sneeuw deden denken.

'Herinner je je dat zwaard nog dat je voor heer Rufus hebt gemaakt? Ik heb het gevonden, bij hem en zijn paard op de helling. Ik wil dat je het verbetert.'

'Verbetert?' De dwerg zag er gekwetst uit. 'Het is mijn fout niet dat het zwaard niet werkte; het is een perfecte replica. Die werktekeningen bevatten waarschijnlijk een fout.'

'Maakt niet uit, want ik heb het origineel, nou ja, een deel ervan. Ik wil graag dat je een exacte kopie maakt van wat we hebben. Kun je dat?'

'Natuurlijk kan ik dat, en dat doe ik ook wel, als jij van

Rolf gedaan krijgt dat hij me Alvensteen laat zien.'

'Ben je gek? Hij maakt je nog liever meteen dood. Ik heb je leven al eens gered. Telt dat niet mee?'

De dwerg keek hem rustig aan, de armen over elkaar geslagen tegen de vlechten van zijn baard. 'Dat is de prijs.'

'Ik zal met hem praten, maar ik kan het niet garanderen.'

De dwerg tuitte zijn lippen, waardoor zijn baard en snor ritselden. 'Goed dan. Waar zijn die zwaarden?'

Theron was het met het plan eens als hij zijn halve kling maar terugkreeg en hij bracht het wapen naar de smidse van het kasteel, die nu alleen nog maar bestond uit de stenen oven en het aambeeld. Hij zou het zwaard tijdens de uitwisseling bij zich houden en het direct overhandigen zodra de Gilarabriwin de list met de nepkling ontdekte.

'Pfff!' De dwerg keek vol afschuw naar het halve origineel.

'Wat is er?' vroeg Hadriaan.

'Geen wonder dat het niet werkte! Het is aan beide kanten gegraveerd. Hier zit een heel andere inscriptie op. Kijk, dit is de bezwering, wed ik.' De dwerg liet Hadriaan de kling zien; een schijnbaar onbegrijpelijk spinnenweb van sierlijke dunne lijnen die een langwerpig geheel vormden. Toen draaide hij het om zodat op de achterkant een aanmerkelijk kortere symbolenreeks zichtbaar werd. 'Op deze kant zit neem ik aan de magische naam waarover Esrahaddon het had. Het is logisch dat al die bezweringsformules gelijk zijn, en alleen de naam steeds anders is.'

'Betekent dat dat je nu een wapen kunt maken wat werkt?'

'Nee, hij is gebroken midden in de naam, maar van wat ik heb kan ik in elk geval een verdomd goede kopie maken.'

De dwerg deed zijn gereedschapsriem af die onder zijn kleding verborgen zat en legde hem op het aambeeld. Hij had een stuk of wat hamers van verschillende grootte en vorm, en beitels in verschillende hoeken. Hij rolde een leren voorschoot uit en bond het om. Toen nam hij het zwaard van Rufus en zette het vast op het aambeeld.

'Heb je die spullen altijd bij je?' vroeg Hadriaan.

'Ik laat ze in elk geval nooit aan het zadel van een paard hangen,' antwoordde Magnus droog.

Hadriaan en Theron begonnen een gat te graven aan de zijkant van de binnenplaats. Ze groeven het op de plek waar het oude rookhok had gestaan, waar de reeds losgewoelde aarde het werk wat lichter maakte. Omdat ze geen schop hadden, gebruikten ze oude planken die hun handen zwart als kool maakten. Binnen een paar uur hadden ze een gat gegraven waarin ze met z'n tweeën geheel onder de grond konden hurken. Het was niet diep genoeg om uitgraven te voorkomen, maar het zou hen wel beschermen tegen een enorme steekvlam als die niet direct vanboven kwam. Als dat wel het geval was, zouden ze als een stel kleipotten in zand gebakken worden.

'Het zal niet lang meer duren,' zei Hadriaan tegen Theron, toen de twee mannen, onder het vuil en de as, naar het vervagende licht keken. Magnus gebruikte nu zijn kleinste hamertje, en tikte razendsnel op het metaal. Hij prevelde iets, trok vervolgens een dikke doek uit een zak aan zijn riem en begon het oppervlak van de imitatiekling stevig op te wrijven.

Hadriaan keek uit boven de bomen, en hij voelde Alvensteen in een binnenzak van zijn tuniek zitten. Hij vroeg zich af of Rolf het zou halen tot de toren. *Is hij al binnen? Heeft hij Esrahaddon gevonden? Kan die oude magiër iets doen om hem te helpen?* Hij dacht aan de prinses en aan Trees. *Wat heeft het beest met ze uitgevoerd?* Hij beet op zijn lip. Rolf had vast gelijk. *Waarom zou hij ze in leven hebben gelaten?*

Het geluid van hoeven naderde uit het zuiden. Theron en Hadriaan wisselden een verbaasde blik, en toen ze opstonden, zagen ze een groep ruiters in volle galop het bos uit komen. Acht mannen te paard staken de troosteloze vlakte over, ridders in zwarte wapenrusting met de standaard van de gebroken kroon wapperend voor zich uit. Voorop reed Louis Gydo in zijn rode wambuis.

'Kijk eens wie we daar hebben.' Hadriaan keek naar Magnus. 'Ben je klaar?'

'Even polijsten,' antwoordde de dwerg. Toen merkte hij de

ruiters op. 'Nu heb je de poppen aan het dansen,' gromde hij.

De ruiters draafden de verwoeste binnenplaats op en hielden in toen ze hen zagen. Gydo nam de smeulende restanten van het kasteel in zich op, steeg af en liep op de dwerg af. Hij stopte even om een verbrand stuk hout op te pakken, dat hij tweemaal in zijn handen opgooide om het weer weg te werpen. 'Het ziet ernaar uit dat heer Rufus het gisteravond niet zo goed deed als we hadden gehoopt. Was je vergeten de puntjes op de i te zetten, Magnus?'

Magnus deed geschrokken een stap achteruit. Theron deed snel een stap naar voren, greep het originele gebroken zwaard en verborg het onder zijn hemd.

Gydo zag dat wel, maar negeerde het en richtte zich tot de dwerg. 'Leg het maar eens uit, Magnus, of moet ik je maar meteen ombrengen vanwege je beroerde vakmanschap?'

'Het was mijn fout niet. Er zaten tekens op de andere kant die nergens op de werktekeningen stonden. Ik heb gedaan wat je vroeg; het lag aan jullie onderzoek.'

'En waar was je nu dan mee bezig?'

'Hij maakt de helft van het zwaard na zodat we dat kunnen gebruiken om ermee te onderhandelen met de Gilarabriwin,' legde Hadriaan uit.

'Onderhandelen?'

'Ja, het monster heeft prinses Arista en een dorpsmeisje meegenomen. Hij zei dat als we de kling teruggaven die we uit zijn nest hebben gestolen, hij de vrouwen vrij zou laten.'

'Hij *zei*?'

'Ja,' zei Hadriaan stellig. 'Hij sprak gisteravond met diaken Tomas, vlak voor die er getuige van was dat hij de vrouwen ontvoerde.'

Gydo lachte schamper. 'Dus dat beest praat nu ook al, hè? En het ontvoert schone maagden? Hoe indrukwekkend. Ik neem aan dat het ook kan paardrijden en Dunmoer vertegenwoordigt bij het volgende Midwinterfestival in Aquesta.'

'Je kunt het aan je eigen diaken vragen als je me niet gelooft.'

'O, ik geloof je best,' zei hij en hij beende langzaam op Hadriaan af. 'Op zijn minst dat stuk over het stelen van het zwaard uit de citadel. Daar doel je toch op, niet? Dus er is echt iemand Avempartha binnengekomen en heeft het originele zwaard gestolen? Heel interessant, vooral omdat ik toevallig weet dat alleen iemand met elfenbloed die toren kan binnenkomen. Jij ziet er naar mijn idee weinig elfachtig uit, Hadriaan. En de stamboom van de Piekerings ken ik op mijn duimpje. Ik weet ook dat Magnus er niet in kon komen. Dan hebben we dus alleen je misdadige maatje Rolf Molenbeek nog over. Hij is niet zo groot, hè? Tenger, lenig? Kwaliteiten die hem als dief goed van pas komen. Hij ziet uitstekend in het donker, hoort meer dan welk mens dan ook, heeft een buitengewoon goed evenwichtsgevoel en kan zijn voeten zo licht neerzetten dat hij geruisloos rondsluipt. Al met al heel oneerlijk tegenover al die gewone dieven die alleen hun normale, menselijke vaardigheden kunnen gebruiken.'

Gydo keek speurend in de rondte. 'Waar is die partner van je eigenlijk?' vroeg hij, maar Hadriaan zweeg. 'Dat is een van de grootste problemen die we hebben; van die bastaardelfen die er als mensen uitzien. Erg lastig te herkennen. Ze hebben niet van die puntige oortjes, of schuine ogen, omdat ze lijken op hun menselijke ouder, maar er is altijd wel een elfentrekje. Dat maakt ze zo gevaarlijk. Ze zien er normaal uit, maar diep vanbinnen zijn ze onmenselijk slecht. Je ziet het waarschijnlijk niet eens. Heb jij het gezien? Jij bent zeker zoals alle stomme idioten die denken een jong beertje of wolfje te kunnen temmen, en denken dat ze van je gaan houden als huisdieren. Je denkt waarschijnlijk dat je dat wilde beest dat diep in hen op de loer ligt wel uit kunt bannen. Dat kan niet, weet je. Het monster is niet onschadelijk te maken, het wacht geduldig op zijn kans om je te bespringen.'

De sentinel keek even naar het aambeeld. 'En nu neem ik aan dat een van jullie het plan had opgevat om het zwaard te gebruiken om het beest te doden en de keizerskroon op te eisen?'

'Nee hoor,' antwoordde Hadriaan. 'Die vrouwen bevrijden en er als de bliksem vandoor gaan lijkt er meer op.'

'En nou dacht je zeker dat ik daarin trap? Hadriaan Zwartwater, de doortrapte krijgsman die omgaat met het zwaard als een Teshlorridder van het Oude Rijk. Dacht je nou heus dat ik geloof dat je toevallig op doortocht was in dit afgelegen dorpje? Dat je toevallig in het bezit bent van het enige wapen dat de Gilarabriwin kan doden, uitgerekend op het moment dat bepaald is dat degene die het beest verslaat gekozen zal worden tot keizer? Nee, natuurlijk niet, je gebruikt het zwaard dat onbetwist het machtigste ter wereld is om het met het waanzinnig gevaarlijke, en nu ook pratende monster uit te wisselen voor een boerentrien en de prinses van Melengar, die je nauwelijks kent.'

'Tja, als je het zo stelt, klinkt het wat vreemd, maar toch is het waar.'

'De kerk zal terugkeren om de krachtmetingen voort te zetten,' verklaarde Louis Gydo. 'Tot die tijd is het mijn taak om te voorkomen dat niemand die, laten we zeggen, de kroon onwaardig is, de Gilarabriwin doodt. Daartoe behoren ongetwijfeld een stelende elfenvriend en zijn bende moordlustige maatjes.' Gydo liep naar Theron. 'En geef me nu dat zwaard maar dat je verstopt hebt.'

'Over mijn lijk,' gromde Theron.

'Zoals je wenst.' Gydo trok zijn zwaard en alle zeven seretridders stegen af en deden hetzelfde.

'Zo,' zei Gydo tegen Theron. 'Geef je me nu dat zwaard of jullie sterven alle twee.'

'Bedoel je niet alle vier?' klonk een stem achter Hadriaan en hij keek om. Mauvin en Fanen kwamen de helling op, uit elkaar en elk met getrokken zwaard. Mauvin had er twee, waarvan hij er eentje naar Theron gooide, die hem onhandig opving.

'Maak daar maar vijf van,' zei Magnus, met twee van zijn grootste hamers in de hand. De dwerg keek naar Hadriaan en slikte moeizaam. 'Hij is van plan me sowieso dood te maken, dus wat maakt het uit?'

'We zijn nog steeds met z'n achten,' merkte Gydo op. 'Niet echt een eerlijk gevecht.'

'Dat kwam ook al bij mij op,' zei Mauvin. 'Maar helaas is hier niemand meer aan wie ik kan vragen jouw kant te versterken.'

Gydo keek naar Mauvin, toen lang naar Hadriaan, met de laag as tussen hen in. Toen knikte hij en hij liet zijn zwaard zakken. 'Wel, ik moet helaas je wangedrag bij de aartsbisschop rapporteren.'

'Ga je gang,' zei Hadriaan. 'Zijn lijk ligt met zijn hele gevolg ergens onder die baldakijn een stukje heuvelafwaarts.'

Gydo keek hem kil aan, en keerde zich om, maar toen hij dat deed, zag Hadriaan dat zijn rechterschouder onnatuurlijk laag zat en dat hij zijn voet op de bal neerzette om te kunnen draaien. Het was de beweging waarvoor Hadriaan Theron had gewaarschuwd, en die als aankondiging voor een aanval moest worden opgevat.

'Theron!' schreeuwde hij, maar het was niet nodig. De boer stond al in positie met geheven zwaard zelfs voor Gydo zich draaide. De sentinel stak toe in de richting van zijn hart. Theron was daar een seconde sneller en sloeg de kling opzij. Toen verplaatste de boer in een reflex zijn gewicht naar voren, deed een stap en voerde de combinatie uit die Hadriaan tot uit den treuren met hem had geoefend: schijnsteek, wering en nasteek. Hij stapte uit en kwam met uitgestoken zwaard naar voren. De sentinel wankelde. Hij draaide zich een kwartslag en kon nog net voorkomen dat zijn borst werd opengehaald, maar niet dat het zwaard zijn schouder in werd gedreven. Gydo schreeuwde het uit van pijn.

Theron stond versteld van zijn eigen succes.

'Trek het eruit!' gilden Hadriaan en Mauvin allebei.

Theron trok het zwaard weer in en Gydo liep wankelend naar achteren, met een hand tegen zijn bloedende schouder.

'Dood hen!' siste de sentinel, met zijn tanden op elkaar.

De zeven seretridders vielen aan.

Vier ridders van Nyphron vielen de twee Piekeringbroers aan. Een deed een aanval op Hadriaan, een ander wierp zichzelf op Theron en de laatste rende op Magnus af. Hadriaan wist dat Theron het niet lang zou volhouden tegenover een getrainde seret. Hij trok zowel zijn bastaardzwaard als het korte zwaard en sloeg de eerste seretridder neer zodra hij binnen bereik was. Toen stapte hij in het pad van de tweede. De ridder besefte pas dat hij binnen een hoek van twee tegenstanders was gestapt toen zowel Hadriaan als Theron hem neersloegen.

Magnus hield zijn hamers zo dreigend mogelijk op, maar de kleine dwerg was duidelijk geen partij voor de ridder, en hij trok zich snel achter zijn aambeeld terug. Toen de seret dichterbij kwam, wierp hij één hamer naar hem die de ridder in de borst raakte. Hij ketste af op de borstplaat en veroorzaakte geen grote schade, maar de klap bracht de ridder wel aan het wankelen. Toen hij besloot dat de dwerg geen echte bedreiging vormde, wendde de seret zich naar Hadriaan die meteen een aanval inzette.

De seret zwaaide zijn zwaard in een boog naar Hadriaans hoofd. Hadriaan ving de kling met zijn korte zwaard in de linkerhand op, zodat hij de zwaardarm van de ridder naar boven kon houden, om zijn bastaardzwaard in diens onbeschermde oksel te drijven.

Mauvin en Fanen vochten rug aan rug tegen de resterende vier aanvallers. De elegante rapieren van de Piekerings zoefden door de lucht: blokten, sneden, sloegen. Elke aanval werd beantwoord, elke slag geblokkeerd, elke zwaai afgeweerd. En toch konden de broers alleen maar verdedigen. Ze stonden hun mannetje tegen de heftige aanval van de ridders in wapenrusting, die hun best moesten doen om zwakke plekken te vinden. Het lukte Mauvin uiteindelijk om tot de aanval over te gaan en hij wist toe te steken. De punt van zijn zwaard stak hij in de keel van een seret, die na nog een snelle slag van Mauvin ineenzakte, maar op hetzelfde moment schreeuwde Fanen het uit.

Hadriaan zag hoe een seret een jaap in Fanens zwaardarm gaf, tot aan zijn hand aan toe. Het zwaard van de jonge Piekering viel tussen zijn vingers uit. Wanhopig stapte de ongewapende Fanen naar achteren, weg van zijn twee tegenstanders. Hij struikelde over brokstukken van het ingestorte kasteel en viel achterover. Ze snelden op hem af om hem om te brengen.

Hadriaan was net te ver weg.

Mauvin liet zijn eigen aanval voor wat het was om zijn broer te redden. Hij stak toe. In één beweging wist hij beide aanvallen op Fanen te weren – maar dat eiste zijn tol. Hadriaan zag hoe de derde seret die vlak voor Mauvin stond toestak. De kling drong Mauvins flank in, waarop hij direct bezweek. Hij viel op zijn knieën met zijn ogen op zijn broer gericht. Hij kon slechts hulpeloos toezien hoe de aanval werd voortgezet. Twee zwaarden drongen Fanens lichaam in. Bloed kleefde aan het metaal.

Mauvin gilde het uit, zelfs toen zijn eigen tegenstander zijn dodelijke slag wilde toedienen: een zijwaartse slag naar Mauvins hals. Mauvin, die nog steeds op zijn knieën zat, deed niets om zich te verdedigen, tot plezier van de seret. Wat de ridder niet zag was dat Mauvin de slag kon negeren omdat hij het had gehad met zijn verdediging. Hij stak zijn zwaard in de buik van zijn aanvaller en haalde hem tot zijn ribben open. Hij draaide de kling terwijl hij het zwaard terugtrok, zodat de ingewanden van de man uiteengereten werden.

De twee die zijn broer gedood hadden richtten hun aanval nu op Mauvin. Opnieuw hief de oudste Piekering zijn zwaard, maar het bloed gutste uit zijn zij, zijn arm werd zwakker, zijn ogen stonden glazig. Tranen stroomden over zijn wangen en hij kon niet scherp meer zien. Zijn slag miste doel. De dichtstbijzijnde ridder sloeg Mauvin het zwaard uit handen, waarna beide serets hun zwaarden hieven, maar verder kwamen ze niet. Hadriaan had de afstand weten te overbruggen en Mauvins moordenaars in spe verloren vrijwel tegelijkertijd hun hoofd. Hun lichamen klapten neer in de as.

'Magnus, haal Tomas hierheen, snel,' schreeuwde Hadriaan. 'Laat hem zijn verbandspullen meenemen.'

'Hij is dood,' zei Theron, terwijl hij zich over Fanen boog.

'Dat weet ik ook wel!' snauwde Hadriaan. 'En Mauvin ook, als we hem niet heel gauw helpen.'

Hij scheurde Mauvins tuniek open en drukte zijn hand tegen de wond, al gulpte het bloed tussen zijn vingers door. Mauvin lag hijgend en zwetend op de grond. Zijn ogen draaiden omhoog zodat alleen het wit te zien was.

'Verdomme, Mauvin!' riep Hadriaan. 'Pak een doek of zo, Theron, doe eens wat.'

Theron hurkte neer bij een van de serets die Fanen had gedood en scheurde een mouw van zijn tuniek.

'Meer!' riep Hadriaan. Hij veegde Mauvins zij af en vond een vrij klein gat waaruit felrood bloed stroomde. Het was tenminste geen donkerrood bloed, want dat betekende in de meeste gevallen de dood. Hij nam de lap en hield hem dicht tegen de wond.

'Help me hem overeind te zetten,' zei Hadriaan tegen Theron toen hij terugkwam met meer stukken stof. Mauvin was zo slap als een vaatdoek. Zijn hoofd zakte steeds naar opzij.

Tomas kwam aangerend, zijn armen vol smalle repen verband die Lena had klaargelegd voor ze vertrok. Ze tilden Mauvin op en Tomas wond de lange repen strak om Mauvins bovenlijf, maar het bloeden was al minder geworden.

'Houd zijn hoofd overeind,' zei Hadriaan en Tomas hield de gewonde Piekering in zijn armen.

Hadriaan keek naar Fanen, iets verderop. Hij lag op zijn rug in het stof, een donkere plas bloed breidde zich uit rond zijn lichaam. Hadriaan greep zijn zwaarden met bebloede handen en stond op.

'Waar is Gydo?' siste hij tussen opeengeklemde tanden.

'Die is ervandoor,' zei Magnus. 'Tijdens het gevecht greep hij een paard en reed weg. '

Hadriaan staarde weer naar Fanen en toen naar Mauvin. Hij haalde diep adem en huiverde toen hij uitblies.

Tomas boog het hoofd en zei het Gebed voor de Overledenen op:

O Maribor, ik smeek u
In godenhand, ik stuur u
Geef hem vree, ik smeek u
Schenk hem rust, ik vraag u
Dat de goden van mensen nu
Waken over uw reis, en over u

Toen hij klaar was richtte hij zijn blik op de sterren en zei met zachte stem: 'Het is donker.'

13

KUNST EN VISIE

Arista wilde stoppen met ademhalen. Ze kreeg er maag-
kramp van en een bittere smaak in haar mond. Boven
haar strekte de met sterren bezaaide hemel zich uit, onder haar
was... de berg. De Gilarabriwin had zijn verzameling trofeeën
– gruwelijke souvenirs van aanvallen en slachtingen – op een
grote hoop gegooid, als een nest. Een stuk hoofdhuid met donker, aaneengekleefd haar, een kapotte stoel, een voet met de
schoen er nog aan, een half opgegeten bovenlijf, een met bloed
doordrenkte jurk, een arm die zo bleek was dat hij wel blauw
leek en uit de berg stak alsof hij wuifde.

De berg lag op wat eruitzag als een halfrond open bordes
aan de zijkant van de hoge stenen toren, maar er was geen
uitgang. In plaats van een deur die naar binnen leidde, was er
alleen een omtrek van een poort in de muur. En dat terwijl
Arista zo verlangde naar een echte deur.

Ze zat met haar handen in haar schoot. Uit angst om wat
dan ook aan te raken. Er lag iets onder haar, lang en dun als
de tak van een boom. Het zat niet lekker, maar ze durfde niet
te bewegen. Ze wilde voor geen goud weten wat het werkelijk
was. Ze keek niet eens naar beneden. Ze dwong zichzelf naar
de sterren en de horizon te kijken. Naar het noorden zag de
prinses het grote woud, in twee stukken gedeeld door het zilveren lint van de rivier. Naar het zuiden lagen grote hoeveel-
heden water die opgingen in de duisternis. Soms trok iets in

haar ooghoek haar aandacht en dan keek ze naar beneden. Daar had ze elke keer spijt van.

Arista besefte rillend dat ze op de berg geslapen had, maar dat ze niet in slaap gevallen was. Het had aangevoeld als verdrinken – zo'n angst dat ze ervan bezwijmd was. Ze kon zich niets herinneren van de luchtreis die ze moest hebben gemaakt, noch van het grootste deel van de dag, maar ze herinnerde zich er nog wel iets van. Het beest had nog geen voet van haar af gelegen, slapend en badend in het zonlicht. Ze had er uren naar zitten staren, niet in staat haar blik op iets anders te richten – haar eigen dood die op haar wachtte vroeg al haar aandacht. Ze zat daar maar, te bevreesd om te bewegen of te spreken. Ze verwachtte dat het wakker zou worden en haar zou doden – om haar aan zijn verzameling toe te voegen. Met gespannen spieren en bonzend hart richtte ze haar blik op de dikke, geschubde huid die zich rimpelde bij iedere ademtocht, en heen en weer gleed over wat zijn ribben moesten zijn. Ze had het gevoel dat ze over het water liep. Ze voelde het bloed kloppen in haar hoofd. Ze was uitgeput van het stokstijf stilzitten. Toen kreeg ze weer het gevoel dat ze verdronk en alles werd godzijdank weer zwart.

Nu waren haar ogen weer open, maar het grote monster was er niet. Ze keek om zich heen. Er was geen spoor van hem te bekennen.

'Hij is weg,' zei Trees tegen haar. Het was de eerste keer dat een van tweeën had gesproken sinds de aanval. Het meisje had alleen haar nachtpon aan, de blauwe plekken trokken een donkere lijn over haar gezicht. Ze kroop op handen en knieën over de berg, wroetend als een kind in de zandbak.

'Waar is-ie?' vroeg Arista.

'Weggevlogen.'

Ergens dichtbij, onder hen, hoorden ze gebrul. Het was niet het beest. Het was een aanhoudend geluid, een rommelend geruis.

'Waar zijn we?' vroeg ze.

'Boven op Avempartha,' antwoordde Trees zonder op te

kijken van haar macabere opgraving. Ze was bezig onder een laag kapotte stenen en keerde een ijzeren ketel om, waaronder een verscheurd wandkleed lag waaraan ze begon te trekken.

'Wat is Avempartha?'

'Een toren.'

'O. Wat doe je?'

'Ik dacht, er moet hier wel ergens een wapen liggen, iets om mee te vechten.'

Arista knipperde. 'Zei je nou "om mee te vechten"?'

'Ja, misschien een dolk, of een glasscherf.'

Arista zou het niet geloofd hebben als ze het niet zelf meemaakte, maar op dat moment, terwijl ze hulpeloos vastzat op een berg rottende lichaamsdelen, wachtend tot ze werd opgegeten, begon ze nerveus te lachen.

'Glasscherf? Glásscherf?' Arista schaterde het uit. Met schrille stem zei ze: 'Je wilt een dolk of een glasscherf gebruiken om met dat... ding te vechten?'

Trees knikte, terwijl ze een hertenkop met een gewei opzijschoof.

Arista bleef er met open mond naar staren.

'Wat hebben we te verliezen?' vroeg Trees.

Dat was het. Dat was een perfecte beschrijving van de situatie. Het enige wat ze wisten was dat het niet erger kon worden. Heel haar leven, zelfs toen Perrie Braga een brandstapel liet opwerpen om haar levend te verbranden, zelfs toen de dwerg de deur voor haar en Rolf had dichtgegooid terwijl ze bungelend aan een touw in een instortende toren hingen, was het niet erger geweest dan dit. Slechts weinig was te vergelijken met het onvermijdelijke vooruitzicht straks levend te worden verslonden.

Arista was het geheel met Trees eens, maar toch hield iets haar tegen om het zomaar te accepteren. Ze wilde blijven geloven dat ze een minieme kans hadden om het er levend af te brengen.

'Denk je dat hij zijn belofte niet nakomt?'

'Belofte?'

'Wat hij tegen de diaken zei.'

'Kon... kon jij dat dan verstaan?' vroeg het meisje verbaasd, terwijl ze stopte en Arista voor de eerste keer aankeek.

Arista knikte. 'Hij sprak de Oude Taal van het keizerrijk.'

'Wat zei hij dan?'

'Iets over ons ruilen voor een zwaard, maar ik kan het mis hebben, hoor. Ik heb de Oude Taal geleerd als bijvak van religieuze studies in Scheerdam en ik was er nooit een ster in, nog daargelaten dat ik doodsbang was. Ik ben nog steeds bang.'

Arista zag Trees denken en benijdde haar.

'Nee,' zei het meisje toen. 'Hij laat ons niet leven. Hij maakt mensen dood. Dat doet hij nu eenmaal. Hij heeft mijn moeder en broer gedood, mijn schoonzus en mijn kleine neefje. Hij heeft mijn beste vriendin vermoord, Jessie Kaasstra. Hij heeft Dani van Halen doodgemaakt. Ik heb dit nooit aan iemand verteld, maar ik dacht dat ik met hem zou gaan trouwen. Ik vond hem op het pad langs de rivier op een prachtige herfstochtend, voor het grootste deel opgegeten, maar zijn gezicht was nog intact, geen schrammetje had hij. Hij zag eruit alsof hij rustig onder de dennen lag te slapen, alleen had hij vrijwel geen lichaam meer. Hij zal ons doodmaken.'

Trees rilde toen een windvlaag langsging.

Arista deed haar mantel uit. 'Hier,' zei ze. 'Jij hebt hem harder nodig dan ik.'

Trees keek haar met een verwarde glimlach aan.

'Pak hem nou maar!' zei ze wrevelig. Haar emoties kwamen boven en dreigden haar te veel te worden. 'Ik wil wat dóén, verdomme!'

Ze stak met trillende arm de mantel uit. Trees kroop ernaartoe en nam hem aan. Ze hield hem op en keek ernaar alsof ze in een kleedkamer stond. 'Hij is erg mooi, zo zwaar.'

Weer moest Arista lachen, en besefte hoe vreemd het was dat je in een tel van wanhoop kon overgaan in een lachbui. Een van hen had ze vast niet allemaal meer op een rijtje – misschien waren ze alle twee een beetje gek. Arista sloeg de mantel om het meisje en gespte hem vast. 'En dan te bedenken dat ik Berthe erom had willen vermoorden...'

Ze dacht aan Hilfred en haar kamenier die – op haar bevel – waren achtergebleven in haar kamer. Had zij ze daar dood laten gaan?

'Denk je dat iemand het heeft overleefd?'

Trees rolde de kop van een standbeeld opzij en schoof een marmeren tafelblad weg. 'Mijn vader leeft nog,' zei Trees eenvoudig, terwijl ze verder groef.

Arista vroeg maar niet hoe ze dat zo zeker wist, maar ze geloofde haar. Hier en nu geloofde ze alles wat Trees zei.

Inmiddels had Trees een diep gat in de berg afval gegraven, maar ze had nog steeds niets gevonden wat als wapen kon dienen. Alleen het bot uit een dijbeen, dat ze achteloos opzijlegde, voor het geval ze niets beters zou vinden, dacht Arista. De prinses keek met een mengeling van bewondering en ongeloof toe naar de opgraving.

Trees ontdekte een prachtige spiegel waarvan het glas gebroken was en begon haastig een scherf los te peuteren, toen Arista een glimp van iets goudkleurigs en puntigs opving en zei: 'Er ligt nog iets onder de spiegel.'

Trees duwde het glas opzij, bukte diep, kreeg het te pakken en kwam weer boven met het gevest van een gebroken zwaard in haar hand. Dat gevest was weelderig versierd met zilver en goud en bezet met edelstenen; de knop weerspiegelde fonkelend het licht van de sterren.

Trees nam het zwaard in haar hand en stak het op. 'Best licht,' zei ze.

'Het is gebroken,' antwoordde Arista, 'maar het lijkt me beter dan een stuk glas.'

Trees stak het halve zwaard in de binnenzak van de mantel en ging verder met de opgraving. Ze vond nog een bijl zonder steel en een vork, die ze weer op de hoop gooide. Toen trok ze een stuk stof opzij en leek te verstenen.

Arista wilde niet kijken, maar vond wel dat ze moest.

Het was het gezicht van een vrouw, met de ogen gesloten en de mond open.

Trees legde de lap stof weer terug en kroop weg naar de rand van de berg, waar ze ging zitten met haar armen om haar knieën geslagen, en hangend hoofd. Arista zag dat ze schokte en dat ze niet verder kon graven. Zo bleven ze stilzitten.

Doemp. Doemp.

Arista hoorde de trage vleugelslag en haar hart begon sneller te bonzen. Elke spier in haar lichaam spande zich en ze durfde niet te kijken. Een enorme windvlaag kwam vanboven terwijl ze haar ogen dichtkneep. Ze hoorde het beest landen en wachtte op de dood. Ze hoorde zijn zware ademhaling en wachtte.

'*Gezwind,*' hoorde ze hem zeggen.

Arista sloeg haar ogen open.

Het beest lag naast de berg, nahijgend van zijn vlucht. Hij schudde zijn kop en besproeide alles met speeksel van zijn lippen, die het woud van scherpe tanden niet konden verbergen. Zijn ogen waren groter dan Arista's hand, met lange smalle pupillen op een gemarmerde oranjebruine iris, die haar eigen beeld weerspiegelde.

'*Gezwind?*' Ze wist niet waar ze de moed vandaan haalde te spreken.

Het grote oog knipperde en de pupil vergrootte zich terwijl hij haar in zich opnam. Nu zou hij haar doden, maar dan was het maar gebeurd.

'*Gij kent mijne sprake?*' De stem was zo diep en zo luid dat ze hem voelde resoneren in haar borstkas.

Ze knikte en zei: '*Jae.*'

Tegenover haar zag de prinses Trees zitten die haar met grote ogen aanstaarde.

Het beest bekeek Arista. '*Gij zijt vorstelijc.*'

'*Ick ben ene prinsesse.*'

'*'t Beste aas,*' zei de Gilarabriwin, maar Arista wist niet zeker of ze dat goed verstond. Het kon ook '*'t beste gift*' betekenen. Het woord was moeilijk te vertalen.

Ze vroeg: '*Gaet gij den Ruyle gestand doen ofte gaet gij ons dootslaen?*'

''*t Aas blivet leven tot ick vanghe den dief.*'

'*Dief?*'

'*De nemer van het swaert. Hij comt. Ick vloog voor de maene, sodat hij dencken sal "tis veilichlike" ende ben stillekens lage bi den grond ghekeert. De dief comet gezwind.*'

'Wat zegt-ie?' fluisterde Trees.

'Hij zei dat we aas zijn voor een dief die een zwaard heeft gestolen.'

'Rolf,' zei Trees.

Arista staarde haar aan. 'Wát zeg je?'

'Ik heb twee mannen ingehuurd om een zwaard uit deze toren te stelen.'

'Heb jij Rolf Molenbeek en Hadriaan Zwartwater ingehuurd?' vroeg Arista stomverbaasd.

'Ja.'

'Hoe wist je...' Ze gaf het op. 'Hij weet dat Rolf eraan komt,' vertelde Arista haar. 'Hij deed net of hij wegvloog, zodat Rolf denkt dat het veilig is.'

De Gilarabriwin spitste zijn oren en richtte zich naar de valse deur. Plotseling, maar stil stond hij op en met zachte vleugelslag verhief hij zich in de lucht. Hij zocht de thermiekbellen op en zeilde omhoog boven de toren. Nu hoorden ook Trees en Arista iets ver onder hen: voetstappen op steen.

Er verscheen een gestalte gehuld in een zwarte mantel. Hij deed een stap naar voren door de massieve steen van de valse deur als een man die oprees uit een roerloos meer.

'Het is een val, Rolf!' riepen Trees en Arista tegelijk.

De gestalte verroerde zich niet.

Arista hoorde de fluisterende luchtstroom die langs de leerachtige vleugels gleed. Toen schoot er een groots, schitterend licht vanuit de gestalte. Zonder geluid, zonder beweging leek het of de man in een ster was veranderd, met licht zo fel dat het iedereen verblindde. Arista deed haar ogen dicht van pijn en hoorde de Gilarabriwin boven zich krijsen. Ze voelde kleine, heftige luchtvlagen door haar haar terwijl het beest wild met zijn vleugels wapperde om zijn duikvlucht af te remmen.

Het licht was van korte duur. Het vervaagde abrupt, al doofde het niet helemaal en daardoor konden ze beiden de man in zijn glanzende mantel voor hen zien staan.

'*Gij!*' vloekte het beest, en de toren beefde van zijn stem. Hij hing boven hen, flapperend met zijn grote vleugels.

'*Ontvlogen uwer cooi, beest van Erivan, jaeger van Nareion!*' riep Esrahaddon in de Oude Taal. '*Ick sal u cooien andermaal!*'

De magiër spreidde zijn armen, maar al voor hij een volgende beweging kon maken, krijste de Gilarabriwin en deinsde vol afschuw terug. Hij sloeg met zijn vleugels om op te stijgen, maar in de laatste seconde stak hij één klauw uit naar Trees en vloog met haar weg uit de toren. Hij dook naar beneden en verdween uit het zicht. Arista rende naar de reling en keek geschokt naar beneden. Het beest en Trees waren verdwenen in de nacht.

'We kunnen niets meer voor haar doen,' zei de magiër bedroefd.

Ze keek naast zich en zag Esrahaddon en Rolf, die allebei over de rand staarden naar het donkere gebulder van de rivier waarin de toren stond. 'Haar lot is in handen van Hadriaan en haar vader.'

Arista kneep de reling haast fijn. Het duizelde haar en ze voelde zich weer verdrinken. Rolf greep haar bij de pols. 'Alles goed met u, hoogheid? Het is een lange weg naar beneden, weet u.'

'We moeten haar weghalen,' zei Esrahaddon gehaast. 'De deur, Rolf. De deur.'

'O ja, natuurlijk,' antwoordde de dief en hij zei in de Oude Taal: 'Verleen toegang tot Arista Essendon, prinses van Melengar.'

De getekende boog veranderde in een echte deur die openstond. Ze gingen een klein kamertje binnen. Weg van die gruwelberg, veilig achter muren, voelde Arista pas goed wat er gebeurd was en ze moest even gaan zitten voor ze flauw zou vallen.

Ze verborg haar gezicht in haar handen en jammerde: 'O goeie Maribor. Die arme Trees!'

'Misschien loopt het nog goed met haar af,' zei de magiër. 'Hadriaan en haar vader wachten op haar met het gebroken zwaard.'

Ze wiegde zich snikkend heen en weer, maar ze huilde niet alleen om Trees. De tranen bleven komen en tegenhouden kon ze ze niet meer. Ze zag beelden voor zich van Hilfred en zijn laatste onuitgesproken woord; van de goede Berthe en de gemene manier waarop ze haar altijd behandeld had; en van Fanen en Mauvin, die allemaal verloren waren. Zoveel leed kon niet in woorden worden uitgedrukt, en in plaats daarvan riep ze geëmotioneerd: 'Het zwaard, welk zwaard? Wat is dat allemaal met dat zwaard? Ik begrijp er niets van!'

'Leg jij het maar uit,' zei Rolf. 'Dan ga ik de andere helft zoeken.'

'Het is hier niet,' zei Arista opeens kalm.

'Wát?'

'Zei je niet dat het zwaard gebroken was?' vroeg Arista.

'In twee stukken. Gisteren heb ik de helft met de kling gestolen; nu moet ik het deel met het gevest hebben. Ik ben er vrij zeker van dat het ergens in de berg rotzooi moet liggen.'

'Nee, daar is het niet,' zei Arista, verbijsterd dat haar verstand nog zo goed werkte dat ze de puzzelstukjes op hun plaats kon leggen. 'Nu niet meer.'

De magiër liep voorop de lange kristallijnen treden af, zo nu en dan stoppend om een gang in te kijken. Of naar een andere wenteltrap. Dan dacht hij even na, schudde vervolgens het hoofd en ging verder, of hij prevelde: 'O ja!' en nam die andere trap.

'Waar zijn we?' vroeg ze.

'Avempartha,' antwoordde de magiër.

'Zover was ik al. Wat is Avempartha? En waag het niet te

zeggen dat het een toren is.'

'Het is een bouwwerk van de elfen, van duizenden jaren geleden. De afgelopen negenhonderd jaar werd de Gilarabriwin erin gevangengehouden, en nog recenter schijnt het zijn nest te zijn geworden. Snap je?'

'Niet echt.'

Hoewel nog steeds in de war, voelde Arista zich wat beter. Het verbaasde haar hoe gemakkelijk ze dingen vergat. Dat was niet goed. Ze zou moeten denken aan iedereen die ze verloren had. Ze zou moeten rouwen, maar haar verstand verzette zich daartegen. Zoals gebroken ledematen die geen gewicht meer kunnen dragen, hongerden haar hart en geest naar rust. Ze moest even bijkomen, aan andere dingen denken, dingen die niets te maken hadden met dood en ellende. De toren van Avempartha gaf haar die remedie. Het bouwwerk was verbluffend.

Esrahaddon leidde hen trappen op en trappen af, door grote kamers, en over overkapte bruggen tussen de verschillende spitsen van de basistoren. Geen toorts of lantaarn brandde, maar ze kon alles perfect onderscheiden, aangezien de wanden zelf een zacht, blauw licht afgaven. Gewelven van honderd voet hoog spreidden zich uit als het bladerdak van een woud, met uiterst verfijnde lijntekeningen van takken en bladeren. De in steen gehouwen relingen van de trappen en gangen slingerden zich tot in de kleinste details in de vorm van ranken van klimplanten langs de muren. Er was niets wat ongedecoreerd was, elk plekje was doordrenkt van schoonheid en met aandacht gemaakt. Arista liep met open mond door de ruimtes, en haar ogen schoten verbaasd rond om al dat wonderlijks in zich op te nemen – een reusachtig beeld van een machtige zwaan die zich verhief uit het water om weg te vliegen; een sprankelende fontein in de vorm van een school vliegende vissen. Ze herinnerde zich het barbaarse interieur van het kasteel van koning Roswort en zijn minachting voor elfen – wezens die hij vergeleek met ratten in een houtstapel. *Mooie houtstapel.*

Er klonk muziek in dit bouwwerk. Het gedempte geneurie van de waterval vormde een diepe, troostende bas. De wind die langs de torenspitsen blies, speelde de blaaspartijen van een orkest – ijle, geruststellende tonen. Het geborrel en gedruppel van fonteinen verleenden een licht, gestaag ritme aan de symfonie. Deze harmonieuze muziek werd verstoord door de stem van Esrahaddon, terwijl hij uit de doeken deed hoe hij het beest hier gevangen had gezet toen hij hier eeuwen geleden op bezoek was.

'Dus sinds je de Gilarabriwin negenhonderd jaar geleden in de val lokte,' zei ze, 'ben je van plan hem hier weer in te lokken?'

'Nee,' zei Esrahaddon. 'Geen handen, weet je nog? Ik kan die krachtige bezwering om hem hier te binden niet zonder vingers uitvoeren, kindje; jij zou dat beter moeten weten dan ieder ander.'

'Ik hoorde dat je dreigde hem weer in een kooi te zetten.'

'De Gilarabriwin weet toch niet dat onze Esra geen handen meer heeft, of wel?' bracht Rolf in het midden.

'Het beest wist nog wel wie ik was,' zei de magiër en hij nam het weer over. 'Het nam aan dat ik nog net zo machtig was als destijds, en dat betekent dat afgezien van het zwaard, ik het enige ben waarvoor de Gilarabriwin bang is.'

'Je wilde hem alleen maar bang weg laten vluchten.'

'Ja, dat was inderdaad de bedoeling.'

'We probeerden het zwaard te pakken te krijgen en hoopten jullie tegelijkertijd te kunnen redden,' legde Rolf uit. 'Ik had absoluut niet verwacht dat hij Trees zou grijpen en ik was er al helemaal niet op bedacht dat zij het zwaard bij zich had. Weet je zeker dat ze een zwaardgevest uit de rommelhoop heeft gepakt?'

'Ja, ik zag het namelijk glinsteren, maar ik begrijp het nog steeds niet. Waarom is dat zwaard zo belangrijk? De Gilarabriwin is geen toverbeest; het is een levend monster dat alleen door de Erfgenaam gedood kan worden en...'

'Je hebt te veel naar de kerk geluisterd. De Gilarabriwin is juist wél door magische bezweringen ontstaan. Het zwaard kan de magie ongedaan maken.'

'Het zwaard? Dat snap ik niet. Een zwaard is van metaal, een tastbaar ding.'

Esrahaddon glimlachte en keek verrast. 'Dus je hebt goed opgelet tijdens mijn lessen. Uitstekend. Je hebt gelijk, dat zwaard is waardeloos. Het is het wóórd dat op de kling geschreven staat dat de kracht bezit de bezwering op te heffen. Als dat woord via het zwaard in het lichaam van het beest terechtkomt, worden de elementen waardoor hij in het leven is geroepen verbrijzeld en wordt de betovering verbroken. En verdwijnt het beest.'

'Als jij het nu bij je had gehouden, hadden we een manier om dat gedrocht onklaar te maken.'

'Maar jullie hebben me tenminste gered,' herinnerde Arista hen eraan. 'Heel erg bedankt.'

'Juich maar niet te vroeg. Hij zweeft daar nog steeds ergens rond,' zei Rolf.

'Oké, dus Trees huurde Rolf in – al begrijp ik nog steeds niet hoe haar dat is gelukt – maar het is me dus een raadsel waarom jij hier bent, Esra,' moest ze bekennen.

'Om de Erfgenaam te vinden.'

'Er is geen Erfgenaam,' zei ze. 'Alle deelnemers zijn verslagen en de rest is dood, denk ik. Dat monster heeft alles verpest.'

'Ik heb het niet over die idiote wedstrijd. Ik heb het over de echte Erfgenaam van Novron.'

De magiër kwam uit bij een t-kruising en sloeg links af, naar een trap die weer naar beneden leidde.

'Wacht eens even.' Rolf hield hen tegen. 'Zo zijn we niet gekomen.'

'Nee, wij niet, maar ik wel.'

Rolf keek om zich heen. 'Nee, nee, dit is helemaal verkeerd. Hier liet ik jou vooropgaan en volgens mij heb je nu geen idee meer waar de uitgang is.'

'Ik breng jullie ook niet naar de uitgang.'

'Wát?' vroeg Rolf.

'We gaan nog niet weg,' verklaarde de magiër. 'Ik ga naar de Valentryne Layartren en jullie tweetjes gaan met me mee.'

'Dan mag je de reden daarvan wel eens haarfijn uitleggen,' zei Rolf met een aanzienlijk koelere stem dan gewoonlijk. 'Want het lijkt me dat je weer eens veel te hard van stapel loopt.'

'Ik leg het onderweg wel uit.'

'Nee, dat doe je nu,' zei Rolf. 'Ik heb nog andere afspraken ook.'

'Je kunt Hadriaan niet helpen,' zei de magiër. 'De Gilarabriwin is nu al bij het dorp. Hadriaan is ofwel dood, ofwel veilig. Daar kun jij nu niets meer aan veranderen. Je kunt hem niet helpen, maar mij wel. Ik heb het grootste deel van de afgelopen twee dagen naar de toegang tot de Valentryne Layartren gezocht, maar zonder jouw handen, Rolf, kan ik er niet komen. En het zou me dagen, misschien weken kosten om de hele operatie alleen te voltooien, maar nu we Arista bij ons hebben, kunnen we het vannacht nog doen. Maribor heeft het geflikt om jullie tweeën precies op het moment dat ik jullie het meest nodig heb, samen bij me te brengen.'

'Valentryne Layartren,' mompelde Rolf. 'Dat is Elfs voor kunst en visie, toch?'

'Je kent wat elfentaal, goed zo, Rolf,' zei Esrahaddon. 'Je zou meer van je wortels moeten leren.'

'Je wortels?' zei Arista niet-begrijpend.

Ze negeerden haar.

'Je kunt de mensen in het dorp ook niet helpen, maar je kunt me helpen met wat ik hier kwam doen. Waarvoor ik je hier bracht om me mee te helpen.'

'Moeten wij jou helpen de ware Erfgenaam van Novron te vinden?'

'Gewoonlijk ben je wat sneller van begrip, Rolf. Je stelt me teleur.'

'Ik dacht dat je het geheim wilde houden.'

'Dat was ook zo, maar door omstandigheden heb ik dat

moeten bijstellen. Dus wees nu niet zo eigenwijs en ga met me mee. Ooit zul je terugkijken op dit moment en dan zul je zien dat je de loop van de wereld veranderd hebt door gewoon met mij die trap af te lopen.' Rolf bleef staan twijfelen.

'Denk na,' zei Esrahaddon. 'Wat kun je voor Hadriaan doen?'

Rolf antwoordde niet.

'Als je die trappen afspringt, de tunnel doorrent, snoeihard naar het woud zwemt en onderweg naar het dorp gedood wordt, wat heb je dan bereikt? Zelfs al zou je als door een wonder het dorp bereiken voordat Hadriaan dood is, wat heeft dat voor nut? Dan sta je daar uitgeput en kletsnat. Zonder zwaard. Je kunt het beest niks doen. Je kunt het beest niet wegjagen. Ik vrees zelfs dat je hem niet eens even kunt afleiden, en al probeer je het, dan is dat snel voorbij. Als je nu gaat, betekent dat alleen je eigen dood, en nog voor niks ook. Hadriaans lot ligt niet in jouw handen. Je weet best dat ik gelijk heb, anders stond je nu niet meer naar me te luisteren. Hou op met dat koppige gedoe.'

Rolf zuchtte.

'De goden zij dank,' zei de magiër. 'Opschieten nu.'

'Wacht eens even.' Nu hield Arista hen tegen. 'Heb ik hier niets over te zeggen?'

De magiër keek haar aan. 'Weet jij de uitgang?'

'Nee,' antwoordde ze.

'Helaas, dan heb je er niets over te zeggen,' zei de magiër. 'Kom, we hebben nu genoeg tijd verspild. Volg me.'

'Ik kan me herinneren dat je een stuk aardiger was,' riep Arista tegen de magiër.

'En ik kan me herinneren dat jullie alle twee een stuk sneller van begrip waren.'

Ze waren weer op weg, verder naar het binnenste van de toren. Terwijl ze liepen, ging Esrahaddon weer verder met zijn uitleg. 'De meeste mensen geloven dat deze toren door de elfen is gebouwd als een verdediging tijdens de oorlogen tegen Novron. Zoals jullie waarschijnlijk al hadden gezien, is dat niet zo. Deze toren is duizenden jaren voordat Novron bestond gebouwd. Anderen denken dat het als fort tegen de zeekobolden is gemaakt, de beruchte Ba Ran Ghazel, maar ook dat klopt niet, want de toren is ook ouder dan zij. De gemeenschappelijke misvatting is dat het een fort is – zo denken mensen nu eenmaal. Feit is dat de elfen al heel lang voor mensen en kobolden bestonden, waarschijnlijk zelfs al voor de dwergen de aarde bewandelden. In die tijd was er uiteraard geen enkel belang bij een fort. Ze hadden niet eens een woord voor "oorlog", aangezien de Hoorn van Gylindora alle interne strubbelingen oploste. Nee, dit was niet zo'n defensief bolwerk dat de enige overgang in de rivier de Nidwalden bewaakte, al werd dat lichtjaren later wel het geval. Oorspronkelijk was deze toren ontworpen als een centrum voor de Kunst.'

'Hij bedoelt magie,' legde Arista uit.

'Ik weet wat hij bedoelt.'

'Elfenmeesters kwamen hier van over de hele wereld naartoe om de Kunst voor gevorderden te studeren en in praktijk te brengen. En toch was dit niet alleen een school. Het gebouw zelf is één enorm stuk gereedschap, zoals een gigantische vuurhaard voor een smid, alleen werkt in dit geval het gebouw als een soort prisma. De waterval doet dienst als energiebron en de ontelbare spitsen van de toren functioneren als de voelsprieten van een sprinkhaan of de snorharen van een kat. Ze reiken uit naar de wereld, ze sporen op, ze voelen aan en trekken de essentie van het bestaan naar de toren toe. Zie het als een reusachtig systeem van hefboom en draaipunt, waardoor een enkele ambachtsman zijn kracht tot in het oneindige kan vergroten.'

'Kunst en visie...' begon Rolf. 'Dus met dit instrument kun je je magie vergroten om zo de Erfgenaam te vinden?'

'Helaas, zelfs Avempartha bezit die macht niet. Het kan niets opsporen wat ik nooit heb gezien, of iets waarvan ik niet eens weet of het bestaat. Wat ik echter wel kan doen, is iets vinden wat ik wel ken, waar ik alles van afweet, en wat ik juist gemaakt heb met de bedoeling om het later terug te vinden.

Negenhonderd jaar geleden, toen de ridder Jerish en ik besloten om uit elkaar te gaan met de bedoeling prins Nevrik te verbergen, maakte ik amuletten voor hen. Deze amuletten hadden een tweeledig doel: ten eerste kon de amulet hen beschermen tegen de Kunst, zodat dus ook niemand hen op kon sporen door profetie of waarzeggerij; ten tweede gaf de hanger mij de kans hen te volgen met een merkteken dat alleen ik kende.

Natuurlijk namen Jerish en ik aan dat het slechts een paar jaar zou duren om een groep keizersgezinden bij elkaar te krijgen om de keizer weer op de troon te krijgen, maar zoals we weten, liep dat anders. Ik kan alleen maar hopen dat Jerish slim genoeg was om de afstammelingen van de Erfgenaam op het hart te drukken de kettingen met de amuletten goed te bewaren en door te geven van de ene generatie op de andere. Dat zal wel veel gevraagd zijn, want wie had nu kunnen denken dat ik zo lang zou leven?'

Ze staken weer een smalle brug over, die een griezelig diepe kloof overspande. Boven hun hoofd hing een aantal kleurrijke banieren met spreuken en beelden, die er met grote elfenletters op waren geborduurd. Arista zag hoe Rolf ernaar staarde en zijn mond bewoog terwijl hij ze probeerde te ontcijferen. Aan de andere kant van de brug bereikten ze een drempel, waarboven een hoge, druk versierde poort in de stenen wand was gegraveerd, maar een deur was er niet.

'Rolf, zou je even...?'

Rolf kwam naar voren, legde zijn handen op de gepolijste steen – en drukte.

'Wat doet hij?' vroeg Arista aan de magiër.

Esrahaddon draaide zich om en knikte naar Rolf.

De dief stond even ongemakkelijk voor hen en zei toen: 'Avempartha heeft een magische bescherming die ervoor zorgt dat iemand zonder elfenbloed niet binnen kan komen. Elk slot in de toren werkt op dezelfde manier. Eerst dachten we dat niemand anders dan ik binnen kon komen – o, en Esra, omdat hij eeuwen geleden is uitgenodigd – maar het blijkt dat als een elf je uitnodigt, er geen vuiltje aan de lucht is. Esra heeft de elfenformule voor me gevonden die ik moest onthouden voor als ik iemand wilde meenemen. Zo heb ik jou ook uit de toren kunnen halen.'

'Nu we het er toch over hebben...' zei Esrahaddon en hij gebaarde naar de stenen boogdeur.

'Sorry,' zei Rolf en voegde er met heldere stem aan toe: '*Melentanaria, et venau rendin Esrahaddon, et Arista Essendon adona Melengar,*' wat volgens Arista betekenende: 'Verleen toegang aan de magiër Esrahaddon en Arista Essendon, prinses van Melengar.'

'Dat is de Oude Taal,' zei Arista.

'Ja.' Esrahaddon knikte. 'Niet precies, maar veel woorden zijn hetzelfde in het Elfs en in de Oude Taal van het keizerrijk.'

'Wauw!' Toen ze weer naar de getekende poort keek, zat daar een open deur. 'Ik begrijp het nog steeds niet. Hoe komt het dan dat jij ons... o.' De prinses keek Rolf met open mond aan. 'Maar je ziet er helemaal niet uit als een...'

'Ik ben een *mir*.'

'Een wat?'

'Een halfbloed,' legde Esrahaddon uit. 'Wat elfenbloed en wat mensenbloed.'

'Maar je hebt nooit...'

'Het is niet iets waarvoor je jezelf op de borst slaat,' zei de dief. 'En ik zou het fijn vinden als dit onder ons blijft.'

'O... natuurlijk.'

'Kom mee. Arista moet nog steeds haar bijdrage leveren,' zei Esrahaddon terwijl hij de deur door stapte.

Binnen troffen ze een grote, perfect ronde kamer aan. Het was of ze een reusachtige bol betraden. In tegenstelling tot de rest van de toren, en ondanks zijn grootte, was deze kamer zonder enige decoratie. Het was slechts een grote, gladde, bolle kamer zonder naden, barsten of scheuren. Er bevond zich alleen een zigzaggende stenen trap in die opsteeg van de vloer naar een platform, dat uit de treden tevoorschijn kwam en doorliep tot het centrum van de bol.

'Herinner je je de Plesiantieke Bezwering nog die ik je geleerd heb, Arista?' vroeg de magiër, terwijl ze de trap op liepen. Zijn stem echode luid en weerkaatste meerdere malen van de gebogen wanden.

'Eh... de Plesi... eh...'

'Ja of nee?'

'Ik moet even denken.'

'Denk dan sneller; dit is geen moment om traag van geest te zijn.'

'Ja, ik herinner het me. Maar hemel, wat ben jij kriegelig, zeg.'

'Ik verontschuldig me later wel. Zo, als we boven zijn, ga jij in het midden van het platform staan op het teken dat het vluchtpunt weergeeft. Dan begin je de Plesiantieke formule. Begin met de Verzamelspreuk; als je dat doet, zul je waarschijnlijk een grotere schok krijgen dan normaal bij het opzeggen van een spreuk, want die plek zal je macht om alle natuurkrachten bijeen te roepen ettelijke malen vergroten. Wees niet bang, stop niet met het opzeggen van de spreuk en wat je ook doet, ga niet gillen.'

Arista keek angstig naar Rolf om.

'Zodra je de krachten door je lichaam voelt stromen, begin je de Torsonische Bezwering, en je blijft hem herhalen. Terwijl je dat doet, zul je de kristalmatrix met je vingers moeten maken, om ervoor te zorgen dat je naar binnen plooit, niet naar buiten.'

'Dus met mijn duimen naar buiten en mijn vingers naar binnen wijzend, ja?'

'Ja,' zei Esrahaddon geërgerd. 'Dat is gewoon basiskennis, Arista.'

'Ik weet het, ik weet het, maar het is alweer zo'n tijd geleden. Ik ben heel druk geweest met Melengars ambassadeur te worden, ik heb niet in mijn torentje magische rituelen zitten oefenen.'

'Dus je hebt kortom je tijd zitten verspillen?'

'Niet echt,' zei ze getergd.

'Welnu, als je klaar bent met de matrix,' vervolgde de magiër, 'houd hem dan vast. Denk aan de concentratietechnieken die ik je heb geleerd, en focus je op het horizontaal en roerloos houden van je vingermatrix. Op dat moment zal ik je krachtveld binnenkomen en begin ik mijn zoektocht. Als ik dat doe zullen er binnen deze kamer een paar buitengewone dingen gebeuren. Beelden en visioenen zullen op diverse plaatsen in de kamer verschijnen en misschien hoor je ook vreemde geluiden. Nogmaals, wees niet bang. Ze zijn er niet echt; het zijn slechts echo's van mijn geest terwijl ik op zoek ben naar de amuletten.'

'Betekent dat dat we allemaal kunnen zien wie de echte Erfgenaam is?' vroeg Rolf toen ze boven aan de trap waren aangekomen.

Esrahaddon knikte. 'Ik had het graag voor mezelf gehouden, maar het lot heeft anders beschikt. Als ik de magische trillingen van de amuletten vind, richt ik me op de dragers en zij zullen vermoedelijk als het grootste beeld in de kamer verschijnen. Als ik me concentreer om niet alleen te onderzoeken wie ze draagt, zien we ook waar ze zich bevinden.'

Het platform was slechts spaarzaam bedekt met stof en ze kon zonder moeite het grote patroon van geometrische lijnen zien, die als zonnestralen op de vloer waren aangegeven, en samenkwamen in één enkele punt, exact in het midden van de verhoging.

'Ze?' vroeg Arista terwijl ze haar voeten in het centrale punt neerzette.

'Er waren twee kettingen: een die ik aan Nevrik gaf, en die dus de amulet van zijn Erfgenaam moet zijn, en de ander aan Jerish, die van de huidige lijfwacht is. Als ze nog bestaan, zouden we ze allebei moeten zien. Ik moet jullie vragen om aan niemand te vertellen wat jullie te zien zullen krijgen, want doen jullie dat wel, dan zetten jullie het leven van de Erfgenaam op het spel en moeten we vrezen dat de toekomst van de mensheid als zodanig mogelijk aan het grootste gevaar wordt blootgesteld.'

'Magiërs en hun dramatische taalgebruik,' zei Rolf en hij rolde met zijn ogen. 'Je kunt ook gewoon zeggen: koppen dicht.'

Esrahaddon keek fronsend naar de dief, richtte zich toen tot Arista en zei: 'Begin maar.'

Arista aarzelde. Sally moest het verkeerd hebben gehad. Al die praatjes over de Erfgenaam die de macht had de mensheid in slavernij te storten, hadden de bedoeling gehad haar bang te maken en haar tot hun spion te maken. Zijn waarschuwing dat Esrahaddon een demon was moest gelogen zijn. Hij deed wel geheimzinnig, maar hij had niets met het kwaad te maken. Hij had die nacht haar leven gered. Wat had Sally voor haar gedaan? Hoeveel dagen voor Braga's dood had Saldur alles al geweten... maar er niets aan gedaan? Veel te veel.

'Arista?' drong Esrahaddon aan.

Ze knikte, hief haar handen en begon de formules tot een web van bezweringen te weven.

14

ALS DE DUISTERNIS VALT

De nachtwind blies zacht over de top van de heuvel. Hadriaan en Theron stonden samen op de ruïnes van het kasteel boven wat eens het dorp was geweest. Een plek van talloze verwachtingen lag begraven onder as en puin.

Theron voelde de bries op zijn gezicht en herinnerde zich de kwade wind die hij had gevoeld, die nacht dat zijn gezin was gedood. De nacht dat Trees hem was komen halen. Hij zag haar nog voor zich, zoals ze de helling van Steenheuvel was afgerend, op weg naar de veiligheid van zijn armen. Hij had gedacht dat het de ergste dag van zijn leven was. Hij had zijn dochter vervloekt omdat ze naar hem toe was gekomen. Hij had haar de schuld van de dood van zijn gezin gegeven. Hij had haar bedolven onder alle smart en wanhoop die hij zelf niet had kunnen dragen. Ze was zijn kleine meid, die altijd naast hem had gelopen, waarheen hij ook ging, en wanneer hij haar wegjoeg, zoals hij altijd deed, bleef ze hem steeds van een afstandje volgen, keek ze naar hem en imiteerde ze zijn gebaren en zijn woorden. Trees was de enige die altijd om zijn gekke bekken lachte, en mee huilde wanneer hij zich pijn had gedaan; degene die aan zijn bed zat wanneer hij ziek was. Nooit had hij een goed woord voor zijn dochter over gehad. Nooit een schouderklopje of een complimentje, voor zover hij zich kon herinneren. Niet eenmaal had hij gezegd dat hij trots op haar was. Hij had meestal gedaan of ze niet bestond. Maar nu zou hij met alle plezier zijn eigen leven opofferen als hij zijn dochter nog één keer naar hem toe zag komen rennen, nog één keertje.

Theron stond schouder aan schouder met Hadriaan. Hij hield de gebroken kling onder zijn kleren verborgen, klaar om die tevoorschijn te trekken om het beest tevreden te stellen als dat nodig mocht zijn. Hadriaan had de valse kling die de dwerg had gemaakt en ook hij had hem verstopt, want als de Gilarabriwin van tevoren zag waar zijn buit was, zou hij misschien geen moeite doen om de ruil te laten plaatsvinden. Magnus en Tobis zaten halverwege de heuvel in de droge slotgracht te wachten met de blijde, in een schuilplaats gemaakt van brokstukken steen en kapotte planken, terwijl Tomas aan de voet van de heuvel zijn best deed het Hilfred en Mauvin zo gemakkelijk mogelijk te maken.

De maan kwam op en stond al boven de bossen, en nog steeds was het beest niet verschenen. De fakkels, die Hadriaan in een kring op de heuvel had gezet, begonnen al zachtjes uit te gaan. Er brandden er nog een paar, maar dat scheen niets uit te maken, want de volle maan gaf licht genoeg, en nu het verbrande bos geen blad meer bevatte, was het licht genoeg om een boek te lezen.

'Misschien komt-ie niet,' zei Tomas, die naar boven geklommen was om te overleggen. 'Misschien bedoelde hij niet vanavond, misschien verstond ik het verkeerd. Ik ben nooit een ster geweest in de Oude Taal.'

'Hoe gaat het met Mauvin?' vroeg Hadriaan.

'Hij bloedt niet meer. Hij ligt nu vredig te slapen. Ik heb een deken over hem heen gelegd en een kussen van een oud hemd gemaakt. Hij en Hilfred zouden...'

Er klonk gekrijs uit de toren en iedereen keek in die richting. Theron zag vol verbazing een felle spierwitte lichtflits op de hoogste torenspits. Niet lang daarna verdween die weer, net zo plotseling als hij was verschenen.

'Wat in de naam van Maribor was dat?' vroeg Theron.

Hadriaan schudde het hoofd. 'Geen idee, maar als ik moest

raden, denk ik dat Rolf er iets mee te maken heeft.'

En weer klonk er de schrille kreet van de Gilarabriwin, maar deze was luider dan de vorige.

'Wat het ook was,' zei Hadriaan, 'ik geloof dat-ie onze kant op komt.'

Achter hen hoorden ze Tomas zachtjes gebeden prevelen.

'Doe er een goed woordje voor Trees bij, Tomas,' zei Theron.

'Ik doe een goed woordje voor ons allemaal,' antwoordde de geestelijke.

'Hadriaan,' zei Theron, 'stel nou dat ik het niet overleef, en jij wel, let dan een beetje op Trees, ja? En als zij het ook niet overleeft, laat ons dan bij onze boerderij begraven.'

'En als ik eronderdoor ga en jij niet,' zei Hadriaan, 'zorg er dan voor dat deze dolk die ik aan mijn riem draag weer bij Rolf terechtkomt voor de dwerg hem in zijn vingers krijgt.'

'Is dat alles?' vroeg de boer. 'Waar moeten we je begraven?'

'Ik wil niet begraven worden,' zei Hadriaan. 'Als ik sterf, mag je mijn lijk met de rivier meegeven, de waterval af. Wie weet haal ik het dan zelfs tot de zee.'

'Veel geluk dan,' zei Theron. De nachtelijke geluiden verstomden, op de fluisterende adem van de wind na.

Deze keer, zonder woud dat hem aan het oog onttrok, kon Theron hem aan zien komen, met zijn brede donkere vleugels uitgestrekt als de schaduw van een vogel die zweeft op de wind, zijn magere lichaam en zijn staart die kronkelde terwijl hij vloog. Hij dook niet naar beneden toen hij naderde. Hij spuwde geen vuur. Hij maakte een wijde cirkel terwijl hij geluidloos bleef vliegen en boog weer af naar de heuvel.

Toen hij weer in hun richting vloog, zagen ze dat hij niet alleen was. In zijn klauwen hield hij een vrouw vast. Eerst kon Theron niet zien wie het was. Ze droeg namelijk een rijkelijk geborduurde mantel, maar ze had het zandkleurige haar van Trees. Toen het beest voor de tweede maal een rondje maakte, wist hij dat het zijn dochter was. Hij voelde een golf van opluchting en ongerustheid door hem heen gaan. *Wat is er met die ander gebeurd?*

Na een aantal keer in kringen rond te hebben gevlogen, liet het beest zich als een vlieger zakken en kwam hij zacht op de grond terecht. Het landde vlak in de buurt, nog geen vijftig voet ver, op de plek waar het woonhuis was ingestort.

Trees leefde nog.

Een enorme klauw van met schubben bedekte spieren en botten, met zwarte roofvogelnagels van vier voet lang, was als een kooi om haar heen geklemd.

'Papa!' riep ze, terwijl de tranen over haar wangen rolden.

Toen hij haar zag maakte Theron een sprong naar voren. Direct kneep de Gilarabriwin zijn klauw samen waarop ze het uitschreeuwde. Hadriaan greep Theron bij zijn hemd en trok hem terug.

'Wacht!' zei hij streng. 'Als je te dichtbij komt knijpt hij haar fijn!'

Het beest loerde naar hen met zijn grote reptielenogen. Toen begon de Gilarabriwin te spreken.

Noch Theron, noch Hadriaan verstond er een woord van.

'Tomas!' schreeuwde Hadriaan over zijn schouder. 'Wat zegt-ie?'

'Ik ben niet zo goed in...' begon Tomas.

'Maakt me niet uit dat je op het seminarie een potje maakte van de grammatica, vertaal nou maar.'

'Ik denk dat hij zegt dat hij ervoor koos de wijfjes mee te nemen omdat het jullie zou prikkelen mee te werken.'

Het wezen sprak weer en Tomas wachtte niet tot Hadriaan hem weer zou opdragen te vertalen.

'Hij zegt: "Waar is de kling die van me is gestolen?"'

Hadriaan keek weer naar Tomas. 'Vraag hem: "Waar is de andere vrouw?"'

Tomas zei het en het beest antwoordde.

'Hij zegt dat ze ontsnapt is.'

'Vraag hem: "Hoe weet ik dat je ons allemaal laat leven als ik je vertel waar het zwaard verborgen is?"'

Tomas sprak en het beest antwoordde weer.

'Hij zegt dat hij je een teken van goede wil zal geven, omdat hij weet dat hij de sterkste is en begrijpt dat je bezorgd bent.'

Hij opende zijn klauw en Trees rende naar haar vader. Therons hart sprong op toen zijn meisje over de heuvel in zijn uitgespreide armen rende. Hij omhelsde haar stevig en veegde haar tranen af.

'Theron,' zei Hadriaan. 'Breng haar meteen weg. Ga naar de put zo snel als jullie kunnen.' Theron en zijn dochter verspilden geen tijd en de enorme ogen van de Gilarabriwin keken oplettend terwijl Theron en Trees de heuvel af begonnen te rennen. Toen sprak hij weer.

'Zo, en waar is nu mijn kling?' vertaalde Tomas.

Terwijl hij opkeek naar het boven zich uit torenende beest, en het zweet van zijn voorhoofd sijpelde, trok Hadriaan het nepzwaard uit zijn mouw en stak het op. De Gilarabriwin kneep zijn ogen halfdicht.

'Breng het hier,' vertaalde Tomas.

Nu zul je het hebben. Hadriaan voelde het metaal in zijn handen. 'Laat het alsjeblieft werken,' smeekte hij in zichzelf en wierp de kling naar het beest. Het kwam in de as voor zijn poten neer. De Gilarabriwin keek ernaar en Hadriaan hield zijn adem in. Achteloos zette het beest zijn klauw op het metaal en nam het in zijn lange nagels. Toen keek hij naar Hadriaan en sprak.

'De ruil is gedaan,' zei Tomas. 'Maar...'

'Maar?' herhaalde Hadriaan zenuwachtig. 'Wat maar?'

Tomas stem trilde. 'Hij zegt: "Maar ik kan niemand die ook maar mijn halve naam heeft gezien laten leven."'

'O, vuil teringbeest!' vloekte Hadriaan en hij trok het grote slagzwaard van zijn rug. 'Rennen, Tomas!'

De Gilarabriwin steeg een stukje op, snel slaand met zijn reusachtige vleugels, zodat er een wervelwind van as opsteeg die als een wolk boven de grond hing. Hadriaan dook opzij en draaiend op de bal van zijn voet stootte hij het lange, tweehandige zwaard naar de buik van het beest. De moed zonk hem in de schoenen, want in plaats van dat Hadriaan de punt voelde binnendringen, merkte hij dat de punt van het zwaard afketste alsof de Gilarabriwin van steen was. Door de klap brak zijn gevest en het zwaard viel op de grond.

De Gilarabriwin liet geen seconde verloren gaan en met een felle slag zwaaide hij zijn staart naar voren. De lange benige punt zoefde toen hij twee voet boven de grond door de lucht maaide. Hadriaan sprong net op tijd omhoog en de staart zwaaide verder de heuvel op en bleef vastzitten in een verschroeide balk. Een korte kronkel en het blok hout van een paar honderd pond vloog de nacht tegemoet. Hadriaan reikte in zijn tuniek naar Alvensteen die hij uit de schede trok. Hij ging wijdbeens en gekromd staan als een messenvechter in de ring, en wachtte op de volgende aanval.

Opnieuw kwam de staart van de Gilarabriwin op hem af. Deze keer zou hij steken als een schorpioen, maar Hadriaan dook opzij zodat de punt diep in de aarde zonk.

Hadriaan aarzelde geen moment en rende naar voren.

De Gilarabriwin hapte naar hem met zijn verschrikkelijke tanden. Maar daar had Hadriaan al op gerekend. Op het laatste moment sprong hij opzij. Het was op het nippertje, want een van de scheefstaande tanden haalde zijn tuniek en zijn schouder open. Het was het waard. Hij was maar een duim van de kop van het beest verwijderd. Met al zijn kracht stak Hadriaan Rolfs kleine dolk in het grote oog van het monster.

De Gilarabriwin stiet een afgrijselijke, oorverdovende kreet uit. Hij deinsde achteruit en sloeg wild met zijn poten. Het kleine mes was er diep in doorgedrongen en had er een flink part uit losgesneden. Hij schudde zijn kop, wellicht zowel uit ongeloof als van de pijn, en hij keek Hadriaan vol haat aan met zijn goede oog. Toen spuugde hij er een reeks woorden uit waar het gif vanaf droop en die Tomas niet had hoeven vertalen.

Het beest spreidde zijn vleugels en schoot als een pijl de lucht in. Hadriaan wist wat er nu zou komen en vervloekte zijn eigen stommiteit dat hij door het gevecht vergeten was in de buurt van de schuilkelder te blijven. Hij zou er nu nooit op tijd aankomen.

De Gilarabriwin krijste en kromde zijn rug.

Tok! klonk het luid. Een enorme bal van touw vloog de lucht in. Door de kleine gewichtjes aan de randen die langer hun snelheid hielden, spreidde het net zich open als een reusachtige windzak, die over het klapperende beest viel terwijl het probeerde weg te komen.

Zijn vleugels raakten verstrikt in het net en de Gilarabriwin stortte schots en scheef met een enorme knal neer op de heuveltop; door de dreun werden delen van de grote trap van het houten woonhuis ver in de rondte geworpen, waar ze versplinterd neerkwamen in een wolk van as.

'Het werkt!' gilde Tobis van halverwege de heuvel, zowel van de schrik als uit triomf. Terwijl hij hijgend naar boven kwam, zag hij Theron achter zich aankomen.

'Ik zei toch dat je met Trees naar beneden moest gaan!' snauwde Hadriaan boos.

'Ik dacht dat je wel een beetje hulp kon gebruiken,' schreeuwde Theron terug, 'en ik heb Trees gezegd naar de put te rennen.'

'Hoe kom je erbij dat ze beter naar jou luistert dan jij naar mij?'

Hadriaan holde naar de neergestorte Gilarabriwin toe, die op zijn zij wild lag te trappelen in het net, en dook nogmaals op de kop af. Hij vond het open oog en stak erop los. Gillend en krijsend trapte het beest met zijn klauwen naar Hadriaan, sneed het net ermee open en rolde zich weer op de been.

Hadriaan was zo fanatiek bezig het beest te verblinden dat hij op het net kwam te staan. Toen het beest plotseling opstond, werden zijn benen onder hem vandaan getrokken en viel Hadriaan met een klap plat achterover, zodat de lucht uit zijn longen sloeg.

Blind en dol van de pijn kon het beest enkel nog met zijn staart woest in de rondte meppen. Terwijl Hadriaan overeind probeerde te krabbelen, werd hij geraakt door de enorme kracht van de staart.

Hadriaan tuimelde als een lappenpop door de lucht tot hij in een modderige hoop as terechtkwam, waar hij roerloos bleef liggen.

Toen het beest zich had ontdaan van het net, snuffelde het in de lucht en begon al ruikend naar degene te lopen die hem al die pijn had bezorgd.

'Nee!' schreeuwde Theron en hij zette het op een lopen. Hij rende naar Hadriaan, in de hoop dat hij hem weg kon trekken voor het blinde beest hem bereikte, maar het monster was te snel en ze kwamen tegelijkertijd bij Hadriaan aan.

Theron raapte een stuk steen op en trok het halve zwaard dat hij nog steeds bij zich droeg. Hij mikte op de gladde linkerzij van het wezen en terwijl hij de kei als hamer gebruikte, ramde hij de kling er als een spijker in.

Dit leidde de Gilarabriwin af van wat hij wilde doen – Hadriaan verscheuren – maar het beest begon niet te brullen van pijn als die keer dat Hadriaan hem gestoken had. Integendeel: hij draaide zich om en lachte. Theron gaf nog een mep met de rots, zodat het metaal diep in het vlees drong, maar nog steeds reageerde het beest er niet op. Hij begon tegen Theron te praten, die er natuurlijk geen jota van begreep. Toen het beest was uitgesproken, en het geen enkele moeite had te raden waar de boer stond, sloeg de Gilarabriwin naar hem met zijn uitgespreide klauw.

Theron had noch de snelheid noch de soepelheid van Hadriaan. Hoewel hij beresterk was voor zijn leeftijd, kon zijn oude lijf niet op tijd wegduiken voor de klap, en de grote nagels van het beest doorboorden hem als vier scherpe zwaarden.

'Papa!' gilde Trees, die hem achterna was gekomen. Snikkend klauterde ze de heuvel op.

Vanuit hun hinderlaag vuurden Tobis en de dwerg een flink rotsblok naar de Gilarabriwin en raakten zijn staart. Het beest draaide zich spinnijdig om in hun richting.

Trees liet zich op handen en knieën vallen en kroop in de

richting van Theron. Toen ze bij hem was, zag ze dat hij verpletterd op de heuvel lag. Zijn linkerarm lag in een vreemde hoek naar achteren, zijn voet wees in de verkeerde richting. Zijn borst was doordrenkt van donkerrood bloed en zijn adem stokte, terwijl er stuiptrekkingen door zijn lichaam gingen.

'Trees,' kon hij nog net zwakjes uitbrengen.

'Papa,' riep ze snikkend terwijl ze hem in haar armen nam.

'Trees,' zei hij nogmaals, terwijl hij haar met de goede hand naar zich toe trok. 'Ik ben zo...' Van pijn kneep hij zijn ogen dicht. 'Ik ben zo... t-trots op je.'

'O god, papa. Nee. Nee. Neee!' riep ze en schudde wild met haar hoofd.

Ze hield hem vast, drukte hem zo hard als ze kon tegen zich aan, om hem met de kracht van haar jonge lichaam bij zich te houden. Ze wilde hem niet laten gaan. Ze kon hem niet laten gaan; hij was alles wat ze had. Ze snikte en jammerde, trok aan zijn hemd, kuste zijn wangen en voorhoofd, en terwijl ze hem vasthield, voelde ze hoe haar vader haar verliet in de nacht.

Theron Bosch stierf op de verschroeide aarde in een plas van bloed en stof. Terwijl hij heenging, stierf ook het allerlaatste beetje hoop waaraan Trees zich had vastgeklampt, de laatste strohalm die ze op deze wereld bezat.

Duisternis van de nacht, duisternis van gevoel en duisternis van de geest – Trees voelde hoe ze verdronk in alle drie. Haar vader was dood. Haar licht, haar hoop, haar laatste droom, ze stierven allemaal met zijn laatste adem. Er was niets meer over op deze wereld dat het beest niet van haar had afgenomen.

Hij had haar moeder gedood.

Hij had haar broer gedood, zijn vrouw, haar neefje.

Hij had Dani van Halen en Jessie Kaasstra gedood.

Hij had haar dorp verbrand.

Hij had haar vader gedood.

Trees tilde haar hoofd op en keek de heuvel af naar het monster.

Niemand die hem ooit had aangevallen had het er levend afgebracht. Er waren nooit overlevenden geweest.

Ze stond op en begon langzaam naar beneden te lopen. Ze stak haar hand in de mantel van Arista en trok het bovenste deel van het zwaard tevoorschijn dat ze daar verborgen had.

Intussen had het beest de katapult gevonden die hij nu in blinde woede verbrijzelde. Hij draaide zich om en begon op de tast en snuffelend zijn aanvallers te zoeken, heuvelafwaarts. Het meisje achter hem merkte hij niet op.

De dikke laag as die hij veroorzaakt had dempte haar voetstappen.

'Nee, Trees!' riep Tomas naar haar. 'Ren toch weg!'

De Gilarabriwin wachtte even en snoof naar de richting van het geluid; hij rook het gevaar maar was niet in staat om de bron te lokaliseren. Hij probeerde in de richting van de stem te kijken.

'Nee, Trees, doe het niet!'

Trees schonk geen aandacht aan de geestelijke. Ze hoorde niets meer, zag niets meer, dacht niets meer. Ze was niet meer op de heuvel. Ze was niet langer in Dahlgren, maar ze was in een soort tunnel, een smalle tunnel die onvermijdelijk naar die ene bestemming leidde... hem.

Hij maakt mensen dood. Dat doet-ie nu eenmaal.

Het beest snoof in de lucht. Ze wist dat hij haar probeerde te vinden; hij zocht naar de geur van angst die hij in zijn slachtoffers opriep.

Zij had geen angst. Die had hij ook vernietigd.

Nu was ze onzichtbaar.

Zonder enige aarzeling, angst, twijfel of spijt liep Trees rustig naar het boven haar uittorenende monster. Ze greep het halve elfenzwaard met beide handen bij het gevest en hief het boven haar hoofd. Met het volle gewicht van haar kleine lichaam stak ze het gebroken zwaard in de rechterzij van de Gilarabriwin. Ze had haar best niet zo hoeven doen: de gebroken kling gleed er moeiteloos in.

Het beest gilde het uit van doodsangst en verwarring.

Hij draaide zich om en deinsde achteruit, maar het was al te laat. Het zwaard ging er helemaal tot het gevest in. De kern van wat de Gilarabriwin was en de krachten die hem heel maakten vielen uiteen. Met het knappen van de binding die hem bij elkaar hiel, kreeg de wereld de energie ervan in één geweldige uitbarsting terug. De explosie van kracht sloeg Trees en Tomas tegen de grond. De schokgolf spoelde naar beneden, verspreidde zich in alle richtingen, verder dan het troosteloze verbrande woud, en dreef zwermen vogels de nachtelijke lucht in.

Verbouwereerd krabbelde Tomas overeind en liep aarzelend naar de kleine slanke gestalte van Trees Bosch in het midden van een lege kuil, waar eens de grote Gilarabriwin had gestaan. Vol ontzag liep hij naar haar toe en viel daar op zijn knieën.

'Gegroet, Keizerlijke Hoogheid.'

15

De Erfgenaam van Novron

De zon ging stralend op boven de rivier de Nidwalden. De wolken waren afgedreven en toen de ochtend halverwege was, was de hemel strakblauw en de lucht koeler dan hij was geweest. Een lichte bries streek over het oppervlak van de rivier en maakte kleine golfjes, terwijl de zon een schitterende goudglans over het water strooide. Een vis sprong uit het water en viel terug met een plons. In de lucht zongen de vogels hun ochtendlied en cicaden gonsden.

Rolf en Arista stonden aan de oever van de rivier, en wrongen het water uit hun kleding. Esrahaddon wachtte.

'Fijne mantel,' zei de prinses.

Esrahaddon glimlachte slechts.

Arista huiverde terwijl ze uitkeek over het water. De bomen aan de overkant zagen er anders uit dan die op hun oever, misschien waren ze van een andere soort. Arista vond ze er trotser, rechter uitzien, en ze hadden minder takken aan de onderkant en langere stammen. Hoewel de bomen indrukwekkend waren, was er geen spoor van enige beschaving.

'Hoe weten we eigenlijk dat ze daar zijn?' vroeg Arista.

'De elfen?' vroeg Esrahaddon.

'Niemand heeft toch in eeuwen een vrije elf gezien' – ze keek Rolf even aan – 'een volbloed-elf, bedoel ik.'

'Ze zitten daar wel. Duizenden momenteel, zou ik zo zeggen. Stammen met oude namen, met stambomen die terug kunnen voeren tot het ontstaan van de wereld. De Miralyiës, meesters in de Kunst; Asendwayr, de jagers; Nilyndd, de ambachtslieden; Eiliwin, de architecten; Umalyn, de spiritualisten; Gwydry, de scheepsbouwers en Instarya, de krijgers. Ze zijn er nog steeds, een vereniging van volkeren.'

'Hebben ze steden? Zoals wij?'

'Misschien, maar waarschijnlijk niet zoals de onze. Er bestaat een legende over een heilige plaats die Estramnadon heet. Het is de heiligste plaats van de elfenbeschaving... tenminste voor zover wij mensen weten. Estramnadon schijnt daar te liggen, diep in de bossen. Sommigen denken dat het de hoofdstad is en zetel van de vorst; anderen nemen aan dat het een heilig bos is waar de eerste boom – de boom die door Muriël in eigen persoon is geplant – nog altijd groeit en waarvoor wordt gezorgd door de Kinderen van Ferrol. Niemand weet het zeker. Geen mens zal het ooit te weten komen, aangezien de elfen geen indringers dulden.'

'Echt?' De prinses keek met een speelse grijns naar Rolf. 'Als ik dat had geweten, had ik Rolfs afkomst eerder geraden.'

Rolf schonk geen aandacht aan die opmerking en richtte zich tot de magiër. 'Ik vermoed dat je niet meekomt naar het dorp?'

Esrahaddon schudde het hoofd. 'Ik moet vertrekken voor Louis Gydo en zijn bloedhonden me opsporen. Bovendien moet ik met een Erfgenaam spreken en plannen maken.'

'Dan nemen we hier afscheid. Ik moet nu terug.'

'Denk eraan: zwijg over wat je hebt gezien in de toren, alle twee.'

'Grappig, ik dacht dat de Erfgenaam en zijn lijfwacht onbekende boerenknullen waren uit een of ander gat, zoals dit hier. Iemand van wie we nooit hebben gehoord.'

'Het leven is vol verrassingen, nietwaar?' zei Esrahaddon.

Rolf knikte en wilde op weg gaan.

'Rolf,' zei Esrahaddon zachtjes, en hield hem nog even tegen. 'We weten dat wat er gisternacht gebeurde verre van aangenaam was. Bereid je maar voor op wat je aan zult treffen.'

'Je denkt dat Hadriaan dood is,' zei Rolf effen.

'Dat verwacht ik wel. Als dat zo is, bedenk dan dat zijn dood misschien het offer is geweest dat onze wereld heeft gered van de vernietiging. En als dat geen troost voor je is, dan denk ik toch dat we beiden weten dat Hadriaan dat fijn zou hebben gevonden.'

Rolf dacht even na, knikte, liep naar de bomen toe en verdween.

'Hij is op en top een elf,' zei Arista terwijl ze haar hoofd schudde en tegenover Esrahaddon ging zitten. 'Ik snap niet dat ik het niet eerder heb gezien. Je hebt trouwens een baard gekregen, zie ik.'

'Zie je dat nu pas?'

'Ik zag het wel eerder, maar ik had het nogal druk.'

'Weinig gelegenheid gehad om me te scheren, hm? Het was geen probleem toen ik in Gutaria zat, maar nu... Staat het me een beetje?'

'Er zitten wat grijze haren tussen.'

'Dat mag ook wel. Ik ben negenhonderd jaar oud.'

Ze keek naar de magiër die uitstaarde over de rivier.

'Je zou echt door moeten gaan met de Kunst. Je hebt het prima gedaan in de toren.'

Ze rolde met haar ogen. 'Dat kan ik niet, niet op de manier waarop jij het me leerde. Ik kan de meeste dingen die Arcadius me liet zien wel uitvoeren, maar het is onmogelijk om handmagie te leren van een leraar zonder handen.'

'Je hebt water laten koken, en je hebt de gevangenbewaarder laten niezen. Weet je nog?'

'Wauw, ik ben een echte toverheks hè?' zei ze sarcastisch.

Hij zuchtte. 'En die regen dan? Heb je nog aan die bezwering gewerkt?'

'Nee, en dat doe ik niet meer ook. Ik ben nu de ambassadeur van Melengar. Ik heb het allemaal achter me gelaten. Over een tijd zullen ze allemaal vergeten zijn dat ik terecht heb gestaan voor hekserij.'

'Juist, ja,' zei de magiër teleurgesteld.

De prinses huiverde in de koele ochtendwind en probeerde haar haar met haar vingers te kammen, maar er zaten te veel klitten in. Haar jurk zat vol vlekken en kreukels. 'Ik zie er niet uit, hè?'

De magiër zei niets. Hij zat na te denken.

'Zo,' zei ze toen maar, 'en wat ga je doen als je de Erfgenaam hebt gevonden?'

Esrahaddon staarde haar alleen maar aan.

'Is het een geheim?'

'Waarom vraag je me niet wat je werkelijk wilt weten, Arista?'

Ze probeerde naïef te kijken en glimlachte lief. 'Ik begrijp je niet.'

'Je zit hier niet om over koetjes en kalfjes te praten, rillend in je kletsnatte jurk. Je hebt een agenda.'

'Een agenda?' vroeg ze weinig overtuigend, zelfs niet voor haar. 'Ik heb geen idee waar je naartoe wilt.'

'Je wilt weten of wat de kerk je vertelde over je vaders dood waar is of niet. Je denkt dat ik je als onderpand gebruikte. Je vraagt je af of ik je erin luisde door je onbewust medeplichtig te maken aan je vaders dood.'

Het spel was uit. Oppervlakkig ademend staarde ze de magiër aan, onthutst over zijn botheid. Ze zei niets maar knikte nauwelijks merkbaar.

'Ik vermoedde dat ze achter je aan zouden komen omdat ze problemen hebben mij op te sporen.'

'Echt?' vroeg ze, toen ze haar stem weer terughad. 'Heb jij mijn vaders dood in scène gezet?'

Esrahaddon liet de stilte tussen hen in hangen en gaf toen pas antwoord. 'Ja, Arista. Dat heb ik gedaan.'

Eerst wist de prinses daar niets op te zeggen. Ze dacht dat ze hem verkeerd had verstaan. Ongelovig schudde ze langzaam haar hoofd.

'Hoe...' begon ze. 'Hoe kon je dat nou doen?'

'Niets wat ik of een ander je zegt kan dat voor je verklaren

– althans voorlopig niet. Misschien komt er ooit een dag dat je het wel zult begrijpen.'

Tranen welden op in haar ogen. Ze veegde ze weg en keek Esrahaddon met een boze blik aan.

'Voor je me nu volledig veroordeelt, wat je uiteraard wilt, vergeet één ding niet. Op dit moment probeert de Kerk van Nyphron je ervan te overtuigen dat ik een demon ben, de apostel van Uberlin in eigen persoon. Het zit erin dat je denkt dat ze gelijk hebben. Voor je me voor eeuwig verdoemt en je in de armen van de patriarch werpt, moet je jezelf wat afvragen. Wie pleitte voor je aanname op de Universiteit van Scheerdam? Wie praatte je vader om, die het er totaal niet mee eens was? Hoe heb je van mij gehoord? Hoe kwam het dat je de weg vond naar een verborgen gevangenis waarvan hoogstens een handvol mensen op de hoogte was? Waarom leerde je hoe een juweelslot werkte, en is het niet toevallig dat juist de edelsteen die jij gebruikte op jouw deur, dezelfde was als de zegelring waarmee de gevangenisingang geopend kon worden? En hoe kwam het dat een meisje, prinses of niet, toestemming kreeg de Gutariagevangenis binnen te komen en zonder aangerand te worden niet één keer, niet twee keer, maar maandenlang langs kon komen, zonder dat haar bezoekjes ooit tegengehouden werden of zelfs maar gemeld werden aan haar vader de koning?'

'Wat wil je nu eigenlijk zeggen?'

'Arista,' zei de magiër, 'haaien eten geen vis omdat ze dat lekker vinden, maar omdat kippen niet kunnen zwemmen. We leven nu eenmaal het best met de mogelijkheden die ons ter beschikking staan, maar eens moet je je toch afvragen wie de mogelijkheden geschapen heeft.'

Ze staarde hem aan. 'Je wist dat ze mijn vader zouden vermoorden. Je rekende erop. Je wist zelfs dat ze uiteindelijk ook mij en Alric zouden vermoorden, en toch deed je net alsof je mijn vriend, mijn leraar was.' Haar gezicht verstrakte. 'De lessen zijn voorbij.' Ze draaide hem de rug toe en liep weg.

Toen Rolf de rand van het verkoolde bos bereikte, zag hij tot zijn verbazing een stel kleurrijke tenten op het veld rond de dorpsput staan. Op de tenten wapperden wimpels van de Kerk van Nyphron en behalve priesters zag hij ook keizerlijke bewakers rondlopen. Op het terrein van het ingestorte kasteel op de heuvel liepen meer mensen rond, maar nergens zag hij iemand die hij kende.

Hij stelde zich verdekt achter wat struiken op toen hij niet ver van hem vandaan een takje hoorde knappen. Hij sloop naar opzij en ontdekte Magnus die achter een struik op zijn hurken zat.

De dwerg schrok zich een hoedje en viel prompt achterover.

'Kalm aan, joh,' fluisterde Rolf en ging zitten naast de liggende dwerg, die de dief zenuwachtig in de gaten hield.

Terwijl hij de helling afspeurde, merkte hij dat de dwerg een prima positie had ingenomen om het kamp in de gaten te houden. Ze zaten op een boshelling waar een paar struiken tussen de verkoolde bomen het vuur hadden overleefd. Ze hadden een mooi uitzicht op de voorkanten van de tenten, de kraal voor de paarden en de latrine. Rolf schatte dat er zo'n dertig tenten stonden.

'Wat doe je hier eigenlijk nog?' vroeg Rolf.

'Ik moest een half zwaard voor je maat namaken. Maar nu moet ik ervandoor.'

'Wat is er gebeurd?'

'Huh? O, Theron en Fanen zijn dood.'

Rolf knikte, en toonde uiterlijk geen verbazing of verdriet. 'En Hadriaan? Leeft hij nog?'

De dwerg knikte en begon de gebeurtenissen die zich die avond hadden voorgedaan uit de doeken te doen.

'Toen het beest dood was, of ontbonden, of weet ik veel, gingen Tomas en ik snel naar Hadriaan. Hij was bewusteloos, maar leefde dus nog. We maakten beneden een plek voor hem vrij, pakten hem lekker in dekens en bouwden een afdakje waar hij, die jongen van Piekering en die sergeant van Melengar onder konden liggen. Al voor zonsopgang keerde bisschop Saldur met zijn mannen weer terug, met twee grote huifkarren achter hun rijtuig. Volgens mij heeft óf Gydo verteld wat er was gebeurd en kwam hij terug met hulp, óf ze hoorden dat het beestje de pijp uit was. Ze stopten hier, zetten als de gesmeerde bliksem die tenten op en gingen ontbijten. Ik zag die sentinel tussen de gelederen, dus ik verstopte me hier. Ze hebben Hadriaan, Hilfred en Mauvin naar die witte tent gebracht, met die wachter ervoor.'

'Is dat alles?'

'Nou, ze stuurden een aantal soldaten op weg om de doden te begraven. De meesten werden naast het kasteel op de heuvel begraven, ook Fanen, maar Tomas maakte veel stampij en ze hebben Theron via de weg naar die laatste boerderij vlak bij de rivier gebracht, en hebben daar zijn graf gedolven.'

'Ben je niet vergeten te vertellen waar je mijn dolk gevonden hebt?'

'De Alvensteen? Ik dacht dat jij die had.'

'Klopt,' zei Rolf.

Magnus reikte naar zijn laars en vloekte.

'Toen je mijn achtergrond uitzocht, moet je toch ergens hebben gelezen dat ik me van jongs af aan als zakkenroller in leven heb gehouden.'

'Ja, nu je het zegt,' zei de dwerg chagrijnig.

Rolf haalde Alvensteen uit de schede terwijl hij de dwerg dreigend aankeek.

'Kijk, het spijt me dat ik die verdomde koning heb vermoord. Het was maar een klus waarvoor ze me hadden ingehuurd, oké? Ik zou hem niet hebben aangenomen als er niet zo'n uitdagend stukje metselwerk voor nodig was geweest. Ik ben geen moordenaar. Ik ben niet eens goed genoeg om een vechtersbaas genoemd te worden. Ik ben een ambachtsman. En wapens zijn mijn specialiteit, dat geef ik toe. Daar hou ik het meest van, maar alle dwergen kunnen ook steenhouwen, dus huurden ze me in om dat torenklusje te doen; toen veranderden ze dat baantje en nadat ik een halfjaar aan die torenval had gewerkt, dreigden ze me koud te maken als ik die oude man niet ombracht. Achteraf gezien had ik natuurlijk gewoon moeten weigeren, maar dat deed ik niet. Ik wist de ballen van hem af. Misschien was het wel een slechte koning; misschien verdiende hij het te sterven; Braga vond dat tenminste wel en hij was de zwager van de koning. Ik doe mijn best me nooit te mengen in mensenzaken, maar hier raakte ik in verwikkeld. Niet echt wat ik wilde, niet iets wat ik graag deed, maar het gebeurde gewoon. En dan nog wat: als ik het niet had gedaan, had een ander het op zich genomen.'

'Hoe kom je erbij dat ik me druk maak over het feit dat je Amrath vermoord hebt? Ik ben niet eens kwaad dat je een val legde in de toren. Maar dat je de deur voor me dichtsmeet, dat had je niet moeten doen.'

Magnus schuifelde achteruit.

'Jou doodmaken zou net zo makkelijk, nee, mákkelijker zijn dan een vetgemest varken slachten. Maar het is een uitdaging om je de maximale hoeveelheid pijn te bezorgen voor je sterft.'

Magnus opende zijn mond, maar hij kon geen woord uitbrengen.

'We kunnen echter wel stellen dat je vandaag veel geluk hebt, omdat er iemand in die tent ligt die jij in een deken wikkelde en voor wie je een afdakje bouwde, en die zou het vast hoogst onterecht vinden.'

Hij keek even naar beneden en zag Arista het kampement betreden. Ze sprak een wachter aan die naar de witte tent wees. Ze rende ernaartoe.

Rolf keek weer naar de dwerg en zei rustig en duidelijk: 'Als je Alvensteen ooit nog aanraakt zonder mijn toestemming, ben je dood.'

Magnus keek hem spijtig aan, maar toen veranderde zijn uitdrukking en hij trok vragend een wenkbrauw op. 'Zonder je toestemming? Dus er is nog een piepklein kansje dat ik hem ooit nog mag bekijken?'

Rolf rolde met zijn ogen. 'Ik ga Hadriaan uit die tent halen.

Jij gaat twee paarden van de aartsbisschop stelen en leidt ze naar de witte tent zonder dat je gezien wordt.'

'En gaan we dan praten over dat toestemmingsgedoe?'

Rolf zuchtte. 'Had ik je al eens verteld dat ik een gloeiende pesthekel aan dwergen heb?'

'Maar eminentie...' protesteerde diaken Tomas in de grote gestreepte tent van bisschop Saldur en Louis Gydo. De mollige geestelijke zag er niet uit in zijn smerige kazuifel die onder de modder en as zat, met vegen op zijn wangen en zwarte vingers.

'Kijk toch eens naar jezelf, beste Tomas,' sprak bisschop Saldur. 'Je ziet er zo uitgeput uit dat het me niet zou verbazen als je zo omvalt van de slaap. Je hebt twee zware dagen achter de rug, en je staat al maanden onder de meest hevige spanningen. Het is meer dan logisch dat je het allemaal wat zwart inziet. Niemand neemt het je ook kwalijk. En we denken heus niet dat je liegt. We snappen wel dat je op dit moment gelooft dat je een dorpsmeisje de Gilarabriwin zag doden, maar ik denk dat als je een dutje hebt gedaan, en wat rust hebt genomen, je zelf ook wel inziet dat je je in een aantal dingen toch een beetje vergist hebt.'

'Ik wil geen dutje doen!' schreeuwde Tomas.

'Kalm een beetje, diaken,' beet Saldur hem toe, terwijl hij ging staan. 'Vergeet niet tegen wie je het hebt.'

De diaken dook geïntimideerd ineen en Saldur zuchtte. Zijn trekken ontspanden zich tot het lieve gezicht van een grootvader en hij legde een arm om Tomas' schouders. 'Kom, ga naar je tent en rust maar lekker uit.'

Tomas aarzelde, draaide zich om en liet Saldur en Louis Gydo alleen.

De bisschop liet zich zakken in de kleine, met kussens bedekte zetel naast een schaal bramen, die een ijverige bediende snel voor hem geplukt had. Hij wierp er twee in zijn mond en kauwde. Ze smaakten zuur en hij trok een vies gezicht. Hoewel het vroeg op de dag was, snakte Saldur naar een glaasje cognac, maar noch het een, noch het ander had de overhaaste vlucht uit het kasteel overleefd. Slechts door de grootmoedigheid van Maribor hadden het kookgerei en de meeste proviand het er wel goed afgebracht, want die hadden ze, toen ze een paar dagen geleden in het welvoorziene kasteel aankwamen, gewoon in de huifkarren laten liggen. Tijdens hun overhaaste vlucht hadden ze weinig aandacht aan eten en drinken geschonken, maar dat was dus geen probleem geweest.

Dat hij het er zelf levend had afgebracht was echter een wonder. Hij herinnerde zich niet dat hij de binnenplaats was overgestoken, of dat hij de poort had bereikt. Hij moest de heuvel zijn afgerend, maar ook dat wist hij niet zeker. Zijn herinnering was als een droom, vaag en verblekend. Hij wist nog dat hij de koetsier opdracht gegeven had de zweep te laten knallen. Die gek wilde op de aartsbisschop wachten. De oude man kon nauwelijks lopen en zodra de vlammen de luifel bereikten, maakten zijn bedienden zich uit de voeten. Hij had net zoveel kans op overleving gehad als Rufus.

Na de dood van aartsbisschop Galiaan, was het bevel van de kerkelijke bemoeienissen in Dahlgren overgegaan op Saldur en Gydo. Deze twee erfden een ramp van mythische proporties. Ze zaten alleen in de wildernis, en moesten een paar cruciale beslissingen nemen. Hoe ze daarmee omgingen was van groot belang voor het lot van toekomstige generaties. Wie nu eigenlijk echt het gezag droeg was niet helemaal duidelijk. Saldur was een bisschop, de aangewezen leider, terwijl Gydo slechts een hoge officier was onder wiens jurisdictie hooguit de afvalligen van de Kerk vielen. Maar de sentinel was wel de vertrouweling van de patriarch. Saldur mocht Gydo wel, maar zijn waardering voor de doeltreffendheid van de sentinel zou hem er niet van weerhouden de man op te offeren als dat nodig mocht zijn. Saldur was er zeker van dat als Gydo zijn ridders nog had gehad, hij het opperbevel zou hebben opgeëist, en hij zou geen andere keus hebben gehad dan dit te accepteren, maar de serets waren dood en Gydo zelf was zwaargewond. Nu Galiaan ook dood was, bood dat mogelijkheden, en Saldur was vastbesloten de kans niet te laten lopen.

Saldur keek naar Gydo. 'Hoe kon je dit nu laten gebeuren?'

De sentinel, die met zijn arm in een mitella zat en wiens schouder verbonden was, verstijfde. 'Ik ben zeven sterke mannen kwijtgeraakt, en heb het er zelf ternauwernood levend afgebracht. Ik zou dat niet direct verwoorden als iets wat ik "liet gebeuren".'

'Maar hoe verklaar je dan dat een stelletje boeren de beroemde serets hebben kunnen verslaan?'

'Het waren geen boeren. De twee Piekerings deden mee en Hadriaan Zwartwater ook.'

'De Piekerings kan ik nog begrijpen, maar Zwartwater? Dat is een landloper...'

'Nee, hij stelt heel wat meer voor, en zijn maat ook.'

'Rolf en Hadriaan zijn uitstekende dieven. Dat hebben ze in Melengar en daarna in Slagwijk bewezen. Die arme Archibald slaat nog steeds de schrik om het hart als hij aan ze denkt.'

'Nee,' zei Gydo. 'Daar heb ik het niet over. Zwartwater kent de Teshlortechnieken en zijn vriend Molenbeek is een elf.'

Saldur trok zijn wenkbrauwen op. 'Een elf? Weet je het zeker?'

'Hij ziet eruit als een mens, maar ik twijfel er niet aan.'

'En dit is de tweede keer dat we hen in gezelschap van Esrahaddon aangetroffen hebben,' mompelde Saldur bezorgd. 'Is die Hadriaan nog hier?'

'Hij ligt gewond in de ziekenboeg.'

'Zet er meteen een wachter neer.'

'Er staat al een wachter sinds hij er binnen gesleept werd. Waar we ons echt zorgen over moeten maken is dat meisje. Ze zal een behoorlijke sta-in-de-weg worden als we er niets aan doen,' zei Gydo en hij haalde zijn zwaard voor de helft uit de schede. 'Ze is kapot van de dood van haar vader. Het zou niemand verbazen als ze zichzelf in een vlaag van wanhoop in de waterval zou storten.'

'En Tomas?' vroeg Saldur, die weer een handjevol bramen pakte. 'Het ziet ernaar uit dat hij niet zal zwijgen. Wil je hem ook al ombrengen? Welk smoesje heb je daar dan voor? En wat doe je met al die anderen die hem de hele ochtend hebben horen roepen dat die meid de Erfgenaam is? Moeten we iedereen vermoorden? Als we dat doen, wie zorgt dan voor onze bagage als we naar Ervanon trekken?' vroeg hij met een glimlach.

'Ik zie de lol er niet van in,' snauwde Gydo, die zijn zwaard weer terug liet glijden in de schede.

'Misschien komt dat omdat je er niet op de juiste manier naar kijkt,' zei Saldur. Gydo was een goed getrainde en bijtgrage waakhond, maar veel fantasie had de man niet. 'Als we haar nu eens niet doden? Als we haar nu eens echt tot keizerin kronen?'

'Een boerentrien? Keizerin?' zei Gydo. 'Ben je gek geworden?'

'Kijk, ondanks zijn politieke invloed geloof ik niet dat een van ons, dus ook de patriarch niet, nu echt ingenomen was met de keus van Rufus. Hij was een ezel, zeker, maar wel een koppige, oersterke ezel. We vermoedden allemaal stilletjes dat hij binnen het jaar zou moeten worden afgemaakt, waardoor het piepjonge keizerrijk alweer in chaos zou zijn geweest. Is het niet veel beter om zo'n jong ding op de troon te zetten, dat meteen vanaf het begin zou doen wat haar verteld werd?'

'Maar hoe kunnen we haar in hemelsnaam aan de edelen verkopen?'

'Dat doen we niet,' zei Saldur en weer verscheen een glimlach op zijn gerimpelde gelaat. 'We verkopen haar gewoon aan het volk.'

'Hoe bedoel je?'

'Degan Grims nationalistische beweging bewees dat de bevolking ook macht bezit. Graven, baronnen, zelfs koningen zijn bang voor de kracht die het volk bijeen kan roepen. Eén woord van hem kan een opstand van de boeren in het leven roepen. Heren zouden hun eigen pachters moeten neerslaan, hun eigen bron van inkomsten, alleen om orde te bewaren. Dat levert ze de onmogelijke keuze op tussen het accepteren van armoede of de dood. De grootgrondbezitters zullen alles doen om niet in die situatie terecht te komen. Als we daar nu eens gebruik van maakten? De boeren hebben al eerbied voor de kerk. Ze volgen de leer alsof het de goddelijke waarheid is. Hoeveel inspirerender zou een leider van hun eigen soort dan wel niet zijn? Een vorstin die een van hen is en precies weet in welke benarde toestand al de ongewassen, berooide ploeteraars leven? Ze is niet alleen de boerenkoningin, maar ze is ook de Erfgename van Novron en alle wonderschone verwachtingen die daarmee samenhangen. Voorwaar, in het uur van onze grootste nood heeft Maribor wederom een goddelijk leider aan zijn volk geschonken om ons een weg uit de duisternis te tonen.

We kunnen barden en minstrelen de wereld insturen die het epische lied ten gehore brengen van de pure, kuise maagd die het elfenmonster versloeg waartegen zelfs heer Rufus niet opgewassen was. We noemen het *Rufus' vloek*. Ja, dat klinkt goed, veel beter dan dat onuitsprekelijke Gilarabriwin.'

'Maar kan ze het wel aan die rol te spelen?' vroeg Gydo.

'Je hebt haar gezien. Ze loopt er volkomen wezenloos bij. Niet alleen heeft ze geen plek meer om heen te gaan, ze heeft kind noch kraai, geen geld of bezit, ze is ook nog eens emotioneel ontreddered. Geef haar een mes, en ik zeg je dat ze haar polsen opensnijdt. Maar het mooiste van alles is toch dat als we haar benoemen tot keizerin, en we de steun van het volk aan onze kant hebben, geen enkele edelman of koning ons zal durven uitdagen. We kunnen gewoon doen wat we wilden doen met Rufus. Maar in plaats van een lompe moordenaar die ongetwijfeld voor verdachtmakingen en beschuldigingen zou zorgen, hebben we dan een meisje, een kind dat we kunnen uithuwelijken. De nieuwe echtgenoot zal regeren als keizer en haar sluiten we op in een donkere toren ver weg, waar ze alleen uitkomt om het Midwinterfestival te openen of zo.'

Gydo glimlachte eindelijk ook.

'Denk je dat de patriarch het ermee eens is?' vroeg Saldur hem. 'Misschien moeten we maar meteen een koerier sturen.'

'Nee, dit is te belangrijk. Ik ga zelf wel. Ik vertrek zodra ik een paard heb laten zadelen. In de tussentijd...'

'In de tussentijd kondigen we aan dat we overwegen of het mogelijk is dat dit meisje de erfgename is, maar dat we haar pas onvoorwaardelijk accepteren wanneer een groot onderzoek is afgerond. Dan hebben we nog een maand de tijd. Als de patriarch het ermee eens is, dan kunnen we volksmenners de straten op sturen om de mensen zelf het gerucht te laten verspreiden dat de kerk door de edelen en vorsten wordt gedwongen om vooral niet te onthullen dat dit meisje de ware Erfgename is. Het volk zal zich afkeren van onze vijanden en eisen dat ze de troon kan bestijgen, zelfs voordat we bekendmaken dat zij de ware is.'

'Ze zal een perfect boegbeeld zijn,' zei Gydo.

Saldur keek op en zag de toekomst al voor zich. 'Een onschuldige maagd gekoppeld aan een mythische legende. Haar welluidende naam zal overal weerklinken en ze zal geliefd zijn bij heel het volk.' De bisschop zweeg en dacht na. 'Hoe heet ze eigenlijk?'

'Ik dacht dat Tomas haar... Trees noemde.'

'Nee toch?' Saldur trok een vies gezicht. 'Nou ja, daar verzinnen we wel wat op. Ze is ten slotte van ons, van nu af aan.'

Rolf keek spiedend rond. Geen schildwacht stond nog buiten. Op de top van de heuvel liep er nog een stel rond, maar die waren te ver om iets te kunnen opmerken. Tevreden dook hij onder de achterkant van de witte tent door. Binnen trof hij Tobis, Hadriaan, Mauvin en Hilfred aan op veldbedden. Hadriaan was naakt tot aan zijn middel, zijn hoofd en borst waren in wit verband gewikkeld, maar hij was wakker en zat rechtop. Mauvin was nog steeds doodsbleek, maar levendig als altijd, en zijn verband was schoon. Hilfred lag ingewikkeld als een mummie en Rolf kon niet direct zeggen of hij sliep of wakker was. Arista stond over zijn bed gebogen.

'Ik vroeg me al af wanneer je hier op zou duiken,' zei Hadriaan.

Arista draaide zich om. 'Ja, ik dacht ook dat je eerder terug zou komen. Je vertrok nog voor mij.'

'Sorry, je weet hoe het is als je plezier maakt. Je vergeet de tijd, maar ik heb wel voor de tweede keer je wapens teruggevonden. Ik weet hoe erg je van streek raakt zonder je zwaarden. Kun je rijden?'

'Als ik kan lopen, kan ik ook rijden.' Hij stak zijn arm omhoog en Rolf bood hem zijn schouder aan, en hielp hem te gaan staan.

'En ik dan?' vroeg Mauvin met een hand in zijn zij en zittend op de rand van zijn bed. 'Jullie laten me hier toch niet achter, hoop ik?'

'Jullie moeten hem meenemen,' zei Arista. 'Hij heeft twee van Gydo's manschappen gedood.'

'Kun je rijden?' vroeg Rolf.

'Als ik een paard onder me heb, kan ik me in elk geval vastklemmen.'

'En wat doen we met Trees?' vroeg Hadriaan.

'Ik denk niet dat je je druk hoeft te maken over haar,' zei Rolf tegen hem. 'Ik was net bij de tent van de bisschop. Tomas eist dat ze haar tot keizerin kronen.'

'Keizerin?' vroeg Hadriaan verbijsterd.

'Ze heeft de Gilarabriwin gedood onder de ogen van de diaken. Ik neem aan dat dat wel indruk heeft gemaakt.'

'Maar als ze dat nou niet doen? We kunnen haar echt niet achterlaten.'

'Maak je geen zorgen over Trees,' zei Arista. 'Ik zorg er wel voor dat alles goed met haar komt. Ik blijf bij Hilfred en Tobis, maar jullie moeten hier zo snel mogelijk weg.'

'Theron wilde dat ten minste een van zijn kinderen een betere toekomst kreeg,' zei Hadriaan. 'Maar keizerin?'

'Opschieten jullie,' zei Arista en ze hielp Rolf Mauvin op de been te krijgen. Ze gaf ze alle drie een kus en een voorzichtige omhelzing en duwde ze toen de tent uit als een moeder die haar kinderen naar school stuurt.

Buiten de tent kwam Magnus net met drie paarden aan lopen. De dwerg keek zenuwachtig om zich heen en fluisterde: 'Ik had kunnen zweren dat ik daarnet wachters naar de tent zag kijken.'

'Klopt,' zei Rolf. 'En drie paarden – je hebt mijn gedachten gelezen.'

'Ik bedacht dat ik er ook een voor mezelf nodig had,' antwoordde de dwerg en wees op de ingekorte stijgbeugels. Hij keek met een donkere blik naar Mauvin. 'Nu ziet het ernaar uit dat ik er nog een moet stelen.'

'Laat maar,' fluisterde Rolf. 'Rijd maar met Mauvin mee. Langzaam aan en pas op dat hij er niet afvalt.'

Rolf hielp Hadriaan op een grijze merrie en begon plotseling te grinniken.

'Wat is er?' vroeg Hadriaan.

'Muis.'

'Hè?'

Rolf wees op het paard waarop Hadriaan zat. 'Van alle paarden die de dwerg had kunnen kiezen, steelt hij mijn Muis.'

Rolf leidde ze weg van het kamp over het verschroeide land, waar de as de stappen van de paarden dempte. Hij hield de schildwachten bij het kasteel voortdurend in het oog. Geen kreet, geen geschreeuw, niemand leek ze op te merken en zo kwamen ze spoedig in het bos dat niet was verbrand en dicht bebladerd was. Eenmaal daar ging hij met een boog terug naar de Nidwalden, met de bedoeling achtervolgers die de sporen volgden af te schudden. Toen hij ze eenmaal veilig in een ondiep dal bij de rivier had gebracht, zei Rolf dat ze hier moesten blijven, terwijl hij nog even wat moest doen.

Hij kroop naar de rand van het verbrande gebied. Aan het kamp was niets veranderd. Gerustgesteld dat ze ongemerkt waren ontsnapt, liep hij terug naar de rivier. Hij kwam op een pad dat naar de ruïne van de Boschhoeve leidde. Onbegrijpelijk genoeg was het vuur nooit zo ver gekomen en het gras was nog even groen als altijd. Maar er was één ding veranderd: in het midden van het erf, waar ze de oude boer bij hun eerste ontmoeting zijn zeis hadden zien slijpen, lag nu een berg aarde. Gestapelde stenen, uit de muren van het huis verwijderd, lagen in een kring om de langwerpige hoop aarde heen. Aan het hoofdeind stond een houten plank in de grond gestoken. Erin gebrand stond:

THERON BOSCH
BOER

Rolf kon net de woorden lezen die eronder gekrast waren:

Vader van de Keizerin

Terwijl Rolf de woorden las, merkte hij een kilte op – hij huiverde en hij kreeg kippenvel. Iemand bespiedde hem. Aan de rand van zijn blikveld stond iemand tussen de bomen. Een ander stond links van hem. Achter zich voelde hij ook het een en ander. Hij draaide zich om, kneep zijn ogen samen om te zien wie het waren... niets. Hij zag alleen maar bomen. Hij keek nog eens naar links: ook niks. Hij stond stil en luisterde. Geen twijgje knapte, geen blad ritselde, maar hij voelde hun aanwezigheid nog steeds.

Hij liep weg van het erf naar het kreupelhout en liep daar in een kring om het huis. Hij bewoog zich zo geruisloos als hij kon, maar toen hij stopte, was hij alleen.

Verward bleef Rolf staan. Hij zocht naar sporen waar hij de gestalten had gezien, maar die waren er niet, nog geen omgebogen grassprietje. Ten slotte gaf hij het op en hij ging terug naar waar hij de anderen had achtergelaten.

'Alles in orde?' vroeg Hadriaan die nog steeds op Muis zat, met de zon op zijn blote schouders en zijn borst gewikkeld in strak verband.

'Zo te zien wel,' zei Rolf en hij steeg weer op.

Hij leidde hen via het hoogland naar het zuidwesten, door een wildpad van herten te volgen dat midden door het diepe woud sneed. Het was hetzelfde pad dat hij gevonden had tijdens de vele uren waarin hij op zoek was geweest naar een tunnel naar Avempartha. Hadriaan en Mauvin hielden het beter vol dan hij had gedacht, al vertrok hun gezicht van pijn bij elke misstap die hun paard maakte.

Rolf bleef over zijn schouder kijken, maar van mogelijke achtervolgers was geen spoor.

Tegen de middag hadden ze de bomen achter zich gelaten en ze vonden de zuidelijke hoofdweg naar Algewest. Hier hielden ze halt om Mauvins en Hadriaans verband na te kijken. Mauvins wond was toch weer gaan bloeden, maar het was niet zo erg en Magnus, die een nieuw wondkussentje voor hem maakte, bleek haast net zo'n goede verpleger als zwaardsmid. Rolf doorzocht de zadeltassen en vond een hemd dat groot genoeg was voor Hadriaan.

'Dit gaat helemaal goed komen,' zei Rolf tegen hen toen hij de voorraden doorzocht. 'Met een beetje geluk zijn we binnen een week in Midvoorde.'

'Heb je haast of zo?' vroeg Hadriaan.

'Dat kun je wel zeggen.'

'Je mist Gwen zeker?'

'Ik vind wel dat het tijd is dat ik haar een paar dingen over mezelf vertel, ja.'

Hadriaan glimlachte en knikte.

'Denk je dat het goed komt met Trees?'

'Tomas lijkt goed op haar te passen.'

'Denk je nou echt dat ze haar tot keizerin gaan kronen?'

'Geloof er geen barst van.' Rolf schudde het hoofd en gaf hem het hemd. 'Wat ben jij eigenlijk van plan?' vroeg Rolf aan Magnus.

De dwerg haalde zijn schouders op. 'Je bedoelt aangenomen dat je me niet vermoordt?'

'Ik zal je niet vermoorden, maar je oude opdrachtgever, de kerk, doet dat misschien wel, nu ze weten dat je niet meer aan hun kant staat. Ze zullen je opjagen, net zoals ze nu waarschijnlijk al achter Mauvin en Hadriaan aan zitten. En zonder steun van de kerk red je het niet zo lang. De steden in Avryn hebben het niet zo op jouw soort.'

'Niemand heeft het op mijn soort.'

'Dat bedoel ik.' Rolf zuchtte. 'Ik ken een plaats die nogal afgelegen ligt waar je wel eens welkom zou kunnen zijn. Een plek waar de kerk weinig te zoeken heeft. Ze hebben een boel steen te houwen en zouden een ervaren vakman als jij goed kunnen gebruiken.'

'En wat vinden ze van dwergen?'

'Volgens mij hebben ze daar geen probleem mee. Het zijn van die mensen die eigenlijk iedereen wel mogen.'

'Ik heb wel zin om weer eens lekker met steen bezig te zijn,' zei Magnus knikkend.

'Michiel zal hem helemaal stapelgek maken met zijn voornemen om het klooster weer net zo op te bouwen als het geweest is,' zei Hadriaan. 'Ze hebben al vijf bouwondernemers versleten.'

'Weet ik,' zei Rolf met een grijns.

Rolf klom weer op Muis, terwijl Magnus keek of Mauvins drukverband nog goed zat.

Hadriaan schudde het hemd uit voor hij behoedzaam een arm in een mouw stak. 'Arista heeft me verteld dat jullie gisternacht met Esrahaddon in de toren zijn geweest. Ze zei dat hij hulp nodig had met het een en ander, maar ze wilde niet vertellen met wat.'

'Hij gebruikte de toren om de Erfgenaam van Novron te zoeken,' antwoordde Rolf hem.

'Heeft hij hem gevonden?'

'Ik denk het wel, maar je kent Esra. Je weet het nooit helemaal zeker bij hem.' Hadriaan knikte en kromp ineen toen hij het hemd over zijn schouders trok.

'Problemen?'

'Moet jij eens proberen je aan te kleden met gekneusde ribben. Pijnloos is anders.'

Rolf keek hem nog eens aan.

'Wat is er? Zie ik er zo erg uit?' vroeg Hadriaan.

'Nee, maar je draagt dat zilveren medaillon al zolang ik je ken, maar je hebt me nooit verteld waar je het vandaan hebt.'

'Wat? Dit ding?' zei Hadriaan. 'Heb ik mijn hele leven al. Geërfd van mijn vader.'

LIJST VAN NAMEN, PLAATSEN EN TERMEN

ADDIE BOSCH: Moeder van Trees

ALENDA LANAKLIN: Dochter van de markies Victor Lanaklin en zus van Michiel de monnik

ALGEWEST: Koninkrijk in Avryn, geregeerd door koning Armand en koningin Adeline

ALRIC BRENDON ESSENDON: Koning van Melengar, broer van Arista

ALVENSTEEN: Dolk van Rolf

AMBROOS DE MOOR: Beheerder van de Manzantgevangenis en Zoutonderneming

AMRATH ESSENDON: Koning van Melengar, vader van Alric en Arista

AMRIL: De gravin die Arista vervloekte met een massa steenpuisten

ANTUN BULARD: Historicus en auteur van *De geschiedenis van Apeladorn*

APELADORN: De vier staten van de mens – Trent, Avryn, Delgos en Calis

AQUESTA: Hoofdstad van het koninkrijk Warrick

ARCADIUS VINTARUS LATIMER: Professor in de Traditionele Kunst aan de Universiteit van Scheerdam

ARISTA ESSENDON: Prinses van Melengar en zus van koning Alric

AVEMPARTHA: Oeroude elfentoren midden in de Nidwalden

AVRYN: Het centrale en machtigste rijk van de vier staten van Apeladorn; gelegen tussen Trent en Delgos

BA RAN GHAZEL: De dwergennaam voor zeekobolden. Ook Ghazel genoemd

BALENTIJN: De heersende familie van het graafschap van Slagwijk

BA RAN ARCHIPEL: Eilanden van de Kobolden in de wereld van Elan

BASTAARDZWAARD: Noch eenhandig, noch tweehandig zwaard, ook anderhalfhander genoemd. Extra krachtig wanneer een hand half op de knop en het gevest wordt gelegd

BEIDEWIKKE: RUMOLD, LENA EN KINDEREN: Pachtersgezin in Dahlgren

BELSTRADS: Riddergeslacht van Slagwijk, onder wie heer Breekton en Wessel

BERNUM: Rivier die de stad Colnora in tweeën deelt

BERTHE: Kamenier van prinses Arista

BETHAMIE: Koning die naar verluidt zijn paard bij hem liet begraven

BOCANT: Groothandelaars in varkensvlees, na de DeLeurs de op een na rijkste familie van Colnora

BRAGA: Aartshertog Perrie Braga, kanselier van Melengar, oom van Alric en Arista, getrouwd met de zuster van koning Amrath

BREEKTON: Heer Breekton Belstrad, zoon van heer Belstrad, ridder van Slagwijk. Door velen beschouwd als de beste ridder van Avryn

BRODERIK ESSENDON: Stichter van de dynastie van Essendon

CALIAANS: Betreft de staat Calis

CALIANEN: Inwoners van de staat Calis, met donkere huidskleur en amandelvormige ogen

CALIS: De meest zuidoostelijke staat van Apeladorn; een exotisch oord. Onophoudelijk in conflict met de Ba Ran Ghazel

CENZARS: De Raad van Magiërs van het Oude Keizerrijk van Novron

COLNORA: Grootste, welvarendste stad van Avryn. Ontstaan uit een rustplaats op een kruispunt van de belangrijkste handelsroutes.

DACCA: Eiland van de Zuidermensen in de wereld van Elan

DAGASTAN: Grootste en belangrijkste haven van Calis

DAHLGREN: Afgelegen dorpje bij de rivier de Nidwalden

DANTHEN: Houtvester bij Dahlgren

DAREF: Heer van Warrick, kennis van Albert Wijnterp

DAVENS: Schildknaap op wie Arista ooit een oogje had

DE LORKAN: Hertog De Lorkan, een Caliaanse edelman

DEGAN GRIM: Leider van de nationalisten

DELANO DE WIT: Zo noemde Deminthal zich toen hij Hadriaan inhuurde om graaf Piekerings zwaard te stelen

DELEUR: Zeer welvarend koopmansgeslacht, rijk geworden door diamanthandel in Colnora

DELGOS: Een van de vier staten van Apeladorn. Als enige republiek, omringd door koninkrijken, kwam Delgos in opstand tegen het Rijk van de Regent na de moord op Glenmoran III en na een aanval van de Ba Ran Ghazel te hebben overleefd zonder enige steun van de Regent

DEMINTHAL: Wybrand Deminthal, vroeger scheepskapitein, nu vader van Ellie

DENEK PIEKERING: Jongste zoon van graaf Piekering

DIOYLION: *De verzamelde brieven van Dioylion*, een zeer zeldzame verzameling boekrollen

DITMAR DEERNSTRA: Smid van Dahlgren, getrouwd met Roos, vader van Arvid

DROME: God van de dwergen

DRUMINDOR: Door dwergen gebouwd fort in Tur Del Fur, bij de ingang van de Baai van Terlando

DRUNDEL: Weduwe Maai uit Dahlgren

DUNMOER: Jongste en minst ontwikkelde koninkrijk van Avryn

ECTON: Heer Ecton, aanvoerder van de ridders van graaf

Piekering en generaal van het leger van Melengar

EDELBERT: Koning van Warrick, keizersgezind

ELAN: De wereld

ELDEN: Grote man, vriend van Wybrand Deminthal

ELFS: Betrekking hebbend op elfen; elfentaal

ENDEN: Heer Enden, ridder van Slagwijk. Na Breekton de beste ridder

EREBUS: Vader van de goden, ook bekend als Keil

ERIVAANSE RIJK: Rijk der Elfen

ERLIC: Heer Erlic, een ridder

ERVANON: Stad in Noord-Ghent. Zetel van de Kerk van Nyphron. Eens de hoofdstad van het Rijk van de Regent, gesticht door Glenmoran I

ESRAHADDON: Magiër. Lang geleden lid van de oude orde der Cenzars, Kenners der Kunst. Leraar van Nevrik. Verdacht van de vernietiging van het Keizerrijk van Novron en veroordeeld tot levenslange gevangenschap

ESSENDON: Koninklijke familie van Melengar

ESTRAMNADON: Beschouwd als de hoofdstad of op zijn minst een zeer heilige plek van het Erivaanse Rijk

ESTRENDOR: Noordelijke Woestenij

FALINA BROKTEN: De echte naam van Smaragd, een barmeisje van De Roos & Doorn

FANEN PIEKERING: Middelste zoon van graaf Piekering

FAULD, ORDE VAN DE: Een ridderorde die zich, na de val van het Keizerrijk, geheel wijdde aan het veiligstellen van de vaardigheden en discipline van de Teshlorridders

FENITILIAAN: Monnik van Maribor, die warme schoenen maakte

FERROL: God van de elfen

FINILESCH: Bekend schrijver

GALEANNON: Koninkrijk in Avryn, geregeerd door Frederik en Josephine

GALEWYR: Deze rivier vormt de grens tussen Melengar en Warrick en bereikt de zee bij het vissersdorpje Roe

GALIAAN: Aartsbisschop van de Kerk van Nyphron

GALILIN: Provincie van Melengar, geregeerd door graaf Piekering

GHENT: Koninkrijk van Avryn, Geestelijk pachtgoed van de Kerk van Nyphron

GILARABRIWIN: Vliegende oorlogsmachine van de elfen in drakenvorm

GINLIN: Monnik van Maribor, wijnmaker

GLAMRENDOR: Hoofdstad van Dunmoer

GLENMORAN: 326 jaar na de val van het Keizerrijk van Novron herenigde deze krijgsheer uit Ghent de vier rijken van Apeladorn. Stichter van de Universiteit van Scheerdam. Ontwerper van de grote noord-zuidweg. Bouwde het paleis van Ervanon, waarvan alleen de Kroontoren nog overeind staat

GLENMORAN II: Zoon van Glenmoran. Toen zijn vader jong stierf, vertrouwde de nieuwe, jonge keizer op hoge geestelijken om hem te helpen het keizerrijk te regeren. Op hun beurt maakten die van de gelegenheid gebruik om de jonge keizer te manipuleren om grote macht toe te kennen aan de kerk en aan edelen die loyaal waren aan de kerk. Zij samen verzetten zich tegen het verlenen van steun aan Delgos, dat zich moest verdedigen tegen de Ba Ran Ghazel en de Dacca, met als reden dat Delgos dan veel te afhankelijk van het keizerrijk zou worden

GLENMORAN III: Kleinzoon van Glenmoran. Kort nadat hij het regentschap op zich had genomen, deed hij een poging om opnieuw de controle over het rijk te krijgen dat zijn grootvader bijeen had gebracht, door met een leger op te rukken tegen de invallende Ghazel die de zuidoostelijke grens van Avryn hadden ingenomen. Hij versloeg de Ghazel bij de Eerste Slag om de Villaanse Heuvelrug en kondigde aan om Tur Del Fur te hulp te komen. In het zesde jaar van zijn regering vonden zijn edelen hem te machtig worden en ze pleegden verraad. Hij werd in Kasteel Bleijenberg gevangengezet. De kerk was al tijden jaloers op zijn populariteit en zijn groeiende macht, en zeer ontstemd over zijn beleid waarbij de edelen en de kerk van hun privileges en macht werden ontdaan – de kerk beschuldigde hem van ketterij. Hij werd schuldig bevonden en terechtgesteld. Dit zette de snelle val in gang van wat later het Bewind van de Regent werd genoemd. Verder beweerde de kerk dat de edelen hen erin hadden laten lopen en veroordeelde velen, waarvan de meesten ellendig aan hun eind zijn gekomen

GRELAD: Jerish Grelad, Teshlorridder en eerste lijfwacht van de Erfgenaam Nevrik

GRIGOLES: Auteur van *Grigoles' verhandeling over het keizerlijke gewoonterecht*

GRIM: *zie* DEGAN

GROOTZWAARD: Een lang zwaard dat bedoeld is om met twee handen te worden vastgehouden

GRUMON: Martijn Grumon, smid van Midvoorde

GUTARIA: De geheime Nyphrongevangenis ontworpen voor slechts één gevangene

GWEN: Gwen Lancets, Caliaanse prostituee en eigenares van Huize Midvoorde oftewel het Huis, en van de taveerne De Roos & Doorn in Midvoorde

HADRIAAN: Hadriaan Zwartwater, huursoldaat

HELDABES: In het wild groeiende vrucht, vaak gebruikt om wijn van te maken

HELDEROORD: Provincie van Warrick, grenzend aan de Galewyrrivier. Hier heerst markies Lanaklin

HESLON: Monnik van Maribor, geweldige kok

HILFRED: Lijfwacht van prinses Arista

HIMBOLT: Baron van Melengar

HOYTEMA: Eens de eerste officier van de Zwarte Diamant

JERISH: *zie* GRELAD

JERL: Heer Jerl, buurman van de Piekerings, bekend van zijn prijzen winnende jachthonden

JUWEELSLEUTEL: Een edelsteen die een juweelslot kan openen

JUWEELSLOT: Een dwergenuitvinding om een ruimte af te

sluiten en die alleen geopend kan worden met een edelsteen van de juiste soort en slijping

KAASSTRA: Pachtersgezin in Dahlgren

KEIL: *zie* Drome

KEIZERSGEZINDEN: Politieke partij die de hele mensheid onder één enkele leider wil samenvoegen, die een directe nakomeling (de erfgenaam) is van de halfgod Novron

KERK VAN NYPHRON: De religie van Novron en Maribor, zijn
vader

KONINGSGEZINDEN: Politieke partij die geregeerd wordt door
individuele, onafhankelijke vorsten, en dat zo houden wil

KRINDEL: Prelaat en historicus van de kerk van Nyphron

LANAKLIN: Heersers van Helderoord

LANGHOUTBOS: Woud in Melengar

LANKSTERRE: Hoofdstad van Lordium, Koninkrijk van Trent

LENARE: Vrouwe Lenare Piekering, dochter van graaf Piekering

LIJFEIGENE: Een persoon die hoort bij een stuk land en ei-
gendom is van een feodaal heerser

LINGAARDE: Hoofdstad van Relison, Koninkrijk van Trent

LOODLEGGER: Jargon voor huurmoordenaar in het dievengilde de Zwarte Diamant

LOTHOMAD DE KALE: Koning van Lordium, Trent. Lordium
breidde het oppervlak van het koninkrijk dramatisch uit
na de val van het Bewind van de Regent, en rukte in het
zuiden op naar Melengar, waar Brodric Essendon Lothomad de Kale in 2545 versloeg in de slag van de Velden
van Drondil

LOUIS GYDO: De sentinel van de aartsbisschop en vertrouweling van de patriarch

MAGNUS: Dwerg die Amrath vermoordde; wapensmid

MANDALIN: Hoofdstad van Calis

MANZANT: Beruchte gevangenis en zoutmijn bij Manzar, in
Maranon

MARANON: Koninkrijk in Avryn. Geregeerd door Vincent en
Regina

MARIBOR: God van de mensen

MAUVIN: Oudste zoon van graaf Piekering

MELENGAR: Koninkrijk in Avryn, geregeerd door huis Essendon

MELENGARIANEN: Inwoners van Melengar

MICHIEL: Monnik van Maribor, bibliothecaris

MIDVOORDE: Hoofdstad van Melengar

MIDWINTERFESTIVAL: De voornaamste feestdag, die halverwege de winter valt, gevierd met kermis en toernooien

MONTEMORCEY: Uitstekende wijn, geïmporteerd door de Vandon Specerijen Compagnie

MOTTE: Een door mensen opgeworpen heuvel, ter bescherming van een houten kasteel

MURIËL: Enige dochter van Erebus, godin der natuur

NAREION: Laatste Keizer van het Keizerrijk van Novron

NATIONALISTEN: Politieke partij die geregeerd wil worden door een leider, gekozen door het volk

NEVRIK: Zoon van Nareion, de erfgenaam die zich met Jerish moest verbergen

NIDWALDEN: Rivier die de grens vormt tussen Avryn en het Erivaanse elfenrijk

NOVRON: Verlosser der mensheid. Zoon van de god Maribor. De halfgod die het elfenleger versloeg in de Grote Elfenoorlogen. Stichter van het Keizerrijk van Novron. Liet Percepliquis bouwen

NOVRONIAANS: Betreffende Novron

NYPHRONS: Vrome gelovigen

PARTHALOREN: De grote waterval in de Nidwalden bij Avempartha

PERCEPLIQUIS: De oude hoofdstad van het Keizerrijk van Novron, genoemd naar de vrouw van Novron, die haar geboortedorp niet wilde verlaten, waarop Novron zijn hoofdstad er maar omheen liet bouwen.

PIEKERING: Adellijke familie in Melengar en heersers over Galilin. Graaf Piekering staat bekend als de beste zwaardvechter van Avryn en gebruikt naar men denkt een magisch zwaard

PIEKILERINON: Voorvader Zederik, die de naam in Piekering veranderde

PLESIANTIEKE BEZWERING: Een magisch gezang om krachten der natuur op te roepen

RATIBOR: Hoofdstad van het koninkrijk Rhenydd

RENDON: Baron uit Melengar

RENIAN: Jeugdvriend van Michiel de monnik

RENTINUAL: Tobis Rentinual, professor in Oude Geschiedenis aan de Universiteit van Scheerdam

RHELACAN: Het fantastische zwaard dat Maribor door Drome liet smeden en door Ferrol liet betoveren. Hij schonk het wapen aan Novron om er de elfen mee te verslaan

RHENYDD: Koninkrijk van Avryn, geregeerd door koning Urith

RILANVALLEI: Vruchtbaar land tussen Helderoord en Slagwijk

RIONILLION: Stad die stond op de plek waar later Aquesta werd gebouwd, en verwoest werd tijdens de burgeroorlogen die uitbraken na de val van het Keizerrijk van Novron

RIYRIA: Elfs voor 'twee', een team of verbond van twee

ROLF: Rolf Molenbeek, dief en inbreker

RONDEELDOLK: Een gangbaar type dolk met een hard mes en een ronde greep

ROSWORT: Koning van Dunmoer

RUMOLD: *zie* BEIDEWIKKE

SALDUR: Bisschop van Midvoorde, door Arista ook Sally genoemd

SALIFAAN: Een geurige wilde plant gebruikt voor parfum en wierook

SEONPLATEAU: Een hooglandplateau dat uitziet over Slagwijk

SERETRIDDERS: De Ridders van Nyphron. Een militaire tak van de kerk, gevormd door heer Darius Seret, die van patriarch Venlin als voornaamste taak kreeg de erfgenaam van Novron op te sporen

SLAGZWAARD: Een lang tweehandig zwaard met een in een punt toelopende kling en een verlengde stootplaat in T-vorm, waardoor diverse gevechtstechnieken mogelijk zijn. Dankzij de lengte van het gevest en de stootplaat, die eveneens in een punt toeloopt, kent het zwaard een groot aantal manieren om de handen te plaatsen, waardoor het als gevechtsstok, maar ook als machtig splijtwapen gebruikt kan worden. Het slagzwaard is het traditionele wapen voor een zeer ervaren zwaardvechter of elitesoldaat

STEKER: Meesterdief en moordenaar van de Zwarte Diamant, net als Rolf en Jade

TEK'CHIN: De enige vechttechniek van de Teshlorridders die bewaard bleef dankzij de ridders van de Fauld en die overgedragen werd aan de Piekerings

TERLANDO, BAAI VAN: De haven van Tur Del Fur

TESHLORS: Legendarische groep ridders met unieke technieken van het Rijk van Novron; de beste ridders die ooit hebben bestaan

THERON BOSCH: Vader van Trees; boer uit Dahlgren

TILINER: Een superieur kort zwaard, vaak gebruikt door de huurlingen in Avryn

TOLIN ESSENDON: Zoon van Broderik, die van Midvoorde de hoofdstad van Melengar maakte en Kasteel Essendon liet bouwen

TORSIE: De spanning die ontstaat door kabels eerst strak ineen te draaien en dan los te laten, waardoor een voorwerp (pijl, steen) de lucht in geschoten kan worden

TREES BOSCH: Boerenmeisje uit Dahlgren

TRENT: Noordelijke, bergachtige koninkrijken in Apeladorn

TRUMBUL: Baron Trumbul, huursoldaat

TUR: Legendarisch dorpje dat eens in Delgos zou hebben gelegen en de plaats waar Keil ooit een wonder heeft verricht. De mythische stad waar onoverwinnelijke wapens (*zie* Alvensteen) werden gemaakt

UBERLIN: De god van de Dacca en de Ghazel. Zoon van Erebus en zijn dochter Muriël

URITH: Koning van Ratibor

VALIN: Lord Valin, een oude ridder van Melengar, befaamd om zijn moed en heldhaftigheid, maar niet vanwege zijn strategisch inzicht

VANDON: Havenstad in Delgos, thuisbasis van de Vandon Specerijen Compagnie, ooit ontstaan als piratenhaven totdat Delgos een republiek werd, en de handel er wettelijk werd toegestaan

VELDEN VAN DRONDIL: Graaf Piekerings kasteel, eens het fort van Broderik Essendon en de oorspronkelijke zetel van macht in Melengar

VENLIN: Patriarch van de Kerk van Nyphron bij de val van het Rijk van Novron, negenhonderd jaar geleden

VERNES: Havenstad aan de monding van de rivier de Bernum

VINTU: Stam in Calis

WAPENKLEED: Een tuniek, gedragen over de wapenrusting, gewoonlijk voorzien van een wapenschild

WARRICK: Koninkrijk in Avryn, geregeerd door Edelbert

WESBADEN: Voornaamste handelshaven van Calis

WESTERLANDEN: De onbekende grens in het westen

WESTEROEVER: Onlangs gevormde provincie van Dunmoer

WICEND: De boer uit Melengar wiens land grenst aan het wad in de Galewyr waarover je in Helderoord komt

WIJLIN: Wapenmeester in Kasteel Essendon

ZOMERBEWIND: Populair midzomerfeest, gevierd met picknicks, dans, muziek en een toernooi

ZWARTE DIAMANT: Dievengilde van Colnora

ZWARTWATER: Achternaam van Hadriaan en zijn vader, de smid Daniël

Interview Michael J. Sullivan

Wanneer wist je dat je schrijver wilde worden?

Ik was heel jong, een jaar of zeven of acht, en ik was met een vriendje verstoppertje aan het spelen. In de kelder vond ik een typemachine. Het was zo'n enorme zwarte van metaal, met kleine ronde toetsen. Ik vergat meteen dat ik aan het spelen was en draaide er een vel papier in. En geloof het of niet, maar het eerste wat ik schreef was: 'Het was een donkere, stormachtige nacht en er weerklonk een schot.' Ik dacht dat ik een wonderkind was.

Toen mijn vriendje me vond, snapte hij niet waarom ik mijn ontdekking zo machtig belangrijk vond. Hij wilde buiten spelen en wat leuks gaan doen. Ik kon me nauwelijks voorstellen dat er iets leukers bestond dan wat ik aan het doen was. Ik keek naar het lege vel en vroeg me af wat er nu zou komen: ging het over een mysterieuze moord? Was het een griezelverhaal? Ik wilde het weten, ik wilde het lege vel vullen, ik wilde weten waar die kleine toetsen me heen zouden voeren.

Uiteindelijk besloten we te gaan steegje-snorren tot mijn moeder me riep dat we gingen eten. Steegje-snorren was het spel waarbij je de steegjes tussen en achter de huizen afliep om te zien of iemand iets cools weggooide dat wij konden gebruiken. Ik hoopte namelijk dat iemand toevallig een typemachine had weggegooid – maar ik had geen geluk, en toen ik naar bed moest, kon ik aan niets anders denken dan die typemachine, dat lege vel en die eerste zin.

Waardoor ben je schrijver geworden? Las je veel?

Ik schaam me een beetje om te zeggen dat ik als kind de pest had aan lezen. Het eerste boek dat ik probeerde te lezen heette *Big Red*, dat ging over een jongen en zijn hond. We waren op weg naar de boerderij van mijn zus, en ik zou me dus vier uur in de auto zitten vervelen. Dit speelde voor er Nintendo ds'en, dvd's en mobieltjes bestonden – voor al het vermaak dat jongens tegenwoordig hebben. Bovendien zou er als we Detroit uit waren alleen nog maar statische ruis op de radio zijn – daarom had ik dat boek meegenomen. Ik heb het uitgelezen, maar dat was een zaak van pure wilskracht, niet omdat ik het leuk vond. Maar als ik veertig zou zijn, wilde ik kunnen roepen: 'Ja! Ik heb ooit een boek gelezen! Het was een martelgang, mensen, en het kostte me een halfjaar, maar het is me verdorie gelukt!' Dan zou iedereen die me hoorde mij met ontzag aankijken en beseffen dat ze in gezelschap waren van een geleerd man. Maar de waarheid was dat ik het dodelijk saai vond en ik in slaap viel op de achterbank.

Later las ik *De Hobbit* en *In de ban van de ring* van Tolkien. Ik had nooit kunnen dromen dat ik zo weg zou zijn van een boek. Toen ik de laatste bladzij van *De terugkeer van de Koning* uit had, voelde ik me beroerd. Mijn favoriete tijdverdrijf was voorbij. Zoals ik al zei, dat was voor al die afkortingen bestonden, voor Xboxen en PS2's en -3's, toen er nog maar drie kanalen op de tv zaten en er alleen op zaterdagochtend tekenfilms werden uitgezonden. Ik ging met mijn broer naar de boekwinkel om op zoek te gaan naar andere boeken zoals deze en tot mijn wanhoop kwam ik met lege handen thuis.

Er was niets te lezen. Ik zat doodongelukkig in mijn kamertje. Ik was zo dom om mijn moeder te vertellen dat ik me zo verveelde en ze gaf me schoonmaakspullen om de kast onder de trap schoon te maken. Ik trok er een soort plastic koffertje uit.

'Wat is dit?' vroeg ik.

'Dat? Dat is de oude typemachine van je zus. Die staat er al jaren.'

Die kast is die dag nooit schoon geworden.

Kun je ons wat vertellen over je achtergrond wat schrijven betreft? Wat voor opleiding heb je gehad? Heb je taal- en letterkunde gestudeerd?

Gewoonlijk krijg ik deze vraag van mensen die ook schrijver willen worden, en de teleurstelling is van hun gezicht af te lezen als ik ze antwoord: ik heb nooit Engels gestudeerd of een schrijfcursus gevolgd, ik heb alleen middelbare school. Ik heb nooit een boek over het schrijven van fictie gelezen. Ik ben nooit naar een seminar of schrijverscongres geweest. En ik ging pas naar een bijeenkomst voor schrijvers nadat mijn eerste boek was gepubliceerd. Wat ik van schrijven weet heb ik mezelf aangeleerd.

Mijn familie had het geld niet om me verder te laten leren. Mijn vader, een kraandrijver bij Great Lake Steel, stierf toen ik negen was, en mijn moeder betaalde de rekeningen met het geld dat ze verdiende als inpakster in Hudson's warenhuis en de kinderbijslag (die stopte toen ik achttien werd). Maar omdat ik vrij goed in tekenen en handvaardigheid was, kreeg ik een beurs voor het Center of Creative Studies in Detroit. Na een jaar hield dat evenwel weer op. Het lukte me een reclamebaantje te krijgen als illustrator/opmaker. Toen kwamen er kinderen en mijn vrouw verdiende meer dan ik, dus bleef ik thuis. Ik was drieëntwintig.

In die tijd verhuisden we naar een afgelegen plek in een noordelijke hoek van Vermont, letterlijk meer dan duizenden mijlen weg van iedereen die we kenden. Ik had niet veel te doen, vooral toen onze dochter 's middags een dutje deed, maar het idee om een boek te schrijven en het uit te geven kreeg ik niet uit mijn hoofd. Ik leerde mezelf schrijven door boeken te lezen. Ik ging naar de plaatselijke winkel van Sinkel, waar ik alle boeken met het Gouden Zegel uitzocht; dat betekende dat ze de Nobel- of de Pulitzerprijs hadden gewonnen. Dat waren geen boeken die ik normaal zou uitkiezen. In die tijd las ik veel van Stephen King, Isaac Asimov en Frank Herbert voor mijn plezier, maar ik wilde leren, dus ik dacht: dan moet ik het maar van de beste schrijvers leren, niet dan? Ik dwong mezelf allerlei soorten boeken te lezen, vooral de boeken die ik niet leuk vond. Dat waren de boeken die altijd prijzen wonnen, de dodelijk saaie romans met een flinterdunne plot en ingewikkelde taal.

Ik koos een bepaalde schrijver uit, las een aantal boeken van hem achter elkaar en schreef toen een roman met de kenmerken die ik bijeengesprokkeld had door hun boeken te lezen. Ik schreef geen kort verhaal in hun stijl, nee, ik schreef hele romans, gooide ze weg en begon het proces opnieuw met de volgende schrijver. Elke schrijver had wel een soort stijl of techniek die me aansprak en ik werkte hard door mezelf aan te leren om te doen wat zij deden. Eigenlijk was ik net als Sylar uit de tv-serie *Heroes*, door de kracht van andere schrijvers te stelen die ik aan mijn schrijversgereedschap toevoegde. Van Steinbeck leerde ik de waarde van levendige beschrijvingen van de omgeving. Bij Updike merkte ik dat je bij indirect proza dingen soms beter kon oproepen door ze niet precies te beschrijven. Bij Hemingway ontdekte ik hoe zuinig je woorden kon gebruiken. Van King hoe hij schitterend de geest van zijn personages kon verkennen... enzovoort. Bovendien schreef ik in verschillende genres: thrillers, sciencefiction, horror, jongeren op weg naar volwassenheid, literatuur – alles deed ik, tien jaar lang.

Elke roman was weer beter geschreven. Uiteindelijk schreef ik iets waarvan ik dacht dat het de moeite van het uitgeven waard was. Anderhalf jaar lang deed ik mijn best er een agent voor te vinden, tot ik het maar opgaf. Tien jaar, duizenden uren werk vond ik vrij lang om uiteindelijk met lege handen te staan. Tien jaar, tien boeken, duizend afwijzingen en geen enkele lezer. Het was tijd om dit onmogelijke plan op te geven.

Wat zette je uiteindelijk toch weer aan het schrijven?
Jaren later waren we van Vermont naar North Carolina verhuisd. De kinderen waren oud genoeg voor de crèche en ik ging weer in de reclame werken. Ik runde in mijn eentje de reclameafdeling van een softwarebedrijf, maar ik stapte eruit om mijn eigen reclamebureau te beginnen, met mijzelf als *creative director*. Net als met romans had ik het gehad met reclameteksten.

Toen mijn jongste dochter Sarah naar de basisschool ging bleek ze dyslectisch te zijn. Lezen was een vermoeiend gevecht, en leuk was het al helemaal niet. Dus kocht ik boeken voor haar, goeie boeken: *De Hobbit,*

Waterschapsheuvel, De kronieken van Narnia en dat nieuwe boek over een jongen die tovenaar werd of zo: *Harry Potter*. Het lag op tafel, dat prachtige, fonkelnieuwe boek; ik hou van boeken die er mooi uitzien. Ik begon te lezen en ik werd meegevoerd. Nu pas merkte ik hoe makkelijk het was om te lezen; het was gewoon hartstikke leuk.

Ik begon weer met schrijven, maar deze keer echt omdat het leuk was. Mijn enige doel was om iets voor mijn dochter te maken waardoor zij ook zou gaan houden van lezen. Ik schreef niet speciaal in iemands stijl. Ik was klaar met het schrijven van het zoveelste Nobelprijs winnende boek in spe. Ik wilde eigenlijk iets schrijven wat ik zelf zou willen lezen. Maar die auteurs die ik bestudeerd had, hielden zich wel schuil onder de oppervlakte. Wanneer ik een omgeving wilde beschrijven, fluisterde Steinbeck in mijn oor. Wanneer ik zocht naar een subtiele draai van een saaie zin, gaf Updike me een hint. King gaf me de kaart om de weg te vinden in de hoofden van mijn personages, en wanneer ik een eindeloze zin opschreef, schudde Hemingway zijn hoofd.

Waarom besloot je direct om een serie te schrijven, in plaats van eerst met één boek te beginnen?
Een van de grootste inspiraties voor *De Openbaringen van Riyria* waren de tv-series *Babylon 5* en *Buffy the Vampire Slayer*. De gelaagde plots fascineerden me. Voor *Babylon 5* was de hele serie voor vijf jaar precies in kaart gebracht voor het eerste deel geschoten werd. Kijkers konden per episode aanwijzingen vinden voor de grotere kwesties waarvoor zo nu en dan iets van doorschemerde. Dat maakte zoveel indruk dat ik wilde proberen dit ook met een boekenreeks te doen. Dus het hele verhaal, de hele serie, heb ik al in kaart gebracht voor ik begon te schrijven. Ik heb nooit een serie boeken willen maken, ik wilde een lang verhaal in zes afleveringen schrijven.

Waarom is humor zo'n belangrijk bestanddeel van je boeken?
Eind jaren zestig, begin jaren zeventig waren veel films behoorlijk deprimerend. Je had van die keiharde drama's zoals *Chinatown* of sombere verslagen van de nasleep van de Vietnamoorlog, zoals *Coming Home*. Voor een filmgek als ik was het geen pretje. Maar toen was er ineens *Butch Cassidy and the Sundance Kid*. Die mengeling van drama en humor vond ik geweldig. Soms is humor in gespannen situaties het beste ingrediënt, en het maakt het bovendien veel geloofwaardiger. Ik noemde *Buffy the Vampire Slayer* al omdat dat nog zo'n groot voorbeeld was. Joss Whedon is een meester in het mengen van drama en humor. Ik wil niet zeggen dat ik op één lijn met hem sta, maar ik heb zoveel plezier aan zijn werk beleefd dat het beslist een grote invloed op mijn eigen werk heeft gehad.

Rolf en Hadriaan zijn een heerlijk stel; wie vormden daarvoor je inspiratie?

Er zijn er meerdere, ik noemde *Butch Cassidy and the Sundance Kid* al en er was een tv-programma in mijn jeugd dat *I Spy* heette, en onbewust is er veel van die figuren in mijn personages terechtgekomen, maar hun echte oorsprong is van veel langer geleden. Toen ik nog in Vermont woonde, begon ik de lange, stomvervelende winters een beetje draaglijk te maken door met twee vrienden een kettingverhaal te schrijven. Dat verhaal begon met twee figuren die een taveerne binnenwandelen en een eersteklas team vormen om in te breken in een oude kerker en daar avonturen beleven. We schreven elk een stel pagina's en stuurden die naar de volgende om zijn bijdrage te leveren. Het was lang geleden... en e-mail bestond nog niet.

Mijn vrienden hielden het al snel voor gezien – ook omdat ze het maar niks vonden dat ik steeds hun stukken herschreef – maar ik was dol op dat concept van twee maten, elk met hun eigen sterke punten, allebei erg verschillend, maar die desondanks perfect met elkaar omgaan. Ik hou ervan om figuren te verzinnen met wie ik zou willen stappen. Een schrijver heeft nu eenmaal de kans om zijn eigen denkbeeldige vrienden te creëren.

Hoe besloot je deze stijl van schrijven te gebruiken?

De Openbaringen van Riyria kwam voort uit mijn besluit eens iets nieuws te proberen. Hiervoor had ik een echt literair boek geschreven: korte plot, uitgebreide karakterontwikkeling, lange zinnen die zeer zorgvuldig waren opgebouwd maar desondanks talloze malen overdacht en verbeterd werden.

Ik zei al dat ik zoveel plezier had beleefd aan *Harry Potter*. Dit was geen Steinbeck: het was simpel en licht en gewoon een aangename leeservaring. *Riyria* stroomde eigenlijk direct vanuit mijn hoofd naar het toetsenbord. Het eerste boek was klaar na een maand, het tweede een maand later. De stijl moest luchtig blijven. Ik had een enorm verhaal te vertellen, met ingewikkelde onderwerpen, talloze personages en tientallen wendingen waardoor je regelmatig op het verkeerde been wordt gezet. Dit idee zou onhandelbaar zijn geweest in een stijl die zwaar op de hand was. Ik vraag al genoeg van de lezer: om het spoor niet bijster te raken van alles wat er gebeurt in de loop van zes losse romans die samen één groot boek vormen. Om het de lezer zo makkelijk mogelijk te maken, probeerde ik een stijl uit die ik nog nooit eerder had toegepast: onzichtbaarheid.

Op die manier springt het verhaal je tegemoet zonder dat je op de taal en stijl let. Moeilijke constructies of mooischrijverij zouden de lezer maar afleiden van de actie en de wereld die zich om hem heen ontvouwt. Vaak moest ik te mooie of hoogdravende alinea's domweg herschrijven, omdat de lezer ze anders op zou merken en daar zijn aandacht op zou richten. Bij mijn andere boeken was dat de bedoeling, maar in *De Openbaringen van Riyria* wilde ik het simpel houden. Tot mijn vreugde is het resultaat dan ook dat het boek leest als een film in iemands hoofd. Zoals gezegd baseer ik veel van mijn schrijven op film en tv, en ik denk dan ook dat dit de toon zet voor deze boeken. Ik wil geen tweede *In de ban van de ring* schrijven, maar eerder een ouderwetse avonturenfilm met stoere kerels of een western uit de jaren zestig.

Hoewel ik weet dat ik niet de enige ben die deze soepele, lichte stijl gebruikt (waarover meer op mijn website) is het toch vrij zeldzaam in fantasy. Wat jammer is, want hoewel ik ook houd van een prachtig geschreven roman, lees ik nog liever een groots verhaal.

Waarom heb je zoveel vaste stijlfiguren uit het fantasygenre gebruikt?
Al jarenlang hoor ik liefhebbers van Tolkienachtige boeken klagen dat ze steeds weer dezelfde thema's tegenkomen en dat ze de archetypen van het genre nu wel kennen. Ze hebben genoeg van dat eeuwige held-overwint-het-kwaadverhaal en ze willen iets nieuws, iets echts, iets geloofwaardigs. Dat klinkt mij in de oren alsof ze zeggen dat ze van chocola zouden houden, als het maar niet zo naar chocolade smaakte maar meer naar vanille.

Veel schrijvers komen tegemoet aan die wensen, door oude thema's binnenstebuiten te keren of ze rauw en morbide te kleuren. In de afgelopen decennia heeft dat de duistere fantasy opgeleverd: het Kwaad overwint meestal, en Helden bestaan niet.

Dat is al eens eerder gebeurd. Een halve eeuw leverde de filmindustrie altijd een happy end op bestelling, maar in de sixties begon dat te veranderen. Rauwe, realistische films staken de kop op, met antihelden als de Man zonder Naam in de spaghettiwesterns. Dat culmineerde in de jaren zeventig met regisseurs als Scorcese, De Laurentiis, Coppola, Peckinpah en Kubrick, die zich vaak richtten op complexe thema's vol narigheid en ellende. Het publiek zou klaar zijn met het goede dat het kwade overwint, omdat het geen gelijke tred hield met de realiteit van alledag, vooral op politiek en seksueel gebied.

Maar in 1977 verscheen de eerste *Star Wars*-film en vanaf toen veranderde weer alles. Ik vergeet nooit dat ik naar *Star Wars* ging zodra hij uitkwam. Ik verwachtte er niks van en ik was net zo lief naar de tekenfilm *Wizards* gegaan. Er was maar één recensie in de kranten verschenen, een kleintje, en daarin stond alleen dat het weinig origineel was en alle filmclichés gebruikte die er bestonden, maar, erkende de journalist: het was verbazend onderhoudend. Door het noemen van die filmclichés koos ik voor *Star Wars*. Ik was nooit zo gecharmeerd geweest van realistische films als *Midnight Cowboy* en *Taxi Driver*. Ik hield meer van de oude films die je op televisie zag. Toen de film afgelopen was en de aftiteling verscheen, dacht ik maar één ding: dat was nou eens een film!

Later gebeurde hetzelfde in de boekenwereld van Fantasy. Er verscheen een serie van een nieuwe auteur die de onvergeeflijke fout maakte om een heldenverhaal te schrijven met elk cliché dat je maar kon bedenken. Het ging om een jongen die voorbestemd was om een duistere heerser te verslaan en de wereld van de ondergang te redden. Er zat zelfs een oude magiër als mentor in die hem door een bonte mengelmoes van humoristische zijsporen leidde – net als in *Star Wars*. Gezien de mentaliteit van het publiek, verwachtte men dat dit een lachertje zou worden. In zware tijden hebben mensen immers geen behoefte aan wereldverbeteraars en happy endings? Nu is er een heel Harry Potter-amusementspark in Florida en heeft vrijwel de hele wereld zowel de serie als de films gezien.

Een eerzuchtige schrijversvriend van me was bezig met een boek waarin een belangrijke rol was weggelegd voor een sprekende kat. Hij liet een deel van zijn verhaal lezen tijdens een schrijversworkshop, waar vrijwel iedereen de kritiek leverde dat die pratende kat zo cliché was, zo oud als *Alice in Wonderland*. Hij zat een tijd in zak en as, en toen we een biertje dronken vroeg hij me of hij niet beter kon ophouden, want met die kat zou het toch niet werken. Ik zei tegen hem dat die kat geen barst uitmaakte. Waar het om ging was dat het een goed verhaal werd, dat goed was verteld.

Sommige lezers hebben me aangeraden de namen van de wezens en zaken te veranderen om het boek unieker te maken. Maar ik koos toch voor dwergen en elfen, koningen en koninginnen, kastelen en kerken, juist omdat iedereen weet wat het zijn: ik hoef ze niet meer uit te leggen. Hoe minder tijd ik nodig heb om de basis van mijn wereld te beschrijven, hoe meer tijd ik heb om een fantastisch verhaal te vertellen en hoe minder werk lezers hebben om zich een voorstelling te maken van die wereld en om zich te laten meevoeren.

Kijk, ik denk echt niet dat mensen het zat zijn om steeds hetzelfde soort verhaal te lezen. Ze hebben wel een hekel aan slechte verhalen. Er zijn oneindig veel mogelijkheden om oude ideeën in nieuwe boeken te gebruiken. Als de plot klopt, als de lezer de personages mag, als de omgeving geloofwaardig beschreven is, dan maakt het niet uit of het over sprekende katten gaat of over jongens die boze tovenaars verslaan. Een compleet origineel verhaal schrijven is nergens voor nodig, en ik denk ook niet dat het mogelijk is.